D0542704

Roomservice

Van Elvin Post verscheen eveneens bij uitgeverij Anthos

Groene vrijdag
Vals beeld
Geboren verliezers

Elvin Post

Roomservice

Anthos | Amsterdam

Dit is een roman. Personages, ondernemingen, instellingen en organisaties in deze roman zijn ontsproten aan de fantasie van de auteur, of – als ze werkelijk bestaan – worden op een fictieve manier gebruikt. De auteur heeft niet de intentie hun werkelijke gedrag te beschrijven.

ISBN 978 90 414 1134 1

Omslagontwerp Roald Triebels, Amsterdam
Omslagillustratie Tom Schierlitz / Stone / Getty Images
Foto auteur Merlijn Doomernik

Verspreiding voor België:
Veen Bosch & Keuning uitgevers n.v., Antwerpen

Voor Tony en Xander,
met dank voor De Baron

Yeah, runnin' down a dream
That never would come to me

– Tom Petty & The Heartbreakers,
'Runnin' Down a Dream'

1

Larry Venice zei tegen zijn vriendin Amanda dat het absoluut niet zijn bedoeling was geweest haar te kwetsen toen hij haar eerder die dag aan de telefoon een egocentrisch mormel had genoemd. Hij had er al de hele dag spijt van en kon aan niets anders denken.

'Ik hou van je,' zei Larry. 'Dat weet je toch?'

Amanda zei niets. Ze staarde naar de tropische vissen in het aquarium achter de bar en had de *jerk chicken* die Larry voor haar had besteld nog altijd niet aangeraakt. Kennelijk wilde ze hem laten weten dat het menens was.

'Alsjeblieft, lieverd,' zei Larry, 'probeer je nou ook even in mijn situatie te verplaatsen... Stanley had net mijn locatie afgekeurd en toen belde jij, snap je? Ik was buiten mezelf van woede en had iemand nodig om me op af te reageren. Probeer het als compliment te zien dat ik jou daarvoor uitkoos. Het is bewezen dat mensen als ze zich afreageren het liefst iemand als doelwit nemen die van ze houdt, iemand die het ze uiteindelijk wel zal vergeven...'

Amanda zei: 'Jij noemt me een egocentrisch mormel en dat moet ik zien als een compliment?'

'Luister nou even naar mijn verhaal,' zei Larry. 'Als je hoort wat ik vandaag heb moeten doormaken, weet ik zeker dat je niet zo kattig meer doet.'

Ze zaten bij Negril, een Jamaicaans restaurant in 23rd Street, dat afgezien van het lichtblauwe water in het aquarium werd gedomineerd door veel oranje en rood. Het was een drukke avond, alle tafeltjes waren bezet. De geit in currysaus voor Larry's neus was mals en smaakte goed, maar er zaten gemene kleine botjes in die in je verhemelte prikten als je niet oplette.

Larry Venice was een locatiescout voor pornofilms, achtentwintig jaar oud en hard toe aan een nieuwe uitdaging in zijn leven. Hij was klein van postuur, had vlassig bruin haar en droeg een bril met sterke glazen.

Amanda James was zijn vier jaar jongere vriendin. Ze werkte parttime in een kledingzaak op 6th Avenue, had blond haar dat bijna tot haar billen reikte en kon er verdomd sexy uitzien, maar niet wanneer ze zo chagrijnig keek als vandaag.

Larry had die dag ruim vijf uur doorgebracht op een zolder in Queens, waar hij in de verzengende hitte had gewerkt aan een locatie voor een film die *Bottom Watchers* heette. Ondanks de brandende zon, die het verblijf op de zolder bijna ondraaglijk maakte, had hij zich goed gevoeld. Terwijl het zweet van zijn hoofd gutste, zag hij de scène in gedachten al voor zich: Sonya Samson op haar stiletto's, die nietsvermoedend uit het openstaande zolderraam tuurde om van het uitzicht te genieten. Wilton Kane die achter haar opdook, met de groene jagerspet op zijn hoofd en daaronder helemaal niets. Wilton die dichterbij kwam, zijn tweeëntwintig centimeter in de aanslag...

'Maar natuurlijk had Stanley er weer van alles op aan te merken,' zei Larry tegen Amanda, die nog steeds geen hap van haar eten had genomen. 'Hij kwam zoals altijd een halfuur te laat aankakken om de boel te keuren. Hij zegt me niet eens fatsoenlijk gedag. In plaats daarvan gaat hij quasipeinzend voor zich uit staan staren – je weet wel, zo van: *ik ben meneer de regisseur, kijk eens hoe hard ik nadenk* – en na een paar seconden zegt hij: "Larry, dit is allemaal leuk en aardig, maar als ik het me goed herinner, had ik om een *buiten*locatie gevraagd." Dus ik zeg: "Ja, Stan, dat weet ik, en daarom hangt Sonya ook half uit het raam als Wilton de kamer binnenkomt, zodat haar haren mooi wapperen in de wind en je dat typische buitengevoel krijgt. Misschien kun je zelfs een cameraman in de dakgoot zetten, dan kan hij Sonya's op en neer zwiepende tieten filmen terwijl Wilton zijn ding doet." Maar nee hoor, meneer had zijn beslissing al genomen. Hij had om een buitenlocatie gevraagd en een zolder was géén buitenlocatie. Snap je wat ik bedoel? Wat ik ook doe, het is nooit goed...' Hij prikte een stuk geit aan zijn vork, keek op en zag dat Amanda een vluchtige blik op haar horloge wierp. 'Hé, luister je wel?'

Amanda zei: 'Ik ga naar huis, Larry.'

Hij zag dat ze wilde opstaan, voelde paniek opkomen, en greep haar pols. 'Wacht even. Wacht nou even... Ik heb toch mijn excuses aangeboden? Ik had mijn frustratie nooit op jou mogen afreageren, oké? Kijk me aan, lieverd, en luister naar wat ik zeg: Jij Bent Geen Egocentrisch Mormel. Als er iemand hier een egocentrisch mormel is, dan ben ik het. Hoor je me? Ik, Larry Venice, ben een mormel. Zie je wel?' Hij stootte een varkensachtig geknor uit in de hoop haar aan het lachen te maken, maar de enige die reageerde op het geluid was de Arabier met het ruitjesoverhemd en de borstelige zwarte snor aan het tafeltje naast hen.

De man wierp hem een vluchtige blik toe, schudde vrijwel ongemerkt zijn hoofd en richtte zich vervolgens weer op zijn eten.

Larry keek naar Amanda. Wanneer ze ergens boos over was, hielp het doorgaans als hij haar vergeleek met Scarlett Johansson, de blonde actrice met haar slaapkamerogen ('Maar jij hebt meer persoonlijkheid'). Dan verdween haar slechte humeur en was alles meteen weer koek en ei. Maar vandaag had hij het gevoel dat er meer nodig was.

Dan zat er dus niets anders op. Eigenlijk had hij haar er pas later mee willen verrassen, maar dit was een noodsituatie. 'Amanda, ik heb een idee voor een film.'

'Dat is fijn voor je, Larry. Mag ik nu naar huis?'

'Wil je het niet horen?'

'Nee, Larry, ik wil het niet horen. Je hebt voortdurend ideeën en niet een daarvan is geschikt voor een film. Als dat wel zo was, had je vader je allang op weg geholpen. Wat heb je deze keer verzonnen? Is het weer zo'n flauwe pornoversie van een bekende Hollywoodfilm?'

'Nee,' zei Larry, tevreden over het feit dat ze er helemaal naast zat. 'Nee, lieverd. Dit is iets heel anders. Het is gebaseerd op een waargebeurd verhaal.'

'Het kan me niet schelen waarop het is gebaseerd, Larry. Ik heb je vanmiddag duidelijk verteld hoe ik erover denk en er is in de tussentijd niets veranderd. Het is voorbij tussen ons. En wil je nu mijn pols loslaten? Je doet me pijn.'

'Het enige wat ik van je vraag is dat je even naar me luistert.' Larry schrok toen hij hoorde dat zijn stem oversloeg. Hij merkte dat het hem steeds meer moeite kostte regelmatig te blijven ademhalen.

'Ik heb de afgelopen anderhalf uur naar je geluisterd, Larry. Maar jij luistert niet naar mij. Je moet godverdomme die oogkleppen een keer afdoen en de realiteit onder ogen zien. Je gaat geen film maken. Nooit.'

'Dus jij denkt dat ik van plan ben vrolijk door te gaan met mensen over me heen laten lopen en de rest van mijn leven locatieregelaar blijf?'

'Het is locatie*scout*, Larry, geen locatieregelaar. Je kent niet eens de juiste titel voor je eigen functie. Maar wat je vraag betreft: ja, ik denk inderdaad dat je de rest van je leven locatie*regelaar* blijft. Een locatieregelaar die niets regelt. En wat je zielige verhaal van daarnet betreft: Stanley heeft gelijk, het is belachelijk om je vijf uur in het zweet te werken op een zolder terwijl je opdracht hebt gekregen een buitenlocatie te vinden. Als je niet voor je vader werkte, was je allang ontslagen.'

Larry beet op zijn tong en tuurde naar de slanke negerin die hen anderhalf uur geleden naar hun tafeltje had gebracht. Ze stond kaarsrecht bij de ingang van het restaurant, de rust zelve. Door naar de negerin te kijken en niet aan het verongelijkte gezicht van Amanda te denken, probeerde hij de storm die in zijn binnenste kolkte te bedwingen. Pas toen hij zeker dacht te weten dat hij kalm genoeg was, keek hij weer naar Amanda, naar de onaangeroerde kip op haar bord, en zei: 'Je hebt je eten nog niet op. Ik kan je toch over mijn idee vertellen terwijl je eet? Als je daarna nog steeds weg wilt, dan –'

'Larry, ik heb een ander.'

'Ja, maar als je nou eerst even luistert…' Hij fronste zijn wenkbrauwen. 'Wát?'

'Ik zei dat ik een ander heb, Larry. Een andere vriend.'

'Je… Wacht even: dat had je nog niet gezegd.'

'Dat weet ik. Daarom zeg ik het je nu.'

Larry wendde met een gevoel van ongeloof zijn blik af en zag dat de Arabier met het ruitjesoverhemd schaapachtig voor zich uit grijnsde. Lachte die vent hem uit? Of had de vrouw tegenover hem – een vadsige blondine met oorbellen zo groot als mosselen – iets grappigs gezegd? Larry verlegde zijn blik naar het tafeltje met studentes achter Amanda. Daar lachte niemand voor zich uit en bemoeide iedereen zich met zijn eigen zaken. Opnieuw keek hij naar de Arabier, die nu iets tegen zijn vrouw zei. De Arabier zag eruit als een taxichauffeur. Larry durfde te wedden dat zijn vrouw Peggy of Molly heette en haar hele leven niets anders deed dan afwassen en naar soapseries kijken op televisie.

Toen hij zeker dacht te weten dat de Arabier niet meer naar hen luisterde, wendde hij zich weer tot Amanda. 'Hoe heet hij?'

Hij zag haar kaak verstrakken. 'Wat doet dat ertoe?'

'Ik wil het weten.'

'Hij heet Kurt. Maar ik zie echt niet in wat –'

'Kúrt?'

'Larry, je houdt nog steeds mijn pols vast. Wil je me alsjeblieft loslaten?'

Maar Larry hoorde haar niet meer.

Kurt.

Hij zag een gespierde kerel van een jaar of vijfentwintig voor zich. Zag hoe Amanda zijn enorme lul in haar hand nam, haar lippen bevochtigde en haar mond om zijn geslacht legde. Hij hoorde haar kreunen en steunen en zag Kurts blauwe ogen groter worden terwijl Amanda – *het egocentrische mormel* – harder en harder zoog...

'Is alles in orde, mevrouw?'

Larry keek op en zag een man naast hun tafeltje staan. Het was de Arabier, die vragend naar Amanda keek. Achter hem keek ook de vadsige blondine met een angstig gezicht hun kant op.

'Ja,' zei Larry. 'Alles is in orde.'

Nu keek de Arabier hem aan. 'Als dat echt zo is, zou je dan misschien de pols van mevrouw willen loslaten?'

Larry negeerde de man. Hij wendde zich weer tot Amanda en zei: 'Luister, schat, ik...'

Vanuit zijn ooghoek zag Larry dat de Arabier iets uit zijn broekzak haalde. Hij hield het voor Larry's neus en zei: 'NYPD, vriend. Ik vraag het nog een keer netjes. Zou je zo vriendelijk willen zijn de pols van mevrouw los te laten?'

Larry grinnikte. 'Leuk geprobeerd, eikel, maar ik ken meer mensen die zo'n vals ID hebben dan mensen die er geen hebben. Je hebt zeker ook zo'n nepsirene die je op je taxi kunt zetten als je geen zin hebt om in de file te staan?'

De Arabier leek zich even af te vragen wat hij met Larry's weigering aanmoest. Toen draaide hij zich om en knikte kort naar de blondine. Blijkbaar had de Arabier haar uitstekend afgericht, want ze stond onmiddellijk op en waggelde ervandoor, in de richting van de negerin bij de ingang van het restaurant. Larry zag dat er inmiddels meer mensen hun kant op keken.

Nu zei de Arabier: 'Sta op.'

Larry zei: 'Luister, Osama. Als je me uit deze stoel wilt krijgen, hoop ik voor je dat je een krachtige bomgordel draagt, want ik ben niet van plan uit eigen beweging van mijn plek te komen. Ik heb nog geen toetje gehad.'

De Arabier zuchtte en wierp een vluchtige blik in de richting van de ingang, waar de blonde trut inmiddels druk in gesprek was met de negerin bij de deur. Nu keken beide vrouwen hun kant op en het volgende ogenblik bracht de negerin een mobiele telefoon naar haar oor.

Larry liet Amanda's pols los en keek de Arabier aan. 'Zie je wel? Niets aan de hand.'

'Klootzak,' zei Amanda. Ze stond op, wreef met een gepijnigd gezicht over haar pols en begon haar jas aan te trekken. Larry wilde ook opstaan, om haar op andere gedachten te brengen, maar toen hij zijn stoel naar achteren schoof, voelde hij de hand van de Arabier op zijn schouder en merkte hij dat hij niet omhoog kwam.

'Luister,' zei Larry, terwijl hij zijn best deed vriendelijk te klinken. 'Zou je alsjeblieft even je hand kunnen weghalen? Ik wil graag opstaan om mijn vriendin gedag te zeggen.'

De Arabier keek hem taxerend aan, knikte toen en liet Larry's schouder los.

Larry stond op, zette zijn bril af en zei: 'Amanda, ik smeek je. Blijf nog even.'

De Arabier zuchtte. 'Ik dacht dat je alleen gedag ging zeggen.'

'Misschien is ze van gedachten veranderd en wil ze toch nog even blijven,' zei Larry.

Amanda zei: 'Rot op, Larry. Ik wil je nooit meer zien.'

Terwijl hij zag hoe ze demonstratief haar jas dichtknoopte, voelde Larry het bloed naar zijn hoofd stijgen. Nu pas kreeg hij in de gaten dat zowat iedereen in het restaurant was gestopt met eten en met ingehouden adem naar hen keek.

'Je hebt het gehoord,' zei de Arabier. 'Ze blijft niet.'

Dat was de druppel. Larry draaide zich om, zette zijn bril weer op en sloeg de Arabier vol op zijn neus.

Een van de studentes aan het tafeltje achter Amanda stond op en begon te gillen, haar gezicht vertrokken van afkeer. Andere mensen volgden haar voorbeeld en binnen enkele seconden was het één grote chaos in het restaurant.

De Arabier bevoelde zijn neus, die hevig bloedde.

'Dat krijg je ervan als je zo nodig de held moet spelen,' zei Larry. Hij keek om in de verwachting Amanda te zien, maar zag haar nergens.

Het volgende moment voelde hij dat iemand op ruwe wijze zijn armen achter zijn lichaam draaide. Hij wilde protesteren, maar bedacht zich toen hij een klikkend geluid hoorde en merkte dat hij zijn handen niet meer kon bewegen.

De stem van de Arabier zei: 'Je staat onder arrest.'

'Wacht even,' zei Larry, terwijl hij zich omdraaide. 'Je gaat me toch niet vertellen dat je echt een politieman bent, hè? O shit, dat heb ík weer...'

2

Breast Seller 2, stond er in grote letters op het A0-affiche waar Farrell naar keek. Om misverstanden te voorkomen had de producent van de film een aanzienlijk deel van de poster gevuld met blote borsten. De vrouw die bij de borsten hoorde, had hoogblond haar en droeg een soort hondenhalsband om haar nek. Ze keek Farrell uitdagend aan, alsof ze hem ertoe wilde bewegen zich over te geven aan de betoverende kracht van haar onnatuurlijk blauwe ogen, de film aan te schaffen en naar huis te gaan om erachter te komen welke andere kwaliteiten haar zo geschikt maakten voor de hoofdrol in *Breast Seller 2*.

'Heb je hem gezien?' vroeg een stem.

Farrell draaide zich om en zag dat er een jonge vrouw achter de receptiebalie was verschenen. Ze had bruin haar, licht krullend tot op haar schouders, en intelligente groene ogen waarmee ze hem geamuseerd aankeek.

Farrell zei: 'Ik kan het me niet herinneren. Maar als je me de plot vertelt, dan weet ik het misschien weer.'

'Het draait in *Breast Seller 2* meer om de personages.'

'Is het een van meneer Venice' films?'

'Nee, hij vroeg me vorige week deze poster op te hangen omdat hij een van de actrices uit die film op bezoek kreeg. Hij wilde haar overhalen om in een van zijn producties te spelen. Ik denk dat hij indruk op haar wilde maken, je weet wel, door haar te laten zien dat hij haar werk waardeert.'

'En? Lukte het?'

'Nee, ze kwam niet opdagen.'

Ze zei het met een serieus gezicht, maar de ironische ondertoon ontging Farrell niet.

Hij zei: 'Dus we zullen nooit weten of de truc met de poster zou hebben gewerkt.'

'Volgens Archie speelt ze een spelletje om haar honorarium op te drijven. Hij is ervan overtuigd dat ze een dezer dagen onverwachts binnenloopt.'

'En jij?'

'Ik? Het doet er niet toe wat ik denk, maar als je mijn mening wilt weten: ik denk dat ze lekker in LA blijft. Daar is het meeste werk en het is er bovendien beter weer dan hier.'

Ze was grappig, op een onderkoelde manier. Haar groene ogen spraken boekdelen als ze over haar baas sprak, maar ze was verstandig genoeg om op haar woorden te letten tegen een vreemde. Farrell schatte haar rond de vijfentwintig. Hij vroeg zich af wat haar had doen besluiten als receptioniste voor een producent van pornofilms te gaan werken.

Ze raadpleegde een agenda. 'Ben jij Jack Farrell?'

'Ja. Ik ben aan de vroege kant. Er was weinig verkeer.'

'Dat is oké. Archie zei dat ik je meteen door kon sturen als je er was.' Ze keek hem taxerend aan. 'Als ik zo vrij mag zijn: wat kom je hier doen? Je ziet er niet uit als een acteur.'

'O nee?' zei Farrell, terwijl hij zich afvroeg of de opmerking als compliment bedoeld was.

'Nee. De meesten van die aspirant-pornosterren komen ongeschoren binnen en dragen te grote overhemden die uit hun broek hangen, of ze hebben speciaal voor de gelegenheid een of ander felgekleurd shirt van stretchstof aangeschaft met een halfzachte tekst erop. Jij hebt je geschoren en ziet er redelijk verzorgd uit.' Ze grinnikte, alsof ze een binnenpretje had. 'Maar eigenlijk wist ik al dat je ergens anders voor kwam toen ik in mijn agenda keek en je naam zag.'

'Wat is er mis met Jack Farrell?'

'Niets. Maar als je kwam solliciteren, had je waarschijnlijk een afspraak gemaakt onder een andere naam.' Ze bladerde weer in haar agenda en zei: 'Dat doen negen van de tien sollicitanten. Ze denken dat ze daardoor meer kans maken op een rol. Zo komt er over een uur een mevrouw bij Archie op bezoek die beweert dat ze Tiffany Love heet. Ze belde vorige week. Ik durf te wedden dat het niet haar eigen naam is, het Love-gedeelte dan. Mensen verzinnen de gekste dingen. Ik heb zelfs een keer een joch aan de telefoon gehad dat zich voorstelde als Leon Schwarzenpecker. Ik zei: "En wat is je echte naam?" Waarop hij heel beledigd reageerde en vroeg waar ik het lef vandaan haalde aan zijn naam te twijfelen. Ik zei dat mensen nu eenmaal vaak namen verzinnen. Hij: "Nou, ik niet. De Schwarzenpeckers wonen al eeuwen in New Jersey. Als u me niet gelooft, dan kan ik u een stamboom toesturen." Tijdens zijn sollicitatie bleek Leon een heel klein piemeltje te hebben. Archie liet hem weten dat hij beter iets anders kon gaan doen, waarop dat joch in tranen uitbarst en zegt: "Oké, oké, jij wint. Ik heb die naam verzonnen. Ik heet Leon Palfrey. Stuur me alsjeblieft niet weg." Weet je, de mensen realiseren zich vaak niet dat het in eerste instantie gaat om wat ze voor de camera waard zijn. Als dat in orde is, dan komt pas de kwestie van de naam. En die verzint Archie altijd zelf. Dat vindt hij leuk.' Ze zweeg even. 'Maar je hebt mijn vraag nog niet beantwoord. Wat kom je hier wél doen?'

'Ik heb geen idee,' zei Farrell. 'Ik hoopte eigenlijk dat jij me dat kon vertellen.'

Archie Venice speelde afwezig met de Snoopy-sleutelhanger aan de rits van zijn leren broek, terwijl hij zijn best deed een van zijn regisseurs, Kevin Tingwald, te laten uitpraten en niet boos te worden omdat de idioot weer eens niet wilde luisteren.

Hij zei: 'Néé, Kevin. Je weet dat ik dat soort titels niet meer doe. Je wéét het. *Good Will Humping, A Few Hard Men, Look Who's Sucking*... leuk hoor, heel grappig. Maar als we iedere keer worden aangeklaagd door de producent van het origineel kan ik straks wel opdoeken. Wat? Ja, ik weet ook wel dat ik die zaken allemaal win, maar het gaat me om de tíjd die ik eraan kwijt ben. Als ik jou je gang laat gaan, zit ik straks permanent in de rechtszaal. Volgende week heb ik weer een zitting, deze keer vanwege *Four Weddings and a Gigo-*

lo. Ik wil er graag voor zorgen dat het daarbij blijft.'

Aan de andere kant van de lijn was Kevin even stil. Toen zei hij: 'Oké, Arch, jij bent de baas. Zullen we er anders *Presumed Impotent* van maken?'

Archie keek vertwijfeld naar het mobieltje in zijn hand, alsof het toestel hem een verklaring schuldig was voor het feit dat zijn woorden niet leken door te dringen tot degene met wie hij sprak. Intussen praatte Kevin gewoon door. Archie hield het toestel nog wat verder bij zijn oor vandaan. Hij hoorde Kevin nu alleen nog als een soort ruis. Met zijn vrije hand pakte hij een pen en schreef in zijn agenda: 'Kevin ontslaan'. Hij voelde zich onmiddellijk beter, bracht de telefoon weer naar zijn oor en zei: 'Kevin?'

'Arch? O, je bent er nog. Ik dacht al dat je had opgehangen. Je zei niets meer.'

'Sorry. Ik moest even iets opschrijven. Weet je wat we doen, Kev? We denken gewoon nog een paar dagen na over die titel. Waarom kom je – eens even kijken – aanstaande donderdag niet even langs? Dan hebben we het erover, en...' Op zijn vaste telefoon begon een rood lampje te knipperen. 'Wacht even, Kev, ik heb een andere lijn.' Hij legde zijn mobiel op het bureau, vlak naast de AVN Award die hij vorig jaar had ontvangen voor *Roomservice 8*, griste de hoorn van het toestel en zei: 'Ja?'

Zijn receptioniste, Dana Evans, zei: 'Meneer Farrell is er.'

Shit. De detective. Zijn belangrijkste afspraak van vandaag. Helemaal vergeten door die klootzak van een Kevin.

Hij zei: 'Stuur hem maar door, Dana.'

Farrell had nooit eerder een producent van pornofilms ontmoet en had geen idee wat hij kon verwachten. Wat hij in ieder geval níét had verwacht, was een man van dik in de zeventig, gekleed in een zwartleren pak, met aan zijn broekrits een reusachtige Snoopy-sleutelhanger. Toen hij een minuut geleden dit kantoor was binnengestapt, had hij heel even gedacht dat het witte ding dat ter hoogte van de gulp van Archie Venice heen en weer bungelde geen sleutelhanger was, maar iets heel anders. Zijn opluchting was dan ook groot toen hij constateerde dat aan het uiteinde ervan twee zwarte oren zichtbaar waren, en een klein neusje. Omdat de oude man met een mobiele telefoon aan zijn oor naast zijn bureau stond en niet de indruk wekte dat hij hem had zien binnenkomen, doodde Farrell de tijd door een blik te werpen op de vele bezienswaardigheden in de kamer.

Rechts van het bureau, in de hoek, stonden twee gloednieuwe chesterfieldbanken met ertussenin een glazen salontafel. Daarachter bevond zich een langwerpige kist die nog het meest weg had van een doodskist, ware het niet dat er over de hele breedte BUDWEISER op te lezen stond. De vloer in Archie Venice' kantoor was, evenals die in de receptieruimte, bedekt met donkergroen tapijt. In de verste hoek van het vertrek was een deur, die op een kiertje stond. Erachter zag Farrell een toiletpot van een groenige steensoort. Het ding had een bril van roze pluche en stond op een verhoging van minstens veertig centimeter.

De muur waar Farrell nu naar keek hing vol met ingelijste foto's waarop Archie Venice te zien was in het gezelschap van verschillende schaars geklede dames. Het viel Farrell op dat de oude man op vrijwel alle foto's in het midden stond, zijn leren pak met sleutelhanger droeg en breed glimlachte.

Terwijl hij zijn blik langs de foto's liet dwalen, hoorde hij Archie Venice zeggen: 'Nogmaals, Kevin, natuurlijk weet ik dat je donderdagmiddag met *Love Donut* bezig bent, maar ik wil je toch met klem vragen om vier uur hier te zijn.' De oude man klonk geïrriteerd, alsof hij zijn uiterste best moest doen om beleefd te blijven tegen degene die hij aan de telefoon had. Nu zei hij: 'Dan leg je de boel maar stil na de scène waarin Walter is vastgebonden en beseft dat Debbies naakte tweelingzus hem met kaarsvet gaat bewerken tenzij hij haar het geheim van Love Donut vertelt...'

Farrells blik bleef rusten op een grote foto waarop Archie Venice poseerde samen met twee lange blonde vrouwen die allebei een kop groter waren dan hijzelf. Archie droeg zijn leren pak en had een serene uitdrukking op zijn gezicht. Farrell had dezelfde twee vrouwen op meerdere foto's gezien, maar hij had niet het gevoel dat het actrices waren. Ze hadden op de meeste foto's kleren aan en stonden er altijd samen op, of in het gezelschap van de oude man zelf. Het leek erop dat ze bij hem hoorden, maar op welke manier was niet duidelijk.

'Ik durf te wedden dat je van zulke vrouwen droomde toen je in de bak zat...'

Farrell draaide zich om en zag de oude man breed grijnzend naar hem kijken.

'Je bent goed op de hoogte.'

'Ik heb mijn huiswerk gedaan,' zei Archie, terwijl hij op Farrell af liep en hem de hand schudde. 'Archie Venice.' Hij deed een stap naar achteren. 'Je nam een of andere kerel te grazen in een bar en kreeg vier maanden, hè?'

Farrell keek naar het haar van de man. Het was dik en blond. Vermoedelijk een pruik. Hij zei: 'Dat was vlak na 11 september. Mijn vader was een van de brandweermannen die omkwamen in de tweede toren. Ik was depressief.'

'Maar je kwam er weer bovenop.'

'In de gevangenis heb je veel tijd om na te denken.'

'En waar dacht je zoal over na?'

'Over een manier om de kost te verdienen zonder me al te veel te hoeven inspannen of voor een baas te werken.'

Archie Venice knikte. '"Bedrogen? Wilt u het zeker weten? Jack Farrell helpt u op weg naar de waarheid." Het klinkt goed. Kort maar krachtig. Heb je dat ook bedacht in de gevangenis?'

'Nee, dat kwam later.'

'En? Kun je er een beetje van rondkomen? Foto's maken van mensen die elkaar bedriegen?'

'Ik mag niet klagen,' zei Farrell. 'Maar luister, ik heb meer te doen vandaag. Ga je me nog vertellen wat je van me wilt of niet?'

'Ja, ja, maak je geen zorgen. Wat ik wil is... Het is misschien een nogal ongewoon verzoek. Heb je in jouw werk zoiets als beroepsgeheim?'

Farrell fronste zijn wenkbrauwen. 'Ga je me vragen iemand voor je te vermoorden?'

'Nee, maak je geen zorgen. Als ik iemand wilde laten vermoorden, had ik wel ergens anders gezocht dan in de Gouden Gids. Het punt is: ik denk erover je een klus aan te bieden, iets voor de langere termijn. Maar ik wil niet dat degene om wie het gaat er iets van weet.'

'Dat klinkt behoorlijk cryptisch. Kun je me ook in gewóón Engels uitleggen wat eraan mankeert?'

Archie Venice glimlachte zuinigjes. 'Waarom gaan we er niet even bij zitten? Dat praat wat makkelijker.'

Farrell bleef staan.

'Oké,' zei Archie. 'Ik heb een probleem met mijn zoon Larry.'

3

Ze zaten nu op de chesterfieldbanken in de hoek van het vertrek, een fles Pellegrino en twee doorzichtige plastic bekertjes op de salontafel tussen hen in. Archie Venice had Farrell verteld over zijn zoon Larry, die was gedumpt door zijn vriendin en uit frustratie daarover een politieman had geslagen. Hij was op borgtocht vrijgelaten en moest over twee weken voorkomen. Mishandeling van een politieagent in functie, zo luidde de aanklacht. De vriendin, Amanda, had geen aangifte gedaan. Ze had Larry wel laten weten dat ze er prijs op stelde als hij haar verder met rust liet.

Farrell luisterde alleen maar en had voorlopig geen idee waar Archie Venice naartoe wilde met zijn verhaal. Hij stond op het punt een vraag te stellen, toen de producent een paar centimeter omhoogkwam van de bank en een mobiele telefoon uit de zak van zijn leren broek tevoorschijn haalde. Hij zei: 'Trilfunctie.' En toen: 'Sorry, maar dit gesprek moet ik even aannemen.'

Farrell zag hoe Archie Venice de telefoon naar zijn oor bracht.

'Rhonda? Hallo schatje... Ja, alles goed hier. Met jullie ook...? Dat geloof ik graag... Bloomingdale's... foei, foei, foei... nou, als jullie straks terugkomen, zal papa het jullie voor deze ene keer vergeven. Wat? Nee, zo bedoel ik het niet. Ja, natuurlijk, koop maar... Geef Leslie een zoen van me... Ik ook van jou, pop...'

Toen de oude man zijn telefoon had weggestopt, zei Farrell: 'Je dochters?'

'Nee,' zei Archie. 'Dat waren Rhonda en Leslie.' Hij wees naar een ingelijste foto achter hem, waarop hijzelf in een klein rood zwembroekje aan de rand van een zwembad zat en naar de camera grijnsde. Naast hem op de foto zag Farrell de twee blonde vrouwen die hij eerder had gezien, het tweetal dat altijd samen op de foto stond, of alleen met de oude man. De vrouwen waren topless en keken met een zwoele blik naar degene die de foto maakte. Farrell schatte hen hooguit tweeëntwintig.

'Je vraagt je af of het actrices zijn, hè?'

'Zijn ze dat?'

'Nee,' zei Archie. 'Dat zijn ze niet. Rhonda is mijn verpleegster. Leslie is een vriendin van de familie.' Hij zweeg. 'Die met die navelpiercing is Leslie.'

'Aha,' zei Farrell. Ongewild dwaalden zijn gedachten af naar afgelopen Thanksgiving, de laatste keer dat hij zijn moeder en zijn zus Imelda in Utica had bezocht. Ze hadden zoals gewoonlijk geen mogelijkheid onbenut gelaten om hem te laten weten wat ze van zijn werk vonden. Zijn moeder zei: 'Je bespiedt mensen die vreemdgaan en maakt foto's om het te bewijzen. Het heeft iets ranzigs. Wordt het niet eens tijd voor wat anders?'

Farrells reactie: 'Ranzig? Mam, ik volg mensen, meestal naar een motel, en maak een foto als ze samen naar binnen gaan. Vervolgens doe ik hetzelfde als ze weer naar buiten komen. Wat er tussendoor gebeurt – het "ranzige" gedeelte waar je waarschijnlijk op doelt – daar zie ik niets van. Dat hoeft ook niet, want je mag ervan uitgaan dat getrouwde vrouwen niet met hun tennisleraar naar een motel gaan om de zorgwekkende situatie in de Gazastrook te bespreken.'

De inbreng van zijn zus: 'Jack, je betrapt mensen die vreemdgaan. Heb je er weleens over nagedacht wat er zou kunnen gebeuren als die mensen jóú betrappen terwijl je ze aan het bespieden bent? Het wordt nog eens je dood.'

Farrell zei: 'Nadat papa was overleden, wilden jullie met alle geweld dat ik niet meer achter de bar zou gaan staan en ander werk ging doen. Nu dóé ik ander werk en is het weer niet goed. Geloof me, ik ben ook niet altijd gelukkig met wat ik doe, verre van dat zelfs, maar gezien de menselijke aard is er geen enkele reden om te denken dat ik ooit zonder werk zal komen te zitten. Wie kan dat tegenwoordig nog zeggen?'

Het was hetzelfde gesprek dat ze ieder jaar hadden.

Farrell vroeg zich af wat zijn moeder zou zeggen als ze hem op dit moment kon zien, zittend tegenover een in leer gehulde pornoproducent met een vijftig jaar jongere verpleegster tegen wie hij dingen als 'schatje' en 'foei, foei, foei' zei, en omringd door filmposters met titels als *Bitchcraft*, *The Violation of Aurora Snow* en *Roomservice 4*.

'Niet verkeerd, hè?' zei Archie Venice. 'Ik kan je verzekeren dat ze weten hoe ze een oude man jong moeten houden.'

Het duurde even voordat Farrell besefte dat de producent het nog steeds over de twee blonde vrouwen op de foto had, Rhonda en Leslie. Hij zei: 'Dat is mooi. Maar even terug naar je zoon. Wat wil je precies van mij?'

'Wat ik wil,' zei Archie Venice, 'is dat je Larry een tijdje voor me in de gaten houdt.'

'Een tijdje?'

'Drie weken.'

'Waarom?'

'Zodat ik zeker weet dat hij het niet in zijn hoofd haalt zijn vriendin op andere gedachten te gaan brengen en we wéér de politie op ons dak krijgen.'

'Denk je dat hij dat zal proberen? Ik bedoel, na wat er is gebeurd?'

'Ik acht het heel goed mogelijk.'

'Maar waar ben je precies bang voor? Dat hij haar vermoordt?'

Daar moest de oude man even over nadenken. Hij speelde een paar seconden met de sleutelhanger aan zijn broekrits en zei toen: 'Nee, dat denk ik niet. Larry is bepaald niet de slimste van de klas – nooit geweest – maar een moordenaar is hij ook weer niet. Het is meer zo dat, tja, hoe zal ik het zeggen? Als hij iets gedaan wil krijgen en het lukt niet, heeft hij vaak moeite de dingen in de juiste proporties te zien en denkt hij dat de hele wereld tegen hem samenspant. Waar het op neerkomt, is dat hij niet goed kan omgaan met afwijzing.'

'Waar uit zich dat in?'

'Soms gebeurt er niets. Je ziet aan zijn gezicht dat hij vanbinnen kookt, maar hij slikt zijn woede in of loopt demonstratief de kamer uit. Om de zoveel dagen krijgt hij een driftbui en komt alles eruit, zoals een paar dagen terug met Amanda. Hij had haar pols vast en wilde niet meer loslaten. De afdrukken van zijn nagels waren een uur later nog op haar huid te zien, zei die politieman. Hij mag van geluk spreken dat Amanda geen aanklacht tegen hem indiende. Dat heb ik hem ook verteld. Weet je wat hij zei? Hij zei: "Een aanklacht? Waarvoor dan? Ik probeerde haar alleen maar op andere gedachten te brengen." Volgens Larry was zij degene die onredelijk was. Omdat ze weigerde naar hem te luisteren.' Archie Venice schudde zijn hoofd. 'Ik heb het altijd gezegd: die jongen is net zijn moeder. Cindy deed ook voortdurend dingen zonder erbij na te denken. Zoals mijn accountant pijpen als ik aan het lunchen was. Toen ik er een keer een opmerking over maakte, reageerde ze helemaal verbolgen en kwam ze met een verhaal over hoe ik de hele dag jonge meiden neuk. Ik zeg: "Cindy, lieverd, dat is mijn wérk. Ik moet weten wat ze kunnen voordat ik ze voor de leeuwen gooi. Als ik de juiste meiden eruit pik, zien we dat straks terug op onze bankrekening, en dat is goed voor ons allebei, toch? Maar wat heb ík eraan als jij onze accountant oraal bevredigt?" Ze ging compleet door het lint en weigerde te erkennen dat er een duidelijk verschil was. Met Larry is het precies hetzelfde: hij noemt zijn vriendin een egocentrisch mormel omdat hij een rotdag heeft gehad en is stomverbaasd als ze hem vervolgens aan de kant zet. Kun je het geloven?'

'Ja, ik geloof je. Maar ik ben bang dat ik je niet kan helpen. Wat je nodig hebt, is een goeie lijfwacht.'

'Daar heb ik natuurlijk ook aan gedacht. Het punt is dat ik niet wil dat Larry merkt dat ik iemand een oogje op hem laat houden. Daarom wil ik dat jij het doet.'

'Je bent bang dat hij boos wordt als hij erachter komt dat je hem niet vertrouwt?'

'Juist,' zei Archie Venice. 'Zo is het. Je hebt geen idee hoe blij ik ben dat je me uit de brand wilt helpen.'

'Ik heb niet gezegd dat ik je uit de brand help.'

'Nee, nog niet, maar ik weet zeker dat we eruit komen. Geld is geen probleem. Dit is belangrijk voor me. Ik kan me niet nóg meer gedonder met de politie veroorloven.'

Farrell had het gevoel dat de man hem niet alles vertelde. Wanneer hij het woord 'politie' in de mond nam, verscheen er een paniekerige glinstering in zijn ogen, alsof hij persoonlijk zou moeten boeten voor ieder toekomstig vergrijp van zijn zoon. En wat had hij daarnet ook alweer gezegd? *Zodat ik zeker weet dat hij het niet in zijn hoofd haalt zijn vriendin op andere gedachten te gaan brengen en we wéér de politie op ons dak krijgen.*

We.

'Kom op,' zei de oude man nu. 'Het gaat maar om drie weken. Daarna gaat hij een halfjaar bij zijn moeder wonen op Hawaï. Ik hoop dat hij daar een beetje tot rust komt. Misschien een leuk meisje ontmoet, zo'n strandtype dat de hele dag in haar blote borsten rondhuppelt en krulhaar heeft met bloemetjes erin...'

'Hoe oud is Larry eigenlijk?'

'Volgende week zondag wordt hij negenentwintig.'

Negenentwintig. En zijn vader praatte over hem alsof hij een lastige puber was die binnenkort op zomerkamp ging.

Farrell zei: 'Ervan uitgaande dat ik het zou doen: wat wil je dat ik doe als hij zijn vriendin weer lastigvalt?'

'Als hij haar lastigvalt, mag je het anonimiteitsverhaal vergeten en hem tegenhouden.'

Farrell trok een moeilijk gezicht, het gezicht dat hij altijd opzette in de onderhandelingsfase. Hij zei: 'Ingrijpen? Dat is niet mijn specialiteit. Wat als hij mij net zo'n behandeling geeft als die politieagent?'

'Dat doet hij niet,' zei Archie Venice. De paniekerige uitdrukking op zijn gezicht van even tevoren was vervangen door een meer hoopvolle. 'Bovendien: jij kunt je mannetje staan. Zoals ik al zei, ik heb mijn huiswerk gedaan. Ik heb dat verhaal over je gelezen in de *Post*, over hoe je een kleerkast van een meter negentig tegenhield die zijn vrouw te lijf wilde gaan met een slagersmes.'

'Dat was omdat ik haar had betrapt met zijn beste vriend. Die kerel was niet gevaarlijk. Hij was in de war.'

'Maar hoe wist je dat zijn woede zich niet op jou zou richten toen je tussen hem en zijn vrouw ging staan?'

Farrell haalde zijn schouders op. 'Ik dacht er niet bij na. Ik beschouwde het als mijn plicht ervoor te zorgen dat er niemand gewond raakte.'

'Dat bedoel ik. Je had net zo goed veilig in je auto kunnen blijven zitten, maar dat deed je niet. Je kwam in actie. Mijn punt is: als je er niet voor terugdeinst om een kerel van bijna twee meter met een slagersmes tegen te houden, dan zul je aan Larry geen kind hebben.'

'Waar is Larry nú eigenlijk?'

'De dag nadat hij vrijkwam heb ik hem huisarrest gegeven. Sindsdien is hij voortdurend in het gezelschap van Werner, een van mijn regisseurs. Die houdt hem in de gaten tot ik iemand heb gevonden om het over te nemen. Ik hoop dat jij die iemand bent.'

'Ik weet het niet,' zei Farrell. 'Ik heb de komende drie weken een hoop andere klussen die ik zou moeten afzeggen...'

'Nogmaals: geld is geen probleem.'

Farrell deed alsof hij heel hard nadacht en tuurde naar de filmposters op de muur achter Archie Venice. Dat hij de komende drie weken veel klussen had, was een leugen. Hij had alleen deze week drie opdrachten staan en was eigenlijk van plan geweest daarna naar Miami te vliegen om een weekje op het strand te gaan liggen. Maar dit was een onderhandeling, en met iemand die twee keer in één gesprek zei dat geld geen probleem was, kon hij moeilijk medelijden hebben.

'Ben je een liefhebber van het genre?' zei Archie, die blijkbaar in de veronderstelling verkeerde dat hij plotseling was gegrepen door een sappig detail op een van de posters.

'Niet echt,' zei Farrell. 'Ik hou meer van thrillers. En af en toe een horrorfilm.'

'Horror? Dan zou je *The Perversions of the Damned* moeten proberen. Ik heb persoonlijk weinig met horror, maar deze is beslist de moeite waard. Het gaat over een vrouwelijke satanist die op zoek gaat naar een oud boek waarmee ze de duivel wil oproepen. Er zit iets te veel dubbele penetratie en anaal in, als je het mij vraagt, maar ja, het is dan ook een film van Frank Thring, en als je niet op die ongein zit te wachten, spoel je hem gewoon door. Toch? Ik kan je in ieder geval verklappen dat er een Poolse griet in meespeelt – ik ben haar naam even kwijt – die... nee, ik zou haar tekortdoen door het in woorden te beschrijven. Weet je wat? Ik hou verder mijn mond. Ga hem maar gewoon zelf zien.'

'Misschien doe ik dat wel,' zei Farrell.

Nu zei Archie Venice: 'Hé, ik bedenk ineens iets grappigs. Ik heb nog nooit een film gemaakt met een privédetective in de hoofdrol, maar dat moet toch een tamelijk spannend beroep zijn. Ik ben altijd op zoek naar goede ideeën, dus mocht je er eentje hebben, laat het me vooral weten.'

Farrell zei: 'Wat denk je van een privédetective die mensen betrapt terwijl ze vreemdgaan, totdat hij op een dag thuiskomt en zijn eigen vriendin op de keukentafel aantreft met haar personal trainer?'

Archie Venice grijnsde. 'Da's een goeie.' Toen kneep hij zijn oogleden samen tot spleetjes en zei: 'Shit... je hebt het over jezelf, hè?'

Farrell zei niets.

Archie zei: 'Sorry, het was niet mijn bedoeling je in verlegenheid te brengen. Maar even terug naar Larry: kan ik op je rekenen of niet?'

4

Larry Venice zei tegen Werner Brünst, de oudste regisseur op de loonlijst van zijn vader, dat hij vond dat Archie overdreef door hem huisarrest te geven. Dacht zijn vader werkelijk dat hij er ook maar over piekerde Amanda lastig te vallen na wat er afgelopen week was gebeurd?

Werner zei: 'Oeeeh-*shit*.'

'Is dat je reactie?' zei Larry. 'Oeeeh-shit?'

Werner schudde zijn hoofd. 'Ik heb een blaar.'

'Een blaar?'

'Ja. Op mijn rechterhiel. Het doet verdomd veel pijn. Niet de hele tijd, maar vooral als ik mijn voet van het gaspedaal haal – bijvoorbeeld voor een stoplicht – en daarna weer gas geef. Dan schuurt het. Kijk, zoals nu...'

Larry had nog nooit gehoord van iemand die last kreeg van blaren tijdens het autorijden, maar kennelijk was het mogelijk, want opnieuw kneep de Duitser met een van pijn vertrokken gezicht zijn oogleden samen, tuitte zijn lippen alsof hij iemand een kus ging geven en bracht het oeeeh-geluid voort.

'Maar hoorde je me?' zei Larry. 'Gelooft mijn vader echt dat ik zo dom ben ook maar bij Amanda in de buurt te komen?'

Werner zei niets.

'Nou, mooi niet,' zei Larry. 'Want dan moet ik naar de gevangenis, en geloof me, Werner, dat is de laatste plek waar ik naartoe wil. Ik heb je toch verteld van die neger met wie ik in de cel zat voordat Archie me kwam halen met zijn advocaat? Man, die kerel praatte tegen me alsof ik een vrouw was. Hij wilde dat ik in de bak zijn vriendinnetje zou worden. Ik dacht dat hij een grapje maakte, maar toen ik dat tegen hem zei, keek hij me alleen maar heel streng aan en wist ik dat hij het meende. Ik zei: "Sorry, zo bedoel ik het niet, ik vind je een aardige kerel, maar ik val niet op mannen." En weet je wat hij toen deed? Hij begon heel hard te lachen – je had zijn tanden moeten zien, helemaal geel – en toen hij uitgelachen was, kwam hij heel dicht bij me staan en fluisterde me in mijn oor dat het straks helemaal niet meer belangrijk zou zijn wat ik vond omdat ik daarbinnen zijn bezít zou worden. Dus nee, Werner, terug naar de gevangenis ga ik echt niet, ik kijk wel uit...'

Ze zaten in Werners oude Volkswagen Jetta en reden in noordelijke richting over de West Side Highway. Dit was de derde dag die hij onvrijwillig in het gezelschap van de Duitser doorbracht. Ze waren vanochtend achtereenvolgens bij de supermarkt, de wasserette en een broodjeszaak op 10th Avenue geweest. Larry had geen flauw idee waar ze nu weer heen gingen en verveelde zich kapot.

Werner zei: 'Je vader probeert alleen maar te helpen. Hij wil voorkomen dat je in de problemen raakt.'

'Ja, maar vind je niet dat hij daar een beetje ver in gaat? Weet je wat hij daarnet tegen me zei, voordat we in de auto stapten? Hij zei: "En denk erom dat je in de auto blijft, Larry. De enige reden waarom je eventueel uitstapt, is om te pissen bij een tankstation, en dan gaat Werner met je mee." Dat is toch niet te geloven? Ik ben godverdomme achtentwintig. De laatste keer dat er iemand met me mee moest naar het toilet, was toen ik vier was en nog niet zelf mijn reet kon afvegen. Om maar niet te spreken van dat huisarrest. Vind jij het normaal om een volwassen man van achtentwintig op te sluiten in zijn kamer?' Toen Werner niet reageerde, zei Larry: 'Nou, ik niet. Ik vind dat niet normaal.'

Wat Larry ook niet normaal vond, was hoe Werner het in deze hitte uithield met al die kleren aan. Boven de schoenen van wit kunstleer die hem zoveel ongemak bezorgden, droeg de oude Duitser een gekreukt beige pak over een ouderwets ogend, wollen houthakkershemd. Larry zelf was met een afgeknipte spijkerbroek, sportschoenen en een kleurig T-shirt met ballonnetjes erop heel wat beter gekleed op deze temperaturen.

Vanuit zijn ooghoek gluurde Larry naar de Duitser.

Ooit was Werner Brünst een van de best betaalde acteurs van zijn vader geweest – mede omdat hij nooit iets weigerde, hoe smerig een scène ook was. Andy Stone, een inmiddels gepensioneerde regisseur, had eens tegen Larry gezegd dat Werner de enige acteur van Venice Pictures was van wie hij zeker wist dat hij, ondanks dat hij heel vaak een homo had gespeeld, in het dagelijks leven voor honderd procent hetero was. Stone had gezegd: 'De meeste acteurs die beweren dat ze alleen *gay for pay* zijn, liegen dat ze barsten. Werner niet. Die kan het echt: zijn emoties uitschakelen, zijn werk doen en dan weer gewoon Werner worden en overgaan tot de orde van de dag. Ik denk dat het met zijn achtergrond te maken heeft. Als je bent opgegroeid achter het IJzeren Gordijn en je krijgt ineens al die Amerikaanse vrijheid over je uitgestrooid, doet dat waarschijnlijk dingen met je bovenkamer die jij en ik niet kunnen bevatten.'

Larry had geen idee hoe het was om achter het IJzeren Gordijn op te groeien. Het enige dat hij wist, was dat ze er, ondanks al die strikte regeltjes, ook in het diepste geheim pornofilms maakten, die ze op geheime bijeenkomsten vertoonden aan hooggeplaatste officieren. Films met titels als *F***ing for the Fatherland* en *Against the Wall.* Werner had hem er ooit een paar laten zien: het was amateuristische shit, en geil werd je er zeker niet van. Dan draafde er bijvoorbeeld zo'n soldaat op en die blafte tegen een doodsbange vrouw: 'Ontbloot uw borsten!' Larry had een lachkick gekregen van die scène en Werner was diep beledigd geweest, omdat hij blijkbaar nog altijd trots was op zijn oude werk.

Sinds hij was gestopt met acteren, deed de oude Duitser met zijn rimpelige, gebruinde huid Larry nog het meest denken aan een bejaarde krokodil. De man regisseerde zo af en toe dan wel een film, maar verder deed hij zo weinig mogelijk en hield zich bij voorkeur op de achtergrond. Behalve als er een vrouw in de buurt was en hij mogelijkheden rook. Dan kwamen zijn oude instincten boven, kwam hij razendsnel in actie en deed zijn ding, om vervolgens weer terug te keren in de slaapstand. Als hij niet werkte, lag hij soms urenlang naar obscure Duitse muziek te luisteren op zijn iPod. In ruil voor het feit dat hij ruim zes uur per dag beschikbaar was als manusje-van-alles, betaalde zijn vader de geile ouwe bok een behoorlijk salaris en schoof hij hem af en toe een van zijn meiden toe. Soms at Werner 's avonds met hen mee, alsof hij familie was, maar dat merkte je nauwelijks omdat hij zelden iets zei.

Dat deed hij nu ook niet. Hij zat daar maar, zwijgend achter het stuur, met een moeilijk gezicht vanwege zijn blaar.

Larry schudde zijn hoofd, tuurde naar beneden en probeerde zich voor te stellen dat hij ergens anders was. Zijn blik bleef rusten op de tatoeage op zijn onderarm: Amanda's naam in grote sierlijke letters, omringd door een krans van rozen, met die van hem eraan vast, zodat er *AmandaLarry* stond. Dat was Amanda's idee geweest, de namen aan elkaar, om hun twee-eenheid te benadrukken.

Met een vies gezicht staarde Larry naar de tatoeage. Hij moest dat ding spoedig laten weghalen, anders liep hij nog reclame te maken voor die snol ook.

Werner Brünst deed zijn best de pijn aan zijn hiel te negeren en op het verkeer te letten, maar dat viel niet mee, omdat het grote kind naast hem vrijwel onafgebroken in zijn oor bleef tetteren. Hij kreeg er geen speld tussen, al moest hij toegeven dat hij daar ook niet echt zijn best voor deed. Larry luisterde toch het liefst naar zichzelf. Steeds als hij dacht: godzijdank, hij houdt eindelijk zijn smoel, begon hij weer. Zoals nu: 'Weet je wat het is, Werner? Mijn vader weigert gewoon om me een beetje vrijheid te geven, zodat ik me kan ontwikkelen, als mens bedoel ik, en mijn eigen initiatieven kan ontplooien. Je moest eens weten hoeveel ideeën voor films ik heb. Maar het is nooit goed. Neem drie weken geleden: ik had een prachtidee. Een soort *The Creature of the Black Lagoon*, maar dan anders. Stel je voor: een hoofdpersoon – half vis, half mens – die jonge maagden ontvoert om ze voor een speciale behandeling onder te brengen in een grot die alleen bereikbaar is via een meer. Dat meer ligt in een vakantieoord. De autoriteiten weten dat er regelmatig meisjes verdwijnen, maar ze houden het stil omdat ze bang zijn dat... Even kijken, hoe zat het ook alweer? O ja, ze zijn bang dat de economie eronder zal lijden als ze het aan de grote klok hangen. Dat laatste heb ik gepikt van *Jaws*; niet doorvertellen, hè? Hoe dan ook, ik ga ermee naar mijn vader, en weet je wat hij zegt? Hij zegt: "Larry? Wie zit er in hemelsnaam te wachten op een stel maagden dat uit elkaar wordt getrokken door een of ander gedrocht met schubben?"'

'Dan zul je iets anders moeten bedenken,' zei Werner.

Larry schudde zijn hoofd. 'Het doet er niet toe wat ik verzin. Elke keer als ik een idee heb, kijkt hij alleen maar naar wat hij er níét goed aan vindt... Hij is gewoon altijd negatief. Neem de manier waarop hij op mijn arrestatie reageerde. Hij deed net of het allemaal míjn schuld was. Ik zeg: "Oké, pap, misschien heb ik harder in haar pols geknepen dan nodig, zoveel wil ik best toegeven, ik ben tenslotte ook niet perfect. Maar wat wil je? We hadden al bijna een halfjaar een relatie. Het was een emotioneel moment." Hij: "En die politieman die je op zijn gezicht sloeg? Hoe lang had je daar al een relatie mee?" Ik zeg: "Dat heb ik je toch al verteld. Ik dacht dat hij een nepperd was." Moet je je voorstellen: je zit met je vriendin te eten, je pakt haar eventjes bij haar pols vast en er verschijnt een of andere kerel aan je tafel die zegt dat hij politieman is en vraagt of je onmiddellijk los wilt laten. Zou jij hem geloven? Nou, ik niet. Ik dacht: die kerel denkt dat hij Chuck Norris is en probeert indruk te maken op Amanda...'

Werner zei: 'Als hij dacht dat hij Chuck Norris was, waarom denk je dan dat hij de moeite nam je zijn ID te laten zien voordat hij je vroeg los te laten?'

Larry grijnsde. 'Dat is een goeie, Werner. Daar had ik nog niet bij stilgestaan. Chuck Norris had me waarschijnlijk zo uit mijn stoel gesleurd, hè?'

Maar Werner luisterde al niet meer. Daar kwam weer zo'n klotestoplicht. Hij probeerde zo geleidelijk mogelijk te remmen, maar nee hoor: daar voelde hij die rotblaar alweer...

Larry poetste met de mouw van zijn T-shirt een vuiltje van zijn bril en zei: 'Maar snap je mijn punt? Wat ik ook doe, Archie focust altijd alleen maar op de negatieve dingen. Ik denk dat het iets persoonlijks is. Hoe dan ook, het doet er niet toe: ik heb nu een idee dat zo goed is dat hij het onmogelijk zal kunnen afkeuren. Maar dat ga ik je niet vertellen.'

Toen Werner niet reageerde, zei Larry: 'Hé? Luister je wel?'

'Ik luister,' zei Werner.

'Waarom zeg je dan niets terug? Ik weet dat je bepaald geen prater bent, maar het is wel zo beleefd af en toe iets terug te zeggen als er iemand tegen je spreekt.'

'Wat wil je dat ik zeg?'

'Je zou me kunnen vragen waar dat nieuwe idee over gaat.'

'Waarom zou ik? Je zegt net dat je het toch niet gaat vertellen.'

'Dat klopt. Dat zei ik inderdaad. Ténzij iemand het heel graag wil weten.' Met samengeknepen oogleden tuurde Larry naar de Duitser. 'Maar die iemand ben jij blijkbaar niet.'

Beide mannen zwegen, totdat ze een paar minuten later een volgend stoplicht bereikten en Werner opnieuw het oeeeh-geluid voortbracht.

Larry, die de pest in had, zei: 'Jezus, Werner... als het zo'n pijn doet, waarom doe je dan niet gewoon je schoenen uit?'

Werner zei: 'Aha. Dus je bent nog steeds boos op je vader en gaat nu je woede op mij afreageren.'

'Ik ben helemaal niet boos,' zei Larry. 'Daarnet vertelde ik je mijn idee voor een pornoversie van *The Creature of the Black Lagoon.* Je luisterde nauwelijks. Werd ik boos? Nee. Ik voel me prima. Jij bent degene met het slechte humeur, Werner. Het enige waar je mee bezig bent, is die verdomde blaar. Wat wil je nou precies van me? Dat ik je een knuffel geef en zeg dat alles goed komt?'

'Je bent nog boos,' zei de Duitser. 'Ik hoor het aan je stem.'

'Werner, een halve minuut geleden raadde ik je aan je schoenen uit te doen. Zei ik dat omdat ik boos was?'

'Zo klonk het wel. Het klonk alsof je wilde dat ik mijn bek hield.'

Het had weinig zin het te ontkennen. Dus zei Larry: 'Oké, Werner, je hebt gelijk. Ik werd inderdaad een beetje moe van je gezeur over die blaar. Maar ik zei het ook omdat ik je wilde helpen met je probleem.'

Werner zweeg, en even dacht Larry dat hij hem op de een of andere manier onherstelbaar had gekwetst. Maar toen ze bij het volgende stoplicht kwamen, zei de Duitser: 'Oké, ik zal het proberen.'

Larry zag hoe Werner zijn oude, gerimpelde voeten uit de witte schoenen wurmde. Zag de zwarte randen onder zijn teennagels en dacht: o, jezus, wat heb ik gedaan? Het volgende ogenblik drong de onmiskenbare geur van zweterige oude kaas zijn neusgaten binnen.

Werner zei: 'Je hebt gelijk, dit voelt veel beter.'

'Ja,' zei Larry, die probeerde niet te ademen.

'Maar... hè, verdomme...' Werner wierp een vluchtige blik naar beneden. 'Kun jij mijn schoenen even pakken en ze op de achterbank leggen? Straks schuiven ze per ongeluk onder de pedalen.'

Larry keek naar Werners rimpelige voeten en stelde zich voor hoe het zou zijn om zich voorover te buigen – met zijn hoofd nog dichter bij die kaaslucht te komen – en de schoenen te pakken. Hij werd al misselijk bij de gedachte.

'Toe nou,' zei Werner. 'Straks krijgen we een ongeluk.'

'Kun je er zelf niet bij?'

'Ja, dat denk ik wel. Maar als ik me vooroverbuig kan ik niet op het verkeer letten.'

Larry draaide zijn raampje helemaal open. Ze waren inmiddels ter hoogte van 68th Street. Hij haalde een paar keer diep adem. Toen perste hij zijn lippen op elkaar en boog zich voorover. Hij pakte de witte schoenen tussen duim en wijsvinger beet, smeet ze op de achterbank – naast een plastic tas van Blockbuster – en ademde opgelucht uit.

'Hé,' zei Werner. 'Niet mee góóien. Ik heb ze net nieuw.'

Larry keek om, zag dat de schoenen keurig op de achterbank stonden en wilde net tegen de Duitser zeggen dat hij niet zo moest zeiken, toen hij zag dat er een stapeltje bankbiljetten uit de Blockbuster-tas stak.

'Wat zit er in die tas?'

'Geld,' zei Werner.

'Ja, dat zie ik ook wel. Maar hoeveel?'

'Tienduizend dollar.'

'Waar is dat voor?'

'Ik moet het afleveren bij een acteur die vroeger voor je vader werkte.'

Larry fronste zijn wenkbrauwen. 'Waarom geeft mijn vader hem tienduizend dollar in een tas? Kan hij het niet gewoon overmaken?'

'Het is geen salaris,' zei Werner, terwijl hij toeterde naar een BMW die hem bijna van de weg drukte.

Larry keek vanuit zijn ooghoek naar de Duitser, in afwachting van een nadere uitleg, maar Werner reed zwijgend verder.

'Waar is dat geld dan voor? Wordt papa gechanteerd?'

'Nee,' zei Werner.

'Jezus, Werner, jij bent lekker behulpzaam. Ik bedenk een geweldig idee om je van de pijn aan je voet te verlossen en jij gaat een beetje geheimzinnig zitten doen. Maar ik vind het best, hoor. Als je me niet wilt vertellen waar dat geld voor is, dan vertel je het toch niet.'

Werner zei: 'Je vader wil dat die kerel hem niet meer belt.'

Larry begreep er niets van. 'Hij geeft iemand tien mille om niet meer te béllen? Jezus christus. Ik ken heel wat klootzakken, maar er is er geen een bij die ik tienduizend dollar zou geven om me niet meer te bellen. Tienduizend dollar is veel geld. Waarom neemt mijn vader niet gewoon een ander telefoonnummer?'

Werner zuchtte. 'Larry, je vader heeft een bedrijf. Als hij een ander nummer neemt, is die kerel daar zo achter.'

'Waar belt hij over?'

'Hij vindt dat Archie hem een pensioen schuldig is.'

'Een pensioen?'

'Ja. Dat is geld dat je krijgt als je klaar bent met werken.'

'Ik weet wel wat een pensioen is, Werner. Ik ben niet dom. Maar sinds wanneer krijgen acteurs een pensioen van een producent?'

Werner schudde zijn hoofd. 'Het zit zo: deze kerel – Bud Raven, je hebt waarschijnlijk weleens van hem gehoord – was een van Archies steracteurs in de jaren negentig. Hij deed zo'n vijfentwintig films per jaar. Op een avond, tijdens een feestje, dronk hij te veel, stapte in zijn auto en reed tegen een boom. Zijn gezicht raakte verminkt. Het betekende het einde van zijn carrière, want al bungelt er nog zo'n indrukwekkend apparaat tussen je benen, op een hengst die eruitziet als het broertje van het monster van Frankenstein zit niemand te wachten.'

Bud Raven. De naam kwam Larry inderdaad bekend voor. Hij meende zich te herinneren dat hij jaren geleden de film *Raven Rising* had gezien, over een knaap die bij een accountantskantoor werkte en tijdens zijn lunchpauze een soort privé-escortservice runde.

Toch begreep hij het nog steeds niet. 'Die kerel reed tegen een boom en geeft mijn vader daar de schuld van?'

'Ja,' zei Werner. 'Na zijn ongeluk heeft Bud nog een paar domme dingen gedaan en kwam hij zelfs in de gevangenis terecht. In plaats van toe te geven dat hij destijds gewoon zijn roes had moeten uitslapen op de achterbank in plaats van laveloos achter het stuur te gaan zitten, heeft hij nu kennelijk ineens besloten dat het allemaal Archies schuld is. Als je het mij vraagt, heeft hij ze niet meer allemaal op een rijtje.'

'Wie? Mijn vader?'

'Nee, die Raven natuurlijk. Om zo'n jankverhaal op te hangen en je vader om geld te vragen.'

Larry zei: 'Maar het is toch ook niet normaal dat mijn vader hem dat geld gewoon gééft? Of voelt hij zich ergens schuldig over?'

5

Terwijl zijn vriendin Nora aan de eettafel een potje computerschaak speelde, keek Bud Raven – slechts gekleed in een roze boxershort en zijn favoriete badslippers – naar het shownieuws op televisie. Een blonde presentatrice met valse wimpers vertelde hem dat Paris Hilton een nieuwe vriend had. Er was een lange zoektocht op MTV voor nodig geweest, waarbij kandidaten opdrachten hadden moeten uitvoeren, maar volgens Paris was de winnaar nu ook écht haar beste vriend. Ze noemde hem 'knap' en 'trouw' en meldde dat ze veel samen barbecueden of gewoon thuis rondhingen. Toch zou de vriendschap waarschijnlijk niet al te lang duren, zo liet de presentatrice weten: het was immers geen geheim dat Paris voor het volgende seizoen alweer op zoek was naar een nieuwe beste vriend.

'Jezus,' zei Bud. 'Ik heb in mijn carrière heel wat afgeneukt, maar dát mokkel is een nog grotere hoer dan ik.'

Nora Quattlander keek op van het schaakbord op het computerscherm. 'Je moet haar niet meteen veroordelen, Bud. Misschien heeft ze gewoon een moeilijke jeugd gehad.'

Bud stond op het punt haar van repliek te dienen, maar realiseerde zich net op tijd dat hij zich de moeite beter kon besparen. Dit was Nora zoals hij haar had leren kennen: iedereen verdiende het voordeel van de twijfel, zelfs de grootste hoer ter wereld.

Bud zei: 'Ja, misschien heb je gelijk,' en schakelde over op het Superstation, waar een film bezig was over een of andere loser van veertig die nog maagd was. Vervolgens zei hij tegen Nora dat er die middag wat mensen uit zijn verleden zouden langskomen en dat het daarom misschien beter was als haar moeder niet thuis zou zijn.

'Bedoel je pornomensen?' zei Nora. 'Ik dacht dat je die nooit meer wilde zien?'

Bud zei: 'Dat klopt. Maar er zijn een paar zakelijke dingen die ik nog moet afhandelen.'

'Zakelijke dingen? Nu ineens? Na al die jaren?'

'Ja, lieverd, ik heb nog het een en ander van ze te goed. Waar het om gaat, is dat ik niet zou willen dat je moeder mijn ex-collega's ziet en er helemaal van in de war raakt.'

Nora schoof de laptop een stukje van zich af en keek hem aan. 'Ik weet niet of ik haar de deur uit krijg. Het is vandaag maandag. Dan houdt ze altijd grote schoonmaak.'

'Ze houdt iedere dag grote schoonmaak,' zei Bud. 'Ze kan best een keertje overslaan. Misschien moet je haar verrassen. Zeggen dat je haar ergens mee naartoe neemt, zonder te vertellen wat het is.'

Nora drukte een vinger tegen haar onderlip, een teken dat ze zich zorgen maakte. 'Bud... er gaat toch niets gebeuren waardoor ze je weer terug kunnen sturen naar de gevangenis, hè?'

'Niemand stuurt mij terug naar de gevangenis. Geloof me nou maar. Ik blijf lekker knus hier bij jou en je mammie.'

'Dat is je geraden ook.' Ze glimlachte – gerustgesteld door zijn woorden – en richtte zich weer op het digitale schaakbord.

Moest je haar nou toch zien zitten, zijn kleine kittige meid. In het strakke blauwe T-shirt en de zwarte legging zag ze er nog het meest uit als een superheld in een tekenfilm. Een religieus getinte tekenfilm, dat wel, gezien de tekst op het T-shirt: *God Saves*, maar dat was de invloed van haar moeder.

Hij zei altijd tegen haar dat ze zijn hoofdprijs was in dit leven, zijn persoonlijke geschenk uit de hemel. Dan keek ze hem schuin aan en beweerde dat hij dat alleen maar zei om haar moeder een plezier te doen. Hij geloofde toch niet in God? Je heb gelijk, lieverd, dat doe ik inderdaad niet, antwoordde hij dan, maar toch is er niets van gelogen.

Toegegeven, hij had het gedaan met vrouwen die er heel wat beter uitzagen dan Nora Quattlander. Vrouwen die, als het op seks aankwam, niet te evenaren waren en trucs met hem uithaalden waarvan hij als kleine jongen niet eens had geweten dat ze bestonden. Maar miste hij ze, die stoeipoezen?

Zelden of nooit.

Nora was misschien niet perfect, maar ze was écht en ze was van hem alleen. Als ze klaarkwam, keek ze hem in de ogen en zei dat ze voor altijd bij hem wilde blijven. Het was heel wat anders dan al die meiden die alleen maar 'Harder, harder' gilden of 'O, schatje, ik kom... voel je het?' terwijl hij wist dat ze helemaal níéts voelden en waarschijnlijk met hun gedachten al bij het bedrag waren dat voor de betreffende scène of film op hun bankrekening zou worden bijgeschreven. En hoewel Nora's nachtelijke gefluister van lieve woordjes hem soms onzeker maakte, omdat hij niet wist of hij wel zoveel verantwoordelijkheid wilde, was hij van één ding overtuigd: ze was met afstand het beste dat hem tot nu toe in zijn leven was overkomen.

Zijn leven tot nu toe: in tegenstelling tot wat mensen altijd dachten wanneer het ging om pornosterren, had Bud – toen nog Higley in plaats van Raven geheten – een jeugd gehad als die van ieder ander kind. Hij was een gemiddelde leerling, kon redelijk mee op het sportveld en deed zelden of nooit iets wat niet mocht of waardoor hij de aandacht op zich vestigde. Dat hij van jongs af aan niettemin direct opviel in de massa, had hij te danken aan zijn weelderige dos ravenzwart haar. 'Engelenhaar,' noemde zijn moeder het altijd, een benaming die Bud nooit helemaal had begrepen omdat engelen in zijn beleving wit waren. Wat hij wel begreep, was dat er iets met zijn haar aan de hand was waardoor mensen (en volwassenen in het bijzonder) om de haverklap de behoefte hadden het aan te raken. Bud liet hen hun gang gaan, zolang het maar bleef bij een aai over zijn bol of een vriendschappelijk klopje en ze hem verder met rust lieten.

Buds engelenhaar was echter niet het enige dat hem deed verschillen van de meesten van zijn leeftijdsgenootjes. Er was nog iets anders, iets wat hij minder prominent met zich meedroeg, wat hem uniek maakte. Het had alleen even geduurd voordat hij er – met dank aan zijn vader en een klasgenootje dat Shirley Mourning heette – achter kwam wat dat was.

Toen de op dat moment zestienjarige Bud op een avond alleen thuis was en op zoek naar een potlood of pen om het telefoonnummer van een vriend te noteren, stuitte hij in de werkkamer van zijn vader op een vergeelde videoband met de titel *The Original Wicked Woman.* Bud herinnerde zich niet de videoband ooit eerder te hebben gezien en zou zich pas jaren later realiseren dat, als hij die dag niet achter in zijn vaders bureaula had gezocht naar iets om mee te schrijven, een heleboel leuke, maar zeker ook mínder leuke dingen in zijn leven nooit zouden hebben plaatsgevonden.

Op het hoesje van *The Original Wicked Woman* stond een uitdagend geklede vrouw en Bud merkte dat hij zonder dat hij het wilde een stijve kreeg. Hij wist dat zijn ouders die avond pas laat thuis zouden komen, en dus gaf hij gehoor aan het merkwaardige gevoel in zijn onderbuik en stopte de film in de videorecorder. Terwijl hij wachtte op wat komen ging, verbaasde hij zich over het feit dat het hoesje van de film nogal plakkerig was. Normaal gesproken was zijn vader heel zuinig op zijn spullen en hield hij alles keurig schoon.

The Original Wicked Woman bleek te gaan over een buitenaards wezen dat door de tijd reisde om belangrijke vrouwen uit de wereldgeschiedenis een beetje zelfbewustheid bij te brengen op het gebied van seks, iets wat er – zo meende Bud zich te herinneren – uiteindelijk toe moest leiden dat 'de wereld zou worden gered'. Het buitenaardse wezen – gespeeld door een uitermate lekker ding dat Chasey Lain heette – deed het als Eva met Adam en had ook nog een lesbisch avontuurtje met Jeanne d'Arc, maar tegen die tijd was Buds aandacht al danig verslapt, omdat hij zwetend over zijn hele lichaam en met zijn kloppende geslacht nog in zijn hand zat uit te hijgen in zijn vaders favoriete stoel.

De volgende dag – Bud had de band, na hem helemaal te hebben afgekeken, teruggestopt in de bureaula van zijn vader – moest hij tijdens de wiskundeles van meneer Scales voor de klas komen. Omdat hij de avond ervoor geheel in beslag was genomen door de kunsten van Chasey Lain en vervolgens een halfuur bezig was geweest met het wassen van zijn kleding, was zijn huiswerk, dat hij anders altijd trouw deed, er voor één keer bij ingeschoten. Terwijl hij wanhopig de klas afzocht naar iemand die hem de antwoorden op de moeilijke vragen van meneer Scales zou toefluisteren, maakte hij de fout zijn blik iets te lang te laten rusten op het decolleté van de op de eerste rij zittende Brenda Mossberg. Zonder dat hij er iets aan kon doen, stelde hij zich voor dat Brenda het buitenaardse wezen uit de film was en al die ondeugende dingen met hem deed die de actrice in de film van zijn vader met haar tegenspelers had gedaan.

Een seconde later riep Johnny McKenzie, een irritant joch met wie Bud het zowat iedere pauze aan de stok had: 'Kíjk, Bud heeft een stijve!'

De hele klas begon te lachen en omdat hij zich geen houding wist te geven, lachte Bud maar mee, net zo lang totdat meneer Scales – de enige in het lokaal die niet lachte – tegen hem zei dat de les voor hem voorbij was en hij rector Jenkins mocht gaan vertellen wat er zo verdomd grappig was.

Toen zijn vader hem er die avond van langs gaf met zijn broekriem en maar niet ophield hem ervan te beschuldigen een kleine perverseling te zijn, had Bud de grootste moeite zich te beheersen en niet over de videoband in de bureaula te beginnen. Diep vanbinnen had hij het gevoel dat de gebeurtenissen van die dag de schuld waren van zijn vader. Hij had immers nooit eerder een stijve gehad tijdens de wiskundeles van meneer Scales. De reden dat hij de band niet noemde, was het feit dat hij vermoedde dat zijn moeder – die in een hoekje op de bank een kruiswoordraadsel maakte en net deed alsof ze het geschreeuw van haar zoon niet hoorde – niet op de hoogte was van het bestaan van *The Original Wicked Woman*, laat staan van hetgeen er in de film uit zijn vaders bureaula allemaal te zien was. Het laatste wat Bud wilde, was zijn vader een reden geven nog harder te gaan slaan.

Hoe het ook zij, het waren uiteindelijk deze incidenten geweest die de eerste aanzet hadden gevormd tot zijn indrukwekkende carrière als pornoacteur, want twee dagen nadat hij door meneer Scales uit de wiskundeles was verwijderd, kwam het telefoontje van Shirley Mourning, het stilste meisje uit zijn klas, dat bij iedere les op de achterste rij zat en altijd helemaal in het wit gekleed ging. Shirley, die nooit eerder tegen hem had gesproken, vroeg hem of hij haar die middag kon komen helpen met haar aardrijkskundehuiswerk. Bud had op dat moment geen enkel vermoeden gehad dat hij onder valse voorwendselen naar huize Mourning werd gelokt. Pas toen Shirley, slechts gekleed in een wit onderbroekje en een weinig verhullend

T-shirt, de deur voor hem opende, schoot hem te binnen dat ze een van de beste leerlingen van de school was en voor geen enkel vak lager scoorde dan een acht. Zijn laatste beetje twijfel werd weggenomen toen ze hem bij de hand nam, naar haar kamer leidde en daar aangekomen opbiechtte dat hij sinds de wiskundeles van afgelopen donderdag niet meer uit haar gedachten was geweest. Vervolgens keek ze ongegeneerd naar zijn kruis en vroeg of ze 'hem' mocht zien.

In die paar minuten had Bud Shirley Mourning meer horen zeggen dan in de vier jaar die hij bij haar in de klas had gezeten.

Bud had nauwelijks 'oké' gemompeld, toen Shirley voor hem op het hoogpolige tapijt knielde en aan zijn broekriem begon te morrelen. Een paar tellen later hoorde hij haar 'wauw' zeggen. Vervolgens hapte hij naar adem en keek geschrokken naar wat er daarbeneden allemaal gebeurde.

'Wacht,' zei Bud. 'Je ouders...'

Maar Shirley wachtte niet. Ze ging gewoon door en toen ze vijf minuten later klaar was, keek ze in vervoering naar hem op en zei: 'Bud Higley, dit is de grootste en geilste pik die ik ooit heb gezien.'

'Dank je,' zei Bud, die niet goed wist wat hij anders moest zeggen.

Bud en Shirley werden nooit vriendje en vriendinnetje, maar neukten met elkaar wanneer het zo uitkwam. Op feestjes, in de toiletten op school en – als de temperatuur het toeliet – onder de tribune naast het footballveld. Op zijn achttiende verjaardag zei Shirley: 'Ik wil je aan mijn moeder voorstellen.'

Bud schrok.

Hij dacht dat hun relatie puur seksueel was en had nooit het idee gehad dat Shirley in meer dan alleen zijn pik was geïnteresseerd.

Shirley begon te lachen. 'O, mijn god, sorry. Zo bedoelde ik het niet...'

'Wat?'

'Je denkt dat ik met je wil trouwen.' Ze schudde haar hoofd. 'Je zou die kop van je moeten zien. Wat een giller...'

Vervolgens stelde ze hem gerust. De reden dat ze hem aan haar moeder wilde voorstellen, was dat Rebecca Mourning de kost verdiende als assistente van een *talent agent* voor aspirant pornoacteurs.

'Wat?' zei Bud weer.

Maar Shirley wist hem te overtuigen, en twee dagen later zat hij zich in een klein kamertje met gipsplaten wanden af te trekken op een foto van een roodharige stewardess met een ban-de-bom-teken in haar schaamhaar. Rebecca Mourning had gezegd dat hij moest roepen zodra hij klaar was en dat deed hij.

'O, schatje,' zei mevrouw Mourning toen ze het glinsterende goedje zag dat tussen Buds afgetrapte Adidas-gympen op de linoleumvloer lag. 'Ik geloof dat ik het je niet helemaal goed heb uitgelegd. Met "klaar" bedoel ik "hard". Niet helemáál klaar. We moeten een foto van je hebben om producenten te interesseren, een foto in volle glorie, snap je...' Ze keek op haar horloge. 'Nou ja, ik heb nog wel even de tijd. Roep me maar als je weer kunt.'

Bud zei: 'Wacht u maar even.' En begon – turend naar de moeder van zijn vriendin – zijn geslacht te masseren.

'Jeetje,' zei mevrouw Mourning een paar seconden later. 'Dat is snel...'

Vergiste Bud zich, of zag hij deze vijfenveertigjarige vrouw, die toch heel wat moest hebben gezien in haar leven, lichtjes blozen?

Een week later had hij zijn eerste rol. Bud speelde een politieman die vrouwelijke criminelen chanteerde door hun strafvermindering aan te bieden in ruil voor een halfuurtje speciale aandacht. Na de eerste opnamedag nam Chu Chu Matthews, de regisseur van de film, hem apart en zei: 'Jongen, als jij van de drugs afblijft en je koppie erbij houdt, voorspel ik je een grote toekomst. Het enige wat nog aan je ontbreekt, is een goede naam.'

'O,' zei Bud.

Chu Chu zei: 'Volgens mij moet je iets doen met dat prachtige zwarte haar van je. Wat denk je van Raven? Bud Raven...'

Buds borstkas zwol op van trots.

Twee jaar later had hij achtennegentig films op zijn naam staan, was hij voor zijn optreden in *Raven Rising* bekroond met een AVN Award voor beste debutant en wilde zowat iedere regisseur die ertoe deed met hem werken. Hij was nog geen Peter North of John Holmes, maar dat laatste stapje leek slechts een kwestie van tijd. Vrouwen liepen met hem weg, mannen bekeken hem met een mengeling van bewondering en afgunst.

Zijn vader – die hem anderhalf jaar daarvoor, nadat Bud hem op een avond over zijn nieuwe en tot dan toe geheime carrière had verteld, direct het huis uit had geschopt – belde hem en zei dat hij het leuk zou vinden als Bud weer eens langskwam. Een etentje misschien? Wat dacht hij van vrijdagavond? En wist hij dat Charlie Dale van de bowlingclub een grote fan van zijn films was? Als hij het niet erg vond, zou Charlie vrijdag een vorkje meeprikken. En misschien ook Charlies maten, Mike en Rodney Bullwater. Zijn moeder zou er niet zijn, die ging met wat vriendinnen naar de film, dus ze zouden vrijuit kunnen praten...

Bud zei: 'Krijg de kolere, pap. Als je tegenover je vriendjes wilt opscheppen over alle vrouwen die ik neuk, dan doe je dat maar alleen.'

Zijn contact met Shirley verwaterde en de maanden daarop werkte Bud zich drie slagen in de rondte. Wanneer hij niet werkte, sliep hij of liet zijn gezicht zien op feestjes, zodat zijn agent de kans kreeg met hem te pronken. Zo kwam het dat hij op een avond Archie Venice ontmoette. Archie, die zich voorstelde als de grootste pornoproducent van New York, zei tegen Bud dat hij in hem dé ster voor de toekomst zag. Bud bedankte de oude man voor het vertrouwen en wilde doorlopen, maar de producent pakte hem bij zijn arm en zei: 'Jongen, ik meen het serieus. Als je exclusief bij mij tekent, beloof ik je dat wij de komende jaren samen het begrip geilheid zullen herdefiniëren.'

Bud zei dat hij erover na zou denken.

Een week later ging hij met zijn agent mee naar de San Fernando Valley in LA. Er ging een wereld voor hem open. In deze stad leek het iedere avond feest. Op een borrel van een van de producenten werd hij voorgesteld aan de topactrices uit het genre: Nina Hartley, Ginger Lynn, Savannah... Ze lachten hem toe en zeiden dat ze het leuk vonden hem te ontmoeten. Zijn agent stelde hem voor aan een volgende actrice en het duurde even voordat hij haar herkende: Chasey Lain, de vrouw die er zonder het zelf te weten voor had gezorgd dat hij hier vanavond stond. Bud stelde zich voor en stamelde dat hij van haar had genoten in *The Original Wicked Woman.*

Chasey zei: 'Dank je, Bud. Ik heb begrepen dat jij ook lekker aan de weg timmert.'

Bud kon zijn oren niet geloven. De grote Chasey Lain kénde hem...

Terug in New York zette Bud zijn opties op een rijtje. Tot nu toe had hij als freelancer gewerkt, maar inmiddels had zijn agent vier producenten in de wachtkamer die om de haverklap belden met de vraag of ze Bud exclusief konden vastleggen. Het werd tijd om een keuze te maken.

Met de hulp van zijn agent zette hij de voor- en nadelen van de verschillende aanbiedingen op een rijtje. Binnen een halfuur hadden ze twee van de vier voorstellen terzijde geschoven, en na een nadere bestudering van de twee overgebleven aanbiedingen liet Bud zijn agent weten dat zijn voorkeur uitging naar Venice Pictures, het bedrijf van Archie Venice. Ten eerste omdat hij dan in New York kon blijven, en ten tweede vanwege hetgeen de oude man tegen hem had gezegd: iets over 'samen het begrip geilheid herdefiniëren'. Dat leek Bud wel wat, de geschiedenis in gaan als iemand die iets werkelijk vernieuwends had gedaan.

Bud had geen spijt van zijn beslissing. Archie Venice maakte al zijn beloften waar, publiek en critici waren unaniem lovend en al snel waren er vakbladen die hem – ondanks het prille stadium waarin zijn carrière zich bevond – tot de 'top 20 der allergrootsten van het genre' rekenden.

De wereld lag aan zijn voeten.

En toen – op een mooie zomeravond in juli – kwam er, letterlijk in één klap, een einde aan al het goede in zijn leven.

Samen met Archie en enkele collega-acteurs van Venice Pictures was hij in de vroege avond op een sponsorfeestje in New Jersey beland. Het feest werd gehouden in een statig landhuis dat eigendom was van een of andere investeerder, en het wemelde er van de champagneglazen, toast met kaviaar en aantrekkelijke tegenspeelsters. De champagne smaakte goed en Bud vermaakte zich uitstekend. Na een ruig nummertje met Suzie Heat op de beige tegels naast het zwembad in de tuin raakte hij in gesprek met een actrice op leeftijd die hem vertelde dat ze altijd wanneer ze depressief was *Raven Rising* opzette en dan weer helemaal vrolijk werd. Bud grijnsde, zei iets aardigs terug en voordat hij het wist lag hij weer op zijn rug naast het zwembad.

Uitgeput besloot hij het de rest van de avond rustig aan te doen.

Hij nam een glas champagne, en nog een, en toen – plotseling – was het twee uur, maakten de verschillende kamers van het huis een verlaten indruk en hadden de weinige mensen die er nog waren het te druk met hun eigen fysieke en geestelijke gesteldheid om nog langer aandacht aan elkaar te besteden.

Bud keek om zich heen en zag overal lege champagneglazen. Zelfs op de marmeren vloer, die op verschillende plaatsen met tuinaarde was besmeurd. Cateringmensen met uitdrukkingloze gezichten lieten dienbladen met overgebleven hapjes in grote vuilniszakken glijden. Naast hem maakten een jongen en een meisje ruzie over een of andere afterparty. Een eindje verderop vertrouwde iemand zijn maaginhoud toe aan een plantenbak.

Bud keek op zijn horloge, prees zich gelukkig dat hij er beter aan toe was dan die kerel bij de plantenbak en besloot vervolgens dat het waarschijnlijk toch het verstandigst was met iemand mee te rijden en morgen terug te komen voor zijn eigen auto.

Hij belde Archie.

Voicemail.

Tot tweemaal toe doorzocht hij alle vertrekken, inclusief de kamers waarop bordjes hingen met 'verboden toegang' erop.

Geen spoor van zijn werkgever.

Gedurende enkele ogenblikken overwoog hij terug te gaan naar boven, naar een van de kamers waarop 'verboden toegang' had gestaan, en daar een bed uit te kiezen om zijn roes uit te slapen. Maar nee, zo'n actie zou beneden zijn stand zijn. En dus besloot hij dat hij zich – ondanks de vele glazen champagne die hij die avond had gedronken – eigenlijk helemaal zo slecht niet voelde. Hij stapte naar buiten, de warme avondlucht in, en wandelde naar zijn auto, een bordeauxrode Mercedes met witte bekleding die hij een halfjaar geleden had overgenomen van een vrouwelijke collega. Hij had de auto Chasey genoemd, naar de actrice die hem had 'geholpen' zijn talent te ontdekken. Onderweg naar zijn auto gleed hij bijna uit, al kon hij toen hij omkeek niet direct bepalen wat hem precies uit balans had gebracht. Hij bleef even staan en vroeg zich af of hij misschien toch te veel had gedronken om nog te kunnen rijden. Ja, dat had hij zeker, formeel gezien. Maar aan de andere kant: erg ver was het niet, naar huis; hooguit een halfuur. Hij kende iedere lastige bocht in de weg. Bovendien: hij was niet zomaar iemand. Een gewone sterveling die te diep in het glaasje had gekeken, zou er misschien verstandig aan hebben gedaan zijn auto te laten staan en een taxi te bellen. Maar hij? Hij was Bud Raven, de man die Amerika spoedig zou laten kennismaken met een herziene definitie van het begrip geilheid. Wat kon hém gebeuren?

Hij stapte in zijn auto.

Vaker dan goed voor hem was, vroeg hij zich af in welk stadium zijn carrière zich op dit moment zou hebben bevonden als hij die avond níét dronken achter het stuur was gaan zitten. Waarschijnlijk had hij dan nu samengewerkt met grootheden als Jenna Jameson en Tera Patrick en had hij zich nooit meer zorgen hoeven maken over geld. Maar hij was wél achter het stuur gaan zitten. En dus was hij met honderdtien kilometer per uur tegen een boom gereden, en had hij nu geen rijen films met de allergrootsten uit het genre op zijn naam staan, maar (na nog een paar kleine inschattingsfouten) een gevangenisstraf van acht jaar in de Federal Correctional Institution in Fairton, New Jersey, een *medium security* gevangenis met een assortiment aan wetsovertreders dat varieerde van allerhande kruimeldieven tot ijskoude huurmoordenaars die waren voorbestemd de rest van hun leven in hun cel in New Jersey te slijten.

Daar, op zijn brits in een bedompt hokje van twee bij drie, werd hij de eerste weken overladen door brieven van smoorverliefde meisjes. De meisjes die hem schreven waren fan van zijn films en wilden zijn vriendin worden als hij vrijkwam. Bud, die toch niets anders te doen had, schreef iedereen terug, maar de meesten van zijn penvriendinnen waren na één bezoek aan de gevangenis van hun verliefdheid genezen. Ze kenden Bud alleen van zijn films en schrokken zich rot als ze de muffe bezoekersruimte binnenkwamen en de verminkte linkerhelft van zijn gezicht zagen. Sommigen liepen direct weer naar buiten. Anderen gingen zitten, maakten beleefd een praatje met hem en kwamen vervolgens nooit meer terug.

De enige die niet schrok, was Nora Quattlander: een roodharig meisje met lichte sproeten en een ietwat naïef, maar vriendelijk gezicht. Nora bleef hem schrijven, kwam zo vaak als ze kon op bezoek en zorgde één keer zelfs voor een kleine rel, toen ze niet werd toegelaten tot de bezoekersruimte omdat ze een haltertopje droeg dat door de gevangenisdirectie als 'provocerend en indiscreet' werd bestempeld. Een week later, tijdens haar zesde bezoek aan de gevangenis, beloofde ze plechtig hem te komen ophalen op de dag dat hij vrijkwam.

En dat deed ze. Op 24 april 2010 stond ze, gekleed in het haltertopje dat enkele weken eerder voor zoveel ophef had gezorgd, op het parkeerterrein van de gevangenis op hem te wachten naast een roestige bruine Subaru.

Bij het eerste motel dat ze tegenkwamen, zette Nora de Subaru langs de kant van de weg en huurde een kamer. Eenmaal binnen schoof ze haar rokje omhoog, duwde hem achterover op de beddensprei met vlindermotief en zei: 'Zo. Hier zul je wel naar hebben verlangd.' Dat had Bud inderdaad, maar toch duwde hij haar zachtjes van zich af. Hij zei tegen haar dat hij aan de overkant van de straat een drogist had gezien en even een pakje condooms wilde halen, omdat er in de gevangenis 'dingen' met hem waren gebeurd waardoor hij niet zeker wist of onbeschermde seks wel een goed idee was. O, schatje toch, zei Nora, daar heb je me helemaal niets over verteld.

Bud liet Nora in de hotelkamer achter, liep naar beneden en vroeg bij de drogist om een pakje Trojans. Tot zijn verbazing liet de grijsaard achter de kassa hem weten dat hij geen condooms verkocht. Bud keek om zich heen en vroeg zich af of hij zich had vergist. Dit was toch een drogist? Ja, dat was het, zo bevestigde de eigenaar, maar de verhuurder van het pand was de katholieke Kerk en die had de verkoop van voorbehoedsmiddelen ten strengste verboden. Er was zelfs een aparte clausule voor opgenomen in het huurcontract.

Terug in de motelkamer vertelde Bud het nieuws aan Nora. Maar in plaats van teleurgesteld, reageerde zijn kersverse vriendin opgetogen. Ze keek hem stralend aan en zei: 'Dit is een teken. Het kan niet anders of het is Gods wil dat we het zonder doen en er optimaal van genieten.'

Bud had niet langer geprotesteerd.

Later, toen ze op weg waren naar het huis van Nora's moeder in

Carmel, New York, vroeg Bud aan Nora of ze het vaak deed, mannen die in de gevangenis zaten brieven schrijven en bij hen langsgaan. Ja, zei Nora, maar dit is de eerste keer dat ik verliefd ben geworden. Ze vertelde hem dat het een idee van haar moeder was geweest om brieven te schrijven naar gevangenen en, als ze daar prijs op stelden, langs te gaan voor een opbeurend praatje. Zodat mensen die zich door God verlaten voelden zouden merken dat Hij hen niet was vergeten en ze de hoop niet zouden verliezen.

Bud zei: 'Zeg eens eerlijk: werd je verliefd op me toen je mijn films zag, of toen je me ontmoette in Fairton?'

Nora keek hem recht in de ogen en vertelde hem dat het pas in de gevangenis was gebeurd. Ze zei dat ze, toen ze hem voor het eerst bezocht, had verwacht de Bud Raven uit zijn films aan te treffen, een woeste man die je met zijn ogen uitkleedde, maar dat ze in plaats daarvan een bang en onzeker kind had gezien. 'Ik denk dat ik toen verliefd op je ben geworden,' zei ze. 'Toen ik dat kind zag.'

'Uit medelijden dus?' zei Bud, waarop Nora zelfverzekerd haar hoofd schudde en zei dat hij het zo niet moest zien. Ze vertelde hem dat ze gewoon een goede, maar gebroken man had gezien met een sterke behoefte aan ware liefde. Toen Bud door wilde gaan op het onderwerp, legde ze een vinger op zijn lippen en reed voor de tweede keer binnen anderhalf uur het parkeerterrein van een motel op. En dus had hij het er maar bij gelaten. Misschien vertelde ze hem niet de hele waarheid, maar iedereen had recht op een geheimpje; hij had haar tenslotte ook niet zijn allerdiepste zielenroerselen toevertrouwd in de vele gesprekken die ze de afgelopen maanden hadden gevoerd. Jazeker, hij had haar verteld over zijn dramatische tijden na het ongeluk, over zijn depressie en over de mislukte bankoverval die hem zijn acht jaar in Fairton had opgeleverd.

Maar hij had ook dingen verzwegen. Zoals het verhaal over de bankmedewerker die hij bij een eerdere, eveneens mislukte bankoverval in koelen bloede had doodgeschoten, een misdaad waarvoor hij nooit was gestraft omdat hij een bivakmuts had gedragen en hij er, vlak voordat de politie arriveerde, met de vluchtauto van zijn partner vandoor was gegaan.

Hoewel het beslist niet de leukste dag van zijn leven was geweest, had hij die dag iets heel belangrijks over zijn karakter geleerd. Toen hij 's avonds in zijn appartement in Brooklyn op bed lag, had hij zeker geweten dat er een moment zou komen waarop, zoals ze in films altijd zo mooi zeiden 'alles bij hem terugkwam' of waarop hij 'zou beseffen wat hij had gedaan'. Maar hoe langer hij wachtte, starend naar het gipsplaten plafond, hoe meer hij zich begon af te vragen waar hij mee bezig was. Hij zweette niet. Hij was niet misselijk. Hij had geen last van beelden die zich voor zijn geestesoog bleven herhalen. Hij voelde niets en sliep die nacht prima. De volgende ochtend was er nog steeds niets aan de hand. Als hij al iets voelde over de gebeurtenissen van de dag ervoor, dan was het opluchting over het feit dat alles goed was afgelopen en hij niet was gepakt. Medelijden met de bankmedewerker had hij niet. Die kerel had gewoon moeten luisteren en zijn handen ver bij de alarmknop vandaan moeten houden.

Hoewel Bud zich er niet voor schaamde, was het een verhaal waarvan hij vermoedde dat een inlevend type als Nora er weleens moeite mee zou kunnen hebben, en dus besloot hij een wijze raad op te volgen die wijlen zijn moeder hem ooit had gegeven. De exacte woorden kon hij zich niet meer herinneren, maar waar het op neerkwam, was dat je sommige dingen beter voor jezelf kon houden...

Buds aandacht werd getrokken door een scène in de film op televisie. Die kerel leek eindelijk een meisje aan de haak te hebben geslagen die met hem de koffer in wilde, een of andere blonde verkoopster, maar – godallemachtig, dit kon niet waar zijn – nu liep die eikel gewoon wég en ging hij terug naar een van zijn vrienden, die hem vertelde dat dit de manier was: niet meteen te gretig zijn, hij had nu 'het zaadje geplant' en moest geduld hebben, afwachten totdat het zaadje een plant werd en als het eenmaal zover was – *boem* – dan neukte hij de plant. Wat een bullshit.

Nora slaakte een kreetje – blijkbaar had ze weer iemand verslagen met schaken. Bud zag haar tekeergaan met de muis, waarschijnlijk begon ze meteen een nieuwe partij; er waren dagen dat ze geen genoeg kreeg van dat spel.

'Gaat het goed, meis?'

Ze keek op en schoof de laptop een stukje van zich af. 'Ja, ik heb net ene Vladimir verslagen en nu sta ik honderdachtenvijftigste in level twee.'

'Vladimir? Doen er ook Russen mee?'

'Dat weet ik niet. Voor hetzelfde geld is het gewoon iemand uit Omaha, Nebraska.'

'Die net doet alsof hij een Rus is?'

'Ja. Dat is het leuke van internet. Je kunt zijn wie je wilt.'

'En jij? Ben jij ook iemand anders? Of heet je gewoon Nora?'

'Nee, gewoon Nora vond ik saai. Eerst wilde ik de naam van een beroemde schaker kiezen, maar die waren allemaal al bezet. Toen heb ik het met "Madonna" geprobeerd, maar die naam had ook al iemand ingepikt. Nu speel ik onder de naam Bioneta.'

'Bioneta? Wat betekent dat?'

'Niets. Het is zomaar een naam die ik heb verzonnen. Hoe vind je het klinken?'

'Niet slecht, meis. Het klinkt als een dame die al die andere internetschakers op hun donder geeft en niet lang meer honderdachtenvijftigste zal staan.' Hij zag haar glimlachen en zei: 'Maar nog even over je moeder: denk je dat het je lukt om haar binnen een halfuur het huis uit te krijgen?'

'Ik zal mijn best doen.'

Bud wierp een blik in de richting van de keuken. 'Waar is ze eigenlijk?'

'Mama? Boven. Ze doet de was.' Ze keek hem aan, weer met die zorgelijke blik. 'Bud? Toen je net zei dat je nog wat van die mensen te goed had... waar had je het toen eigenlijk over?'

'Over vijftigduizend dollar, lieverd.'

'Jeetje, dat is veel geld. Maar kun je het niet gewoon laten zitten? Ik heb het naar mijn zin op mijn werk en we hebben het zo toch goed samen?'

'Dat is waar, meis. We hebben het fantastisch. Maar waar het om gaat, is dat deze mensen me dit geld jaren geleden hebben beloofd. En wat je belooft, moet je doen. Toch?'

6

Farrell kon er nog steeds niet over uit: de pornoproducent Archie Venice, die vooral graag naar zichzelf leek te luisteren, had dwars door hem heen gekeken.

'Wat denk je van een privédetective die mensen betrapt terwijl ze vreemdgaan, totdat hij op een dag thuiskomt en zijn eigen vriendin op de keukentafel aantreft met haar personal trainer?' had Farrell gezegd. En die kerel, meteen eroverheen: 'Shit... je hebt het over jezelf, hè?'

Was het zo makkelijk aan hem af te zien?

Hij probeerde er niet te lang bij stil te staan en richtte zich op Dana Evans, Archies receptioniste, die bezig was zijn gegevens te noteren op een vel papier. Hij vond het prettig om naar haar te kijken, dit mooie meisje met haar laconieke groene ogen.

Toen ze klaar was met zijn gegevens, schoof ze zijn rijbewijs over de balie naar hem toe, keek naar hem op en vroeg wat Archie van hem wilde.

Farrell aarzelde even en zei toen dat hij daar niet over kon praten.

'Wacht even... je bent toch niet stiekem tóch een nieuwe acteur? Zo eentje die getrouwd is en niet wil dat zijn vrouw er ooit achter komt?'

Farrell glimlachte. 'Nee, ik ben privédetective. En ik ben niet getrouwd.'

Ze glimlachte terug, veegde een lok haar uit haar gezicht en zei: 'Dat is een hele opluchting.'

Farrell vroeg zich af of ze met hem flirtte of dat ze alleen maar opgelucht was dat hij nogmaals had benadrukt dat hij niet kwam solliciteren voor een rol in Archie Venice' nieuwste film. Het was net als toen hij daarnet was binnengekomen en ze hem had gezegd dat hij er niet uitzag als een acteur; hij was er tamelijk zeker van dat ze het als compliment had bedoeld, maar toch...

Nu zei ze: 'Nou ja, wat je ook voor hem gaat doen, hij is er heel blij mee. Achttienduizend dollar voor drie weken is een hoop geld.' Ze stopte het vel papier waarop ze zijn gegevens had genoteerd in een la onder haar bureau. 'Wat vond je trouwens van zijn Budweiser-box?'

'Je bedoelt dat ding waar hij zijn drankjes in bewaart? Het doet me eerlijk gezegd nog het meest denken aan een doodskist.'

'Dat is het ook,' zei Dana. 'Archie heeft hem speciaal op maat laten maken. Het is zijn wens te worden begraven in zijn favoriete biertje. Tot het moment dat hij er zelf in mag gaan liggen, gebruikt hij hem als koelkast.'

'Je maakt een grapje, hè?'

Ze glimlachte naar hem, langer deze keer, en zei: 'Zie ik eruit alsof ik een grapje maak?'

Farrell vroeg zich af of je kon verdrinken in die groene ogen en dacht: ik moet maken dat ik hier wegkom.

Bud Raven had bepaald niet verwacht dat hij in een warm nest terecht zou komen toen Nora hem drie maanden geleden had meegenomen naar haar ouderlijk huis. Hij vreesde de ontmoeting met haar moeder, Ruby-Beth, die in Nora's woorden 'van top tot teen in de Here was'. Het kon niet anders of hij zou bij aankomst worden weggekeken. Shit, hij had vriendinnetjes gehad wier vaders hadden gedreigd hem te vermoorden, puur en alleen vanwege het feit dat hij de kost verdiende als pornoacteur. Nora's moeder zou hem niet alleen zien als voormalig pornoster, maar bovendien als een bankrover die net uit de gevangenis kwam.

Om een goede start te maken, had Nora hem aangeraden zich aan zijn moeder voor te stellen met zijn echte naam, Judas Thaddeüs Higley. Op die manier zou Ruby-Beth onmiddellijk beseffen dat hij uit een gelovig gezin kwam, een gegeven dat haar volgens Nora gunstig zou stemmen.

De aanpak werkte.

'Judas Thaddeüs,' zei Ruby-Beth Quattlander, terwijl ze – zittend op de ouderwetse groene bank in de woonkamer – zijn uitgestoken hand bleef vasthouden. 'Wat een mooie naam. De zachtaardige. En natuurlijk de broer van Simon de Zeloot.'

'Ja, mevrouw,' zei Bud, terwijl hij zich herinnerde hoe zijn moeder – wanneer mensen haar er in zijn jeugd naar vroegen – altijd fel had benadrukt dat haar zoon was vernoemd naar een van de twaalf *rechtschapen* apostelen, en dus niet naar die andere Judas, de verrader Judas Iskariot.

Net toen Bud zich begon af te vragen waarom hij zich überhaupt zorgen had gemaakt over de ontmoeting met Nora's moeder, vroeg Ruby-Beth aan haar dochter of ze even de kamer wilde verlaten. Nora knikte, verdween naar boven en Bud dacht: daar gaan we...

Maar opnieuw verraste Ruby-Beth Quattlander hem. Ze begon geen preek naar aanleiding van zijn verleden en vroeg evenmin naar zijn toekomstplannen. In plaats daarvan zei ze: 'Bud – mag ik gewoon Bud zeggen? Ja, hè? – Bud, ik heb er geen enkele moeite mee dat je hier komt wonen, maar ik wil wel even een paar dingen met je doornemen. Zoals je waarschijnlijk al hebt opgemerkt, is dit een schoon huis. Ik wil dat het dat blijft, en dat betekent: schoenen uit bij de voordeur.'

'Ja, natuurlijk mevrouw. En ik wil u graag helpen. U weet wel, met de afwas, boodschappen... dat soort dingen.'

Ze deinsde achteruit alsof hij haar een oneerbaar voorstel had gedaan. 'Hélpen? O, nee. Nee, ik doe hier in huis alles zelf. Hulp heb ik niet nodig. Al wat ik verlang, is dat je je aan de regels houdt. We hebben hier een boiler. Je kunt dus niet te lang douchen, want dan blijft er geen warm water over voor degene die als laatste moet. Scheer je met een mes of elektrisch?'

'Met een mes, mevrouw.'

'Dan gebruik je een fluitketel om water te koken. We hadden pas mijn broer Albert te logeren en als die zich schoor voordat hij ging vissen, liet hij de warme kraan doodleuk lopen, met als gevolg dat we de hele dag zonder zaten. Zoiets wil ik geen tweede keer meemaken. Wat ook belangrijk is: de gordijnen blijven overdag gesloten, anders verkleuren de banken. Heb je zelf nog vragen?'

Bud zei dat dit niet het geval was en benadrukte dat ze zich nergens zorgen over hoefde te maken, hij was tijdens zijn verblijf in de Fairton Correctional Institution bijzonder goed getraind wanneer het ging om het naleven van regels. 'En als er iets is, moet u dat natuurlijk gewoon tegen me zeggen, want ik wil niet op mijn geweten hebben dat u zich een vreemde voelt in uw eigen huis.'

Ruby-Beth smolt ter plekke en Bud wist dat hij gebeiteld zat.

'O, en Bud?'

'Ja, mevrouw?'

'Ik vind het heel erg wat er met je gezicht is gebeurd.' Ze schoof een stukje naar hem toe op de bank en legde in een moederlijk gebaar haar hand op zijn knie. 'Nora heeft me *From Raven With Love* laten zien. Ik vond je, eh...' Ze wendde haar blik af. 'Je was een goede acteur.' Snel voegde ze eraan toe: 'Omdat ik denk dat de Heer sommige van de beelden in die film niet zal goedkeuren, heb ik Hem direct na het kijken om vergiffenis gevraagd. Maar ik had het voor geen goud willen missen. Ik vermoed trouwens dat Hij je heeft vergeven voor die periode in je leven. Net zoals ik denk dat Hij je heeft vergeven voor je misstap in die bank.'

'Ik hoop het, mevrouw.'

Ruby-Beth Quattlander zei: 'Ga er maar van uit dat het zo is. Ik denk dat Hij je weer in genade heeft aangenomen en je als bewijs van Zijn barmhartigheid mijn Nora heeft gestuurd.'

'Zo had ik het nog niet bekeken.'

Ze knikte. 'Jezelf vergeven is misschien wel het allermoeilijkste wat er is. Het kan zijn dat je daar nog niet aan toe bent. Hoe dan ook, ik hoop dat je voorzichtig met de gevoelens van mijn meisje zult omspringen. Ze is nogal timide, dat heb je waarschijnlijk al gemerkt, maar geloof me: als ze eenmaal loskomt, zul je zien dat er een heleboel aan haar te ontdekken valt.'

Als ze loskomt? Waar had die vrouw het over?

Hij zag Nora weer voor zich op het bed in de hotelkamer, terwijl ze uiterst zorgzaam met haar vingertoppen zijn geslacht masseerde. Zag hoe ze zich plagerig langzaam op hem liet zakken en voelde de stof van haar zwarte panty langs zijn dijbeen schuren...

Met een schok realiseerde hij zich dat hij een stijve kreeg terwijl de hand van Ruby-Beth Quattlander nog op zijn knie rustte.

Hij kuchte luid, schoof een flink eind bij de oude vrouw vandaan en zei: 'Mevrouw Quattlander, ik heb meisjes meegemaakt die veel meer timide waren dan uw dochter. Ik vind Nora perfect zoals ze is. Alles wat ik verder nog aan haar ontdek, beschouw ik als extra.'

'Het doet me goed dat te horen,' zei Ruby-Beth Quattlander. Ze glimlachte voor zich uit, tuurde vervolgens een tijdje zwijgend uit het raam en keek hem toen weer aan. 'Nora vertelde dat je het geloof in de Heer bent kwijtgeraakt en dat begrijp ik. Je hebt het niet makkelijk gehad. Maar zoals ik al zei: vergeet niet dat Hij je nu Nora heeft gebracht en dat alles wat Hij doet een reden heeft. Soms zien we het niet meteen en verliezen we tijdelijk ons vertrouwen. Maar misschien is dit het moment je vertrouwen in Hem te herstellen. Diep in je hart weet je het: Hij waakt over ons allemaal, Bud. Ook over jou.'

Ondanks het feit dat Ruby-Beth Quattlander met heel haar ziel en zaligheid in God geloofde, had ze niet nagelaten iets in huis te halen voor het geval de Heer een keertje níét over haar waakte als ze in de problemen kwam. In haar nachtkastje bewaarde ze een .9mm Beretta, hetzelfde model als het pistool waarmee Bud jaren geleden de overmoedige bankmedewerker overhoop had geschoten.

Het wapen kwam goed van pas. Hoewel Bud niet verwachtte dat Archie Venice zou besluiten een huurmoordenaar op hem af te sturen in plaats van iemand die hem zijn vijftigduizend dollar kwam brengen, kon het geen kwaad het zekere voor het onzekere te nemen. En dus had hij – zodra Nora en haar moeder een halfuur geleden in de oude Subaru waren vertrokken – het wapen uit Ruby-Beths nachtkastje gehaald en het tussen de groene kussens van de bank verstopt. Daarna was hij naar de badkamer gegaan om zijn pillen in te nemen. Hij had er net iets meer genomen dan anders en voelde het effect nu al. De vage grijstinten die sinds zijn verblijf in de gevangenis als dreigende schaduwen om hem heen hingen, waren opgelost en vervangen door kleuren. Geel, blauw, oranje… ze waren er allemaal; dansten om hem heen als vriendjes en vriendinnetjes op een kinderfeestje.

Bud had de gordijnen opengedaan, iets wat Nora's moeder ten strengste had verboden, en het heldere licht dat door de ramen naar binnen stroomde, maakte zijn euforische gevoel compleet. Voor een keer zag de kamer er niet uit als een grafkelder, maar als een woonkamer die – afgezien van het buitensporige aantal kruisbeelden en religieuze prenten aan de muur – voor normaal zou kunnen doorgaan.

Het was bijna twee uur en Bud merkte dat het hem grote moeite kostte om stil te blijven zitten op de bank. Dus nam hij zich voor in beweging te blijven. Zolang hij bleef bewegen, zouden de pillen hun werk doen en zouden de grijze schaduwen geen vat op hem krijgen. Hij liep naar het raam en keek naar buiten, naar het hek aan het eind van de oprit: nog geen teken van zijn aanstaande bezoek. Hij liep naar de keuken. Naar de achtertuin. Naar de slaapkamer. En weer terug. Hij bleef keer op keer dezelfde route afleggen, net zo lang totdat hij – vlak voor hij aan zijn veertiende rondje begon – in de verte de motor van een auto hoorde.

Werner Brünst parkeerde de Jetta vlak voor het smeedijzeren hek. Het hek was dicht en er zat een groot kettingslot om de spijlen. Erachter liep een breed grindpad dat naar het oude huis leidde. 'Shit. Ook dat nog...'

Hij had gehoopt dat hij tot de voordeur had kunnen rijden, zodat hij niet zo ver hoefde te lopen en zijn blaar kon ontzien. Maar er zat niets anders op: hij zou zich een weg door het struikgewas moeten banen en vervolgens de ruim dertig meter naar het huis te voet moeten afleggen. Hij pakte zijn schoenen van de achterbank en trok ze aan. Vervolgens keek hij Larry aan en zei: 'Je kunt meegaan of in de auto blijven.'

Larry zei dat zijn vader waarschijnlijk het liefst had dat hij in de auto bleef. Hij keek de andere kant op terwijl hij het zei. Blijkbaar zat hij weer in zijn rol van beledigd kind.

'Oké,' zei Werner, die allang blij was dat zijn passagier de afgelopen twintig minuten zijn mond had gehouden. 'Ik ben zo terug.'

Hij opende het portier en stapte uit, zijn pijnlijke voet eerst. Dat viel mee, dacht hij, tot hij zich omdraaide om de plastic zak met geld van de achterbank te pakken en zich vervolgens aan het portier moest vastklampen om het niet uit te schreeuwen van de pijn. Door de draai schuurde die verdomde rand van zijn schoen weer tegen de blaar.

'Heb je hulp nodig?' zei Larry met een stomme grijns op zijn gezicht.

Werner gaf geen antwoord. Hij pakte de tas, beet op zijn tanden en keek naar het grindpad achter het hek.

Dertig meter. Meer was het niet.

Hij deed twee stappen in de richting van de struiken naast het hek, probeerde niet aan zijn pijnlijke hiel te denken en legde zijn hand op een brievenbus waarop een ronde sticker zat met de tekst GOD ZIJ MET U. Ernaast, in zwarte blokletters, stond RUBY-BETH & NORA QUATTLANDER. Achter de naam was met een dunne spijker een miniatuur kruisbeeldje aan de brievenbus bevestigd.

Werner tuurde naar de blote voeten van het Jezusfiguurtje dat eraan hing en kreeg een idee: als hij kon autorijden zonder schoenen, dan kon hij ook best de dertig meter naar het huis op blote voeten afleggen. Bud Raven zou hem waarschijnlijk een beetje vreemd aankijken als hij zonder schoenen bij hem op de stoep stond, maar moest hij zich druk maken om wat die armoedzaaier van hem vond? Nee. Hij was hier niet om de eerste prijs te winnen in een modeshow. Hij zou Bud zijn poen geven en meteen rechtsomkeert maken.

Hij zette de plastic tas met geld naast zich neer en trok – met één hand steunend op de brievenbus – zijn schoenen weer uit.

Zo, dat was beter.

Nu die verdomde pijn weg was, drong de rest van de omgeving pas tot hem door. Het ruisen van de bomen, de geur van mos. Het was hier heerlijk stil, net als in het Berlijnse Grunewald.

Hij pakte de plastic zak op, besloot toch maar over het hek te klimmen in plaats van door de struiken te gaan, en wilde net zijn voet op het roestige ijzer zetten toen hij erachter, op het grindpad, iets zag glinsteren. Waren dat stukjes glas? Dat moest er nog bij komen.

Hij zuchtte, klom over het hek heen en begon te lopen, zijn ogen samengeknepen tegen het felle zonlicht. Er prikte van alles in zijn voeten en hij was nog niet eens in de buurt van de plek waar het pad glinsterde. Misschien moest hij –

Au. Scheisse…

Hij liet de plastic tas uit zijn hand vallen, tilde zijn voet op en zag bij zijn grote teen een druppeltje bloed ter grootte van een speldenknop. Net toen hij op het punt stond de tas weer op te pakken, hoorde hij achter zich een autoportier open en dicht gaan. Vervolgens: gerammel aan het hek en een luide plof.

De stem van Larry Venice zei: 'Laat mij maar even. Anders staan we hier morgen nog.'

Het volgende moment verscheen de arm met de AmandaLarry-tatoeage in zijn blikveld, gevolgd door de rest van Larry.

Voordat Werner kans zag te protesteren, was de plastic tas vijf meter bij hem vandaan en op weg naar het huis. De vijf meter werden er tien. Vijftien. De ballonnetjes op Larry's T-shirt werden steeds kleiner, alsof het echte ballonnen waren, die in de lucht verdwenen, en hoewel Werner wist dat hij hem eigenlijk zou moeten terugroepen, moest hij toegeven dat de gedachte dat hij niet zelf dat pad over hoefde hem een gevoel van immense opluchting bezorgde. Bovendien kon hij Larry zien, dus strikt genomen hield hij zich aan Archies opdracht – hem *in de gaten houden.* Het enige wat de man hoefde te doen, was de tas afgeven en teruglopen naar de auto. Er was geen enkele reden om aan te nemen dat hij onderweg in de problemen zou raken.

7

In eerste instantie had Bud een slecht voorgevoel gehad toen hij de zilverkleurige Jetta met Werner Brünst en het kereltje met het vlassige bruine haar voor het hek zag stoppen. Waarom was Archie niet zelf gekomen? Ging hij niet betalen en was hij te laf om het hem persoonlijk te komen zeggen? Maar toen zag hij Werner uitstappen met de Blockbuster-tas en voelde hij zijn hartslag versnellen.

Het had vervolgens vijf minuten geduurd voordat de bel ging, en Bud was verbaasd toen hij zag dat niet Werner Brünst, maar het kereltje met het vlassige bruine haar met de tas bij hem op de veranda stond.

Het kereltje, dat een rond brilletje droeg en enorme pupillen had, zei: 'Ben jij Bud Raven?'

'Ja,' zei Bud. 'Dat ben ik. Waar is Werner?'

Het kereltje gebaarde met zijn duim over zijn schouder. 'Die is in de auto gebleven. Hij heeft een blaar.'

Bud tuurde langs het kereltje heen in de richting van de Jetta achter het hek. Dus Werner Brünst, op wie jarenlang mannen met gereedschap van ruim twintig centimeter aan het werk waren geweest, bleef in de auto vanwege een blaar. Jezus, wat was er gebeurd met de goede oude tijd?

'En wie ben jij?'

'Ik ben Larry?' zei het kereltje, op een toon alsof hij er zelf niet helemaal zeker van was.

Larry...

Bud bekeek de man nog eens goed. Zijn vlassige bruine haar, het hoge voorhoofd. Er begon hem iets te dagen. Hij herinnerde zich een achtjarig joch dat in de wachtruimte van Venice Pictures met raceautootjes speelde. Een schans bouwde van oude filmposters en de autootjes vervolgens te pletter liet vallen, zodat zijn vader weer nieuwe kon kopen. Shit, dacht Bud, het was hem inderdaad, de kleine Larry Venice, die groot was geworden en inmiddels tegen de dertig moest zijn; ja, nu herinnerde hij zich ook de ver uit elkaar staande ogen, het ronde brilletje...

Larry wist tamelijk zeker dat zijn geheugen hem niet in de steek had gelaten. Dit was inderdaad de acteur uit *Raven Rising*, alleen dan met een ander gezicht. Shit, wat zag dat eruit. De huid tussen zijn neus en zijn linkeroor was helemaal rimpelig en had een heel andere kleur.

Bud Raven keek hem aan met een merkwaardige uitdrukking op zijn gezicht, alsof hij stoned was en toch ook weer niet. Hij trok zijn joggingbroek een paar centimeter omhoog, streek zijn vaalwitte T-shirt glad en verlegde zijn blik toen naar de Blockbuster-tas in Larry's hand.

'Zit daar mijn geld in?'

'Ja,' zei Larry.

'Mooi. Kom dan maar binnen.'

Larry aarzelde. Hij keek naar de Jetta achter het hek. 'Ik weet niet of Werner het goed vindt als ik –'

Bud Raven zei: 'Wat?'

'Niets,' zei Larry, terwijl hij Bud naar binnen volgde en de geur van schoonmaakmiddel zijn neus binnendrong.

'Pas op voor je knieën,' zei Bud. Hij passeerde een kruisbeeld dat midden in de gang stond en ruim een meter hoog was.

Nu pas viel het Larry op dat er overál kruisbeelden leken te zijn. Ze hingen aan muren, stonden op kastjes en waren in een enkel geval – zoals het exemplaar waar Bud hem zojuist voor had gewaarschuwd – zelfs met ijzeren bouten aan de vloer bevestigd. Larry had verhalen gehoord van pornosterren die na hun carrière zelfmoord pleegden of in Idaho gingen wonen. Blijkbaar waren er ook die hun toevlucht zochten bij de Here Jezus.

Ze gingen een ouderwets ingerichte woonkamer binnen en Bud

nam plaats op een sjofel ogende groene bank.

Larry overhandigde hem de plastic tas.

Bud zei: 'Ik neem aan dat ik het niet hoef na te tellen?'

'Dat moet je zelf weten. Maar het zit er echt allemaal in. Tienduizend ballen.'

'Hóéveel?'

'Tienduizend,' zei Larry. 'Tenminste, dat zei Werner.'

'En de rest?'

'De rest?'

'Ik had om víjftigduizend gevraagd.'

'Vind je tienduizend niet genoeg? Shit, als die ouwe mij zomaar tienduizend dollar zou geven, zou ik het wel weten...'

Bud probeerde uit alle macht kalm te blijven. Hij wilde niet dat de roes van de pillen zou verdwijnen. Maar het was een strijd die hij niet kon winnen. Nu al zag hij de kleuren om hem heen vervagen en kwamen de eerste slierten grijs zijn gezichtsveld binnendrijven.

Intussen praatte Larry Venice gewoon door. '... niet tevreden bent, moet je Archie maar even bellen. Met mij boos aankijken bereik je niet veel, want ik ben niet degene die over het geld gaat... Bud? Gaat het wel?'

'Misschien bel ik Archie inderdaad even.' Bud frommelde met zijn hand tussen de kussens van de bank en vond de kolf van de Beretta. 'Maar niet om te zeggen dat ik niet tevreden ben.' Hij bracht de Beretta omhoog vanonder de kussens en richtte het wapen op Larry's voorhoofd. 'Ik denk dat ik hem maar eens vraag hoe hij het zou vinden om hierheen te komen om de hersens van zijn dode zoon van de houten vloer te komen schrapen.'

Bud verwachtte dat Larry het ter plekke in zijn broek zou doen van angst of dat het kereltje zou smeken om zijn leven. Maar dat deed hij niet. In plaats daarvan staarde hij een beetje dommig naar de loop van de Beretta, schudde toen zijn hoofd en zei: 'Wacht even, Bud. Wil je míj gaan doodschieten omdat mijn vader je niet betaalt? Nou, dat is lekker logisch. Maar niet heus...'

'Het is logischer dan je denkt. Jij wordt de boodschap. Als je vader dan nog niet begrijpt dat ik het serieus meen, dan is er iets heel erg mis in zijn bovenkamer.'

'Tenzij het hem niets kan schelen als ik doodga,' zei Larry. 'Maar goed: ga vooral je gang, ik heb er toch schoon genoeg van door jan en alleman als stront te worden behandeld. En zal ik je nog eens iets zeggen, Bud? Als ik mijn vader was, had ik je helemaal niets gegeven. Nog geen cent. Werner heeft me in de auto alles verteld: je had gewoon niet zo dom moeten zijn om stomdronken achter het stuur te kruipen. Het is bijna net zo stom als mij doodschieten omdat mijn vader niet over de brug komt. Maar nogmaals: je ziet er helemaal opgefokt uit, dus doe vooral wat je niet laten kunt...'

8

Jack Farrell herinnerde zich nog goed hoe hij als tiener naar de doffe, lamgeslagen blik in de ogen van veel volwassenen had gekeken en had gedacht: dat zal mij niet gebeuren, o nee. Hij zou het leven nemen zoals het kwam, luchtig, en in ieder geval niet de fout maken het gewicht van de wereld op zijn schouders te nemen. Dat lukte aardig, totdat er zich op 11 september 2001 twee vliegtuigen in de torens van het WTC boorden en hij zijn vader kwijtraakte.

Voor het eerst in zijn leven werd hij geconfronteerd met verlies. In de woonkamer van zijn ouderlijk huis probeerde hij vergeefs zijn moeder te troosten, terwijl op televisie president Bush liet weten dat iedereen die dacht Amerika ongestraft te kunnen aanvallen het zou berouwen.

Zijn vader was eenenvijftig jaar geworden.

Farrell, op dat moment drieëntwintig, stopte met zijn studie fotografie en breidde zijn studentenbaantje achter de bar uit van twee naar zes avonden per week. Hij werkte zoveel als hij kon en probeerde zo min mogelijk na te denken over de rest van zijn leven en de dingen die om hem heen gebeurden. Zijn vriendin Louise probeerde hem ertoe te bewegen zijn studie weer op te pakken – hij kon toch niet eeuwig blijven treuren? – maar Farrell kon het niet opbrengen, en uiteindelijk verliet ze hem. Ze zei tegen hem dat ze van hem hield, maar niet langer kon aanzien hoe hij steeds verder wegzakte in zijn depressie. Farrell zei dat hij begreep dat ze verder wilde met haar leven. Dat van hem stond al een tijdje stil.

Op een avond in mei begon er in de bar waar hij werkte tegen sluitingstijd een toerist tegen hem aan te kletsen. De man, die al de nodige glazen wodka had gedronken en met dubbele tong praatte, vertelde hem ongevraagd van alles over zichzelf. Dat gebeurde wel vaker, laat op de avond. Farrell luisterde geduldig en met professionele interesse.

Er was geen vuiltje aan de lucht totdat de man vertelde dat hij uit Texas kwam – de beste staat van Amerika – en zich daar helemaal in zijn element voelde omdat het kleine plaatsje waar hij woonde vrijwel moslimloos was en dus ideaal om kinderen te laten opgroeien.

Farrell, die al had gezien dat de man een jack droeg met het embleem van de National Rifle Association, zei: 'Moslimloos?'

De Texaan knikte. 'Ze hebben niets te zoeken in mijn dorp. Er zijn geen hoge gebouwen zoals hier bij jullie.'

Farrell zei: 'Mijn vader was een van de brandweermannen die omkwamen tijdens de aanslagen op het WTC. Veel van zijn collega's die het ook niet overleefden, waren moslim.'

De Texaan keek hem met samengeknepen ogen aan. 'Wat wil je daarmee zeggen, vriend?'

De toon waarop de man sprak had iets agressiefs en beviel Farrell niet. 'Ik wil ermee zeggen dat het soms goed is wat verder te kijken dan je neus lang is.'

'Weet je?' zei de Texaan. 'Dat is nou precies de softe benadering waarmee dit prachtige land langzaam maar zeker naar de klote wordt geholpen. Probeer je me te vertellen dat je vaders moslimcollega's deugden omdat ze op 11 september réddingswerk hebben verricht? Nou, knul, dan maak je de vergissing van je leven. Het feit dat ze deden alsof ze het allemaal vreselijk vonden, bewijst niet dat ze niet in het *complot* zaten. Natuurlijk renden ze met je vader mee die gebouwen in. Ze wilden niets liever, het is voor die mensen een eer om te sterven. Ze zijn er heilig van overtuigd dat ze aan de andere kant worden opgewacht door –'

Farrell had nooit eerder de aandrang gevoeld om iemand te slaan en kon later niet bepalen waarom hij zich niet had weten te beheersen, maar voordat hij wist wat er gebeurde, zag hij zijn arm over de bar heen zwaaien. Zijn vuist trof de toerist vol op de kaak. De man, die toch al niet meer erg stevig op zijn kruk zat, zakte als een zak aardappelen in elkaar, kwam met zijn hoofd ongelukkig op een tafeltje terecht en liep een lichte hersenschudding op. Het incident kostte Farrell zijn baan en omdat de advocaat van de Texaan de gebeurtenissen in de rechtszaal op overtuigende wijze wist aan te dikken, leverde het hem bovendien een verblijf van twee maanden in de gevangenis van Riker's Island op.

Daar, op de luchtplaats, ontmoette hij drie weken later een achtenveertigjarige zakkenroller die Luther Okry heette, de man die – zonder dat Farrell het op dat moment kon bevroeden – de aanleiding zou zijn voor zijn huidige kostwinning.

Okry, een kleine man met een dunne paardenstaart en diepliggende bruine ogen, was niet een typische crimineel, althans, niet het type waarmee de gevangenis voor het merendeel was gevuld: lieden met een afwezige blik in hun ogen die zich met niemand bemoeiden, en hun tegenpolen, mannen met een agressieve oogopslag die permanent aan de speed leken te zijn en aan de lopende band sterke verhalen ophingen. De zakkenroller was een van de weinige mensen in zijn cellenblok met wie Farrell langer dan drie minuten kon praten zonder zich te vervelen, bang te worden, of voorstellen te krijgen waar hij niet op zat te wachten. Soms spraken ze elkaar een paar keer per dag, soms gingen er dagen voorbij dat ze elkaar niet zagen, maar Farrell was blij dat de zakkenroller in zijn blok zat. Twee maanden was een lange tijd om in je eentje tussen een troep roofdieren door te brengen.

Op een dag – ze zaten in de eetzaal aan een bord overgare pasta – zei Okry tegen Farrell dat hij, zodra hij vrijkwam, zijn leven zou beteren en nooit meer nietsvermoedende burgers van hun zuurverdiende centen zou beroven. Hij zei dat hij de dag ervoor een verhaal in een tijdschrift had gelezen dat hem op een geweldig idee had gebracht.

Farrell slikte een hap pasta weg met behulp van de waterige saus. 'En dat is?'

'Iets waarmee ik slapend rijk ga worden, zonder de wet te overtreden.'

'Dat klinkt niet slecht,' zei Farrell, die zich afvroeg waar de zakkenroller het over had. Hij had de man tot die dag nog niet kunnen betrappen op een sterk verhaal en was gematigd benieuwd naar wat er komen ging.

Okry keek schichtig om zich heen. 'Ik ga aan de slag als privédetective.'

'Als privédetective? Is dat niet ouderwets? Als ik daaraan denk zie ik zo'n morsige kerel voor me met een lange regenjas, een drankprobleem en eeuwige geldzorgen.'

'Die kerel uit dat verhaal had geld in overvloed.' De zakkenroller nam een hap pasta en zei met volle mond: 'Wist je dat tien procent van de mannen in Amerika een kind opvoedt dat niet van hen is?'

Nee, dat wist Farrell niet, en hij gaf toe dat het percentage hem verbaasde. Maar wat had het te maken met die kerel die slapend rijk was geworden als privédetective? Reed de man ziekenhuizen langs om tests aan te vragen waarmee kon worden bewezen dat moeders een scheve schaats hadden gereden?

Okry schudde zijn hoofd: 'Zo ver gaat het niet. Dat van die tien procent was alleen maar de kop van het artikel. Het ging erover dat die man bakken met geld verdiende door vreemdgaande mannen en vrouwen te fotograferen. Hij zei: "Ik heb zoveel klandizie dat ik sinds kort een wachtlijst heb." Nou, toen ik dat las, dacht ik: daar ligt een gat in de markt voor Luther Okry.'

Drie maanden nadat Farrell was vrijgekomen, las hij in de krant dat Luther Okry, eveneens net op vrije voeten, opnieuw was veroordeeld tot een lange gevangenisstraf, ditmaal van vijftien jaar, vanwege een gewapende roofoverval op een supermarkt.

Farrell zelf had in de tussentijd een paar halfslachtige pogingen gedaan om werk te vinden, maar de meeste mensen met wie hij sollicitatiegesprekken voerde, bezorgden hem jeuk over zijn hele lichaam en hij betrapte zichzelf erop dat hij soms zelfs dingen zei waarvan hij wist dat ze allerminst in zijn voordeel zouden werken tijdens het selectieproces.

Het bericht over de veroordeling van Luther Okry herinnerde hem aan diens plannen om als privédetective aan de slag te gaan. 'Al wat je hoeft te doen, is wat geld uittrekken voor een fototoestel en een paar advertenties,' had Okry gezegd. 'Ervan uitgaande natuurlijk dat je al over een betrouwbare auto beschikt.'

En Farrell dacht: waarom ook niet?

Hij won wat informatie in en ontdekte al snel dat hij behalve een fototoestel, een auto en een paar advertenties nog iets anders nodig had: een vergunning. Zonder vergunning aan de slag gaan was ook een optie, maar dan zou hij moeten verhuizen naar Alabama, Alaska, Idaho, Mississippi, Missouri of South Dakota, en dat leek hem geen goed idee voor iemand die net had besloten er alles aan te doen niet voor de tweede keer in zijn leven weg te zinken in een depressie.

Het kostte even tijd, waarschijnlijk vanwege zijn strafblad, maar uiteindelijk – nadat hij tussen neus en lippen door had laten weten dat zijn vader een van de brandweermannen was die op 11 september in het WTC waren omgekomen – werd zijn aanvraag in New York goedgekeurd en kon hij aan de slag. Intussen had hij ook zijn advertentieslogan bedacht: 'Bedrogen? Wilt u het zeker weten? Jack Farrell helpt u op weg naar de waarheid.' Het klonk lang niet slecht.

Algauw had hij zijn eerste cliënten en binnen anderhalve maand wist hij dat Luther Okry gelijk had gehad: slapend rijk werd hij niet – mede omdat hij zijn tarief laag hield – maar gemakkelijk werk was het wel. Hij was eigen baas en hoefde geen ongein van een of meerdere superieuren te slikken.

De meeste mensen die Farrell in zijn driekamerappartement annex werkruimte in Morton Street bezochten met het vermoeden dat ze werden bedrogen door hun wederhelft, waren spaarzaam met het geven van informatie. Ze vertelden hun verhaal op gedempte toon, waren vaak omslachtig en draaiden lang om de feiten heen voordat ze ter zake kwamen; uit schaamte, uit angst, of gewoon omdat ze ondanks alles nog altijd liever ontkenden dat er überhaupt een probleem was. In de drie jaar dat Farrell dit werk nu deed, had hij er een talent voor ontwikkeld zich belangstellend maar tegelijkertijd terughoudend op te stellen. Doorgaans liet hij zijn cliënten plaatsnemen in de zithoek aan de straatkant, een plek met veel zachte kleuren die hij er speciaal op had ingericht om zijn getormenteerde bezoekers op hun gemak te stellen, zodat ze zich niet opgejaagd zouden voelen terwijl ze hem de vaak pijnlijke verhalen over hun overspelige geliefden toevertrouwden.

Wat die pijnlijke verhalen betreft: Farrell had inmiddels het pad gekruist met heel wat verknipte zielen. Hij had al snel ingezien dat als hij geestelijk gezond wilde blijven – en dat wilde hij graag – hij maar beter niet kon proberen te begrijpen wat er zich in de bovenkamer van sommigen van zijn cliënten afspeelde, laat staan met hen mee te voelen. In plaats daarvan luisterde hij, deed exact wat er van hem werd gevraagd en richtte zich op de volgende opdracht.

En dus dacht hij – eenmaal terug in zijn appartement – niet langer na over de paniekerige uitdrukking van Archie Venice op het moment dat hij het woord politie in de mond had genomen. Blijkbaar was er iets wat de man liever niet vertelde, en dat was best. Iedereen had recht op zijn geheimen en achttienduizend dollar voor drie weken was een hoop geld.

9

Met zijn ogen dicht had Larry gewacht op het moment dat het schot zou klinken en alles zwart zou worden. Of zou hij het schot niet eens horen en werd alles meteen zwart? Nou ja, wat deed het ertoe: zwart worden zou het in ieder geval.

Of niet?

Er waren nu al een paar seconden verstreken en nog altijd was het stil in de kamer, zo stil dat hij zich kapot schrok toen Bud Raven zei: 'Is dat wat Werner je heeft verteld? Dat ik niet zo dom had moeten zijn om stomdronken achter het stuur te gaan zitten?'

Larry knikte, zijn ogen nog altijd gesloten.

Bud zei: 'Vertelde Werner er ook bij dat ik die avond zoveel had gedronken omdat Archie me een lift naar huis had beloofd en ik in de veronderstelling verkeerde dat ik niet meer hoefde te rijden?'

Larry opende zijn ogen. 'Nee, dat heeft hij niet gezegd. Hij zei alleen maar dat je tegen een boom bent gereden en dat daarom je gezicht helemaal ver... nou ja, dat het er daarom nu zo uitziet. Is dat dan niet zo?'

'Jawel,' zei Bud. 'Ik ben inderdaad tegen een boom gereden, en ja, daarom ziet mijn gezicht er nu "zo uit". Maar de *reden* dat ik die avond stomdronken in mijn auto zat, is dat Archie er tegen de tijd dat ik naar huis ging niet meer was om me de lift te geven die hij me beloofd had. Hij was al veel eerder vertrokken met een paar van zijn meiden. Later ontkende hij het, maar ik weet het zeker: hij is me die avond gewoon vergeten.'

'Shit, Bud, dat wist ik allemaal niet... dus daarom ben je zo pissig.' Larry staarde naar de loop van de Beretta, die nog altijd naar zijn voorhoofd wees. 'Maar Werner zei dat je een van Archies belangrijkste acteurs was. Hebben jullie er destijds helemaal niet over gepraat?'

Bud snoof. 'Gepraat? O ja, dat hebben we gedaan. Archie bezocht me in het ziekenhuis, zei recht in mijn gezicht dat ik een grote domoor was geweest door in mijn auto te stappen in plaats van een taxi te bellen en ging op zoek naar iemand anders met een leuk snoetje en een grote pik.'

'Dus hij liet je vallen vanwege je gezicht?'

'Ja,' zei Bud, met een wrange glimlach. 'Of nee, niet helemaal: van de diensten van mijn jongeheer wilde je vader – zakenman als hij is – maar al te graag gebruik blijven maken. Hij presteerde het zelfs me in het ziekenhuis te vragen of ik interesse had om na mijn revalidatie aan Venice Pictures verbonden te blijven. Niet als acteur, maar als stuntlul. Ik zei: "Meen je dat nou serieus, Arch? Eerst laat je me op een parkeerterrein in New Jersey in de kou staan en vervolgens heb je het lef me hier op te zoeken om uit te vogelen of ik zin heb voor honderd dollar per keer te komen opdraven om de spuit aan te zetten als een van je nieuwe sterren het een keertje niet zélf kan afmaken?"'

'Gelijk heb je, Bud. Stuntlul wil niemand zijn, daar kunnen ze net zo goed de cameraman voor inzetten. Maar wat ik niet begrijp, is waarom je mijn vader toen niet meteen om je pensioen hebt gevraagd en je dat nu pas doet, negen jaar later...'

Bud keek naar het pistool in zijn hand. Hij merkte dat hij genoeg begon te krijgen van dit gesprek, maar tegelijkertijd had hij geen idee wat hij met de mafkees tegenover hem aanmoest.

Larry zei: 'Nou?'

'Die vijftigduizend is geen pensioen. Het is geld waar ik contractueel recht op heb. Archie weigerde het me negen jaar geleden te betalen omdat ik nog een aantal scènes moest doen en hij daarvoor een vervanger moest inhuren omdat ik in het ziekenhuis lag.'

'Ja, dat snap ik. Maar waarom heb je dan niet meteen bij hem aangeklopt toen je uit het ziekenhuis werd ontslagen?'

'Zo is het nu eenmaal gelopen,' zei Bud, die niet van plan was het kereltje de waarheid te vertellen: dat hij er vlak na het ongeluk niet over had gepiekerd de man die hem als een baksteen had laten vallen om geld te vragen, maar dat hij van gedachten was veranderd toen hij in de Fairton-gevangenis in zijn reet werd genaaid door een grof geschapen Cubaan die Dédé heette. Daar, met zijn hoofd in dat smerige kussen gedrukt, had hij besloten dat het tijd was om zijn principes opzij te zetten en zodra hij vrijkwam alsnog datgene op te eisen waar hij recht op had.

Larry zei: 'Bud? Als je me niet gaat doodschieten, zou je dat pistool dan alsjeblieft even ergens anders op willen richten?'

Bud schudde zijn hoofd. 'Ik doe dat pistool pas weg als ik mijn poen heb.'

'Oké,' zei Larry. 'Maar wat je ook van plan bent, ik denk echt niet dat mijn vader van gedachten verandert. Vijftigduizend dollar is een fooi voor hem. Ik bedoel: voor zo'n bedrag hoeft hij niet eens naar de bank. Dus geloof me nou maar: als hij besloten heeft dat tienduizend alles is wat je krijgt, dan komt hij daar niet meer op terug.'

'Je vergeet één ding,' zei Bud. 'Je vader kent alleen de Bud Raven van vóór zijn gevangenisstraf. Ik kan je vertellen dat ik daar in Fairton een aantal belangrijke levenslessen heb geleerd, onder andere dat je nooit, maar dan ook nooit over je heen moet laten lopen door mensen die denken dat ze beter zijn dan jij.'

'Dat is grappig,' zei Larry. 'Dat denk ik ook heel vaak, dat ik mensen niet over me heen moet laten lopen en zo, maar toch gebeurt het steeds. Bijvoorbeeld als ik een locatie heb uitgezocht, zoals vorige week, of als ik een nieuw idee voor een film ga pitchen bij mijn vader. Dan denk ik: deze keer hou ik mijn poot stijf en ga ik me niet door onzinargumenten van de wijs laten brengen. Maar dan gebeurt het toch weer. Hij weet altijd weer iets te verzinnen waardoor ik met lege handen vertrek. Je zult het misschien niet geloven, maar wist je dat Archie nog nooit een film heeft gemaakt die op een idee van mij is gebaseerd?'

'Nee,' zei Bud. 'Dat wist ik niet. En het interesseert me ook niet. Het enige wat me interesseert is mijn geld.'

Hij richtte de loop van de Beretta op Larry's rechterknieschijf.

Larry zei: 'Maar ik heb nú een idee, Bud...'

10

Archie Venice – in het wereldje ook wel bekend als 'De Graaf' of 'De Graaf van New York' – was de op vier na grootste producent van pornofilms in de Verenigde Staten. Zijn bedrijf Venice Pictures was ieder jaar goed voor minstens zestig films van hoge kwaliteit, waarbij Archie voornamelijk gebruik maakte van meisjes die hij exclusief vastlegde, net zoals de grote productiemaatschappijen in Hollywood ooit pleegden te doen met hun supersterren. Natuurlijk kwam Archie er niet onderuit af en toe gebruik te maken van freelancers, maar hij streefde ernaar zo veel mogelijk te putten uit zijn eigen stal van 'Venice-meisjes', publiekslievelingen die door hem persoonlijk – kort of langer geleden – waren getest en geschikt bevonden voor het grote werk.

De producties van Venice Pictures waren verkrijgbaar op dvd, via pay-per-view en video-on-demand, via satelliet- en kabeltelevisie en, uiteraard, via het internet. Daarnaast deed Archie het nodige om de naam Venice Pictures bij het publiek onder de aandacht te brengen. Groter dan Vivid – de onbetwiste nummer één in de industrie – zou hij nooit worden, maar mede via constante en agressieve marketing in de vorm van advertenties, een reeks erotische tijdschriften, kalenders en vibrators (de Venice Special, de Venice Plus en de Venice A43-X) slaagde Archie er ieder jaar weer in zijn positie als nummer vijf te behouden of zelfs te verstevigen. De kunst was om te blijven vernieuwen, de mensen te verrassen; daar hielden ze van. Zo zouden er dit jaar golfkarretjes op de markt verschijnen, op maat gemaakt voor de allerrijksten, met spannende afbeeldingen van hun favoriete Venice-meisje erop.

In tegenstelling tot de meeste producenten van pornofilms (van wie sommige een film van twee uur in vijf dagen opnamen, monteerden én op de markt brachten) besteedde Archie veel aandacht aan zaken als script, regie en belichting. Haastwerk was er niet bij, perfectie was het sleutelwoord – en dat gold voor al zijn films. Archie wilde dat zijn actrices tevreden waren als ze zichzelf terugzagen, dat ze er trots op waren een Venice-meisje te zijn.

En dat waren ze. Alektra Sweet, Cynthia Saint en Monica Bond – zijn meest succesvolle meiden – waren in de afgelopen jaren samen goed voor dertien AVN Awards, waaronder zes voor Beste Actrice en vier voor Beste Tease Performance, maar nooit wekten ze de indruk arrogant te worden of te denken dat ze het allemaal aan zichzelf te danken hadden. Ze hielden van hem, daar was Archie van overtuigd, en het beste bewijs hiervan was de AVN Award voor Beste Actrice, die Monica Bond hem vorig jaar vlak na de ceremonie in Las Vegas in handen had gedrukt met de woorden: 'Deze is voor jou, Arch. Jij laat mij beter neuken.' Het was een van de mooiste en meest ontroerende complimenten die hij ooit van een van zijn meisjes had gekregen, ook omdat hij zich nog goed herinnerde hoe Monica – toen nog gewoon Monica Reese geheten – vier jaar geleden bij hem was binnengelopen, met hangende schouders en een gezicht vol blauwe plekken dat ze te danken had aan de losse handjes van haar alcoholische stiefvader. Archie had de AVN Award (die Monica had gekregen voor haar aandeel in *Vagina City)* een speciaal plekje in zijn huis op Long Island gegeven.

Ja, het scouten en groot maken van nieuwe meiden was een van de talenten die hem zijn naam en faam hadden bezorgd, en nog altijd bracht het aanstaande bezoek van een potentiële nieuwe topper hem een gevoel van puberale gespannenheid.

Zo ook nu, terwijl zijn vaste telefoon begon te rinkelen, en de stem van Dana Evans hem even later meedeelde dat Tiffany Love was gearriveerd.

Snel viste Archie het cv van de actrice uit zijn bureaula. Vervolgens zakte hij een beetje onderuit op zijn bureaustoel, fatsoeneerde zijn leren pak en zei: 'Oké, Dana. Stuur haar maar door.'

Onderweg naar huis had Farrell een grote beker koffie gehaald bij Le Gamin, en daar nipte hij af en toe van terwijl hij een aantal telefoontjes pleegde om de drie klussen die hij voor deze week had staan af te zeggen. Hij had besloten als excuus 'privéomstandigheden' op te voeren, dat klonk lekker vaag en had – mits op de juiste manier uitgesproken – genoeg sinistere bijklank om zijn cliënten ervan te weerhouden door te vragen en/of te gaan mopperen. Sterker nog, de eerste twee cliënten die hij sprak – allebei vrouwen – reageerden vol begrip en wensten hem veel sterkte toe, wat er ook aan de hand was. De derde cliënt – een zelfingenomen klootzak die op Wall Street werkte en Sherman Worley heette, zei: 'O ja, ik had je nog willen bellen. Ik heb je niet meer nodig. De slet is eergisteren uit zichzelf weggegaan en heeft me zwart op wit laten weten dat ze – ik citeer – "geen cent van mijn klotegeld wil hebben".' Wat betekende dat Worley geen foto's van zijn vrouw en haar geheime minnaar nodig had om het onderste uit de kan te halen bij de rechtszaak waarvan hij vorige week tegen Farrell had gezegd dat die er zeker zou komen en dat het een smerig moddergevecht zou worden met hem, Sherman Worley junior, als glorieuze winnaar. Farrell wenste hem geluk met het goede nieuws, zei dat hij geen rekening zou sturen voor het korte gesprek van een week eerder en verbrak de verbinding. Toen hij de kiestoon hoorde, zei hij: 'Val dood, Sherman.'

Hij liep naar de keuken, gooide zijn koffiebeker in de overvolle vuilnisbak en rekte zich uit. Terug in de woonkamer zette hij de televisie aan. Hij ergerde zich een paar minuten aan een dramaserie over honkbal met een complete malloot als hoofdpersoon, veranderde van zender en viel midden in een actiefilm met een actrice die hij kende, maar van wie hij de naam was vergeten. Haar groene ogen deden hem denken aan die van Archie Venice' receptioniste, Dana Evans. Hij merkte dat hij het prettig vond haar weer voor zich te zien, en herinnerde zich hoe ze hem had gevraagd of hij niet tóch een nieuwe acteur was, zo een die getrouwd was en niet wilde dat zijn vrouw erachter kwam dat hij stiekem bijkluste als acteur in pornofilms. Om haar als grapje bedoelde 'beschuldiging' te ontkrachten, had hij alleen maar hoeven zeggen dat hij privédetective was. Dat had hij ook gedaan, maar vervolgens had hij eraan toegevoegd dat hij niet getrouwd was. Farrell vroeg zich af waarom het zo prettig was geweest haar op een ongedwongen manier van deze informatie te voorzien. Misschien had het te maken met die groene ogen, die hem, wanneer ze naar hem keek, het gevoel gaven alsof ze elkaar al langer kenden. Opnieuw vroeg hij zich af wat een vrouw als Dana Evans had doen besluiten voor een pornoproducent te gaan werken. Kon je daar gelukkig van worden?

Maar toen herinnerde hij zich zijn gesprek van zo-even met de arrogante Sherman Worley, en vroeg hij zich af wie hij in hemelsnaam was om het geluk van een ander in twijfel te trekken...

Ondanks het feit dat hij zich nergens zorgen over hoefde te maken – hij had geld en werk in overvloed – merkte hij dat hij steeds vaker nadacht over iets anders. Het waren types als Sherman Worley die hem deden inzien dat zijn leven misschien gemakkelijk, maar tegelijkertijd verre van perfect was.

Hij staarde een tijdje naar de foto van zijn overleden vader op de schoorsteenmantel – zijn vader in brandweeruniform, trots kijkend naar een onbepaald punt in de verte – en dacht: maar ja, wat is perfect?

Archie Venice zei tegen Tiffany Love dat ze een indrukwekkend cv had. Hij had zelden een actrice op gesprek gehad die zoveel films had gemaakt. Het enige probleem was, dat hij geen van de films op haar cv kénde.

Tiffany zei: 'Dat kan kloppen. Het waren allemaal lowbudgetproducties. Maar als u geïnteresseerd bent: ik kan altijd een compilatie van mijn beste werk voor u maken.'

'Dat is erg vriendelijk van je,' zei Archie. 'Maar wat ik me vooral afvraag, is: waarom ben je er...' – hij raadpleegde haar cv – '... waarom ben je er na *Santa's Naughty Slutgirl* mee opgehouden en sta je nu achter de kassa bij Wal-Mart?'

Tiffany lachte nerveus en bestudeerde haar gele nepnagels. 'Ja... nou, dat leek me gewoon ook weleens leuk, deel uitmaken van zo'n enorm bedrijf en zo... Maar ik heb het altijd gezien als iets tijdelijks. Wat ik écht wil, is films maken.'

Archie keek haar aan. Hij vermoedde dat het meeste op haar cv gelogen was, behalve dan het deel waarin stond dat ze momenteel bij Wal-Mart werkte. Het pakje van zwarte stretchstof kon niet verhullen dat ze overal net te dik was, de poging een stel pukkeltjes in haar nek weg te moffelen met een of andere crème was jammerlijk mislukt, en hij durfde er vergif op in te nemen dat ze al minstens vijf jaar langer op deze wereld was dan de negenentwintig die het vel papier voor hem op het bureau vermeldde.

Tiffany Love schonk hem een wanhopige blik vanaf de andere kant van het bureau, alsof ze zojuist zijn gedachten had gelezen, en zei: 'Alstublieft... ik wil dolgraag voor u werken. Ik vind uw films geweldig en sta overal voor open.'

Archie tuurde afwezig naar het cv voor zijn neus. Hij had niet het idee dat Tiffany Love een grote publiekstrekker zou zijn. Ze had een te hoekig gezicht en miste de look waar het publiek massaal plat voor zou gaan. Met al zijn ervaring wist Archie hoe een meisje uit haar ogen moest kijken om succesvol te zijn in deze business. De ogen konden twee dingen zeggen. Ofwel: ik ga je neuken (een blik die op goedkeuring kon rekenen van de meer onderdanige kijkers), ofwel: neuk me (voor de mannen die graag zelf de regie in handen hadden). De ogen van Tiffany Love zeiden geen van beide; ze straalden vooral onzekerheid en mislukking uit.

Aan de andere kant: je wist maar nooit, en hij had nog een halfuur tot de lunch.

11

Toen Larry tien minuten geleden in het huis was verdwenen, had Werner heel even overwogen achter hem aan te gaan. Maar toen dacht hij: waarom zou ik? We zitten hier midden in het bos, ver bij zijn vriendin Amanda vandaan en hij zal het echt niet in zijn hoofd halen er via de achtertuin vandoor te gaan. Nee, ik wacht gewoon in de auto op hem.

Dat had hij gedaan, af en toe pulkend aan zijn opgezwollen hiel. Zijn blaar had hem ervan weerhouden te gaan kijken waar Larry in hemelsnaam bleef en hij was dan ook opgelucht toen hij eindelijk in de verte de voordeur van het huis zag opengaan. Larry kwam naar buiten, gevolgd door Bud Raven. Larry lachte om iets wat Bud zei. Vervolgens tuurde Bud in de richting van de Jetta, stak zijn hand op en verdween weer in het huis.

Toen Larry een paar seconden later instapte, zei Werner: 'Dat werd tijd. Waarom duurde het godverdomme zo lang?'

Larry keek hem aan. 'Lang?'

'Je bent meer dan tien minuten binnen geweest. Waarom? Heeft hij die poen soms na zitten tellen waar je bij was?'

'Ja,' zei Larry, met een merkwaardige uitdrukking op zijn gezicht. 'En zal ik je eens wat vertellen, Werner? Hij vond het te weinig en zette een pistool tegen mijn hoofd.'

Shit, dacht Werner. Shit, shit, shit. Zie je wel, hij had het geld tóch zelf moeten brengen. Archie zou gek worden als hij dit hoorde.

Maar nu begon Larry te lachen. 'Grapje, Werner. De waarheid is dat we gewoon een beetje hebben gepraat. Dat mag toch wel?'

'Waarover?'

Weer die merkwaardige blik. 'Over jou, Werner.'

'Over míj?'

'Je hoeft niet meteen zo achterdochtig te kijken. Het was allemaal positief. We hebben het vooral over je carrière gehad. Bud is een grote fan van je werk uit de voormalige DDR. Weet je wat zijn favoriete film is?'

'Nou?'

'*Private Werner's Big Surprise.*'

'Echt waar?'

Larry knikte. 'Hij was er lyrisch over.'

Werner was blij verrast. Hij had jaren geleden een aantal films gemaakt met Bud Raven, maar ze hadden het nooit over zijn DDR-tijd gehad. Hij stond op het punt Larry te vragen of er nog scènes waren die Bud in het bijzonder had genoemd, maar dacht toen aan iets wat hij niet mocht vergeten als hij niet in de problemen wilde komen. 'O, eh, Larry...'

'Ja?'

'Zou je me een lol willen doen en niet tegen Archie willen zeggen dat ik jou het geld heb laten brengen? Ik weet dat je ex mijlenver in New York zit, maar toch... ik heb duidelijke instructies gekregen je niet uit het oog te verliezen, en, nou ja, je weet hoe je vader is...'

Larry zei: 'Maak je geen zorgen, Werner. Ik hou mijn mond.' Hij zweeg even. 'Op één voorwaarde.'

Werner keek hem aan, op zijn hoede. 'En dat is?'

'Dat ik op de terugweg mag rijden en jij je schoenen weer aantrekt. Ik wil je niet beledigen, en ik weet dat het mijn idee was om ze uit te trekken, maar jezus christus, Werner, wat is je geheím?'

Dana Evans wist dat ze eigenlijk haar tijd zou moeten besteden aan het schrijven van een personeelsadvertentie voor een nieuwe schoonmaakster, maar ze kon het niet helpen: ze dacht nog steeds aan de detective, Jack Farrell, met zijn ondoorgrondelijke blik en zijn lekkere kontje.

Ze deed haar best zich te concentreren op de cursor op het computerscherm voor haar neus, maar iedere keer als ze probeerde een openingszin voor haar advertentie te verzinnen, zag ze hem weer voor zich, geïntrigeerd starend naar de *Breast Seller 2*-poster naast de balie.

Ze had het vaker gedaan wanneer ze mannen die niet in het wereldje zaten naar de posters zag staren; plotseling opduiken en quasiterloops iets zeggen in de trant van: 'Heb je hem gezien?'

De meeste mannen verstijfden ter plekke of begonnen onrustig heen en weer te schuifelen, om haar vervolgens met een bloedserieus gezicht te laten weten dat ze de betreffende film niet hadden gezien en/of helemaal nooit naar porno keken. Of ze nu de waarheid spraken of niet, altijd reageerden ze licht nerveus, alsof puur en alleen het feit dat ze naar een poster hadden gestaard met een of meer naakte vrouwen erop hen op de een of andere manier 'schuldig' maakte.

Ze herinnerde zich een loodgieter die knalrood was geworden en had gezegd: 'Ik zweer je dat ik nog nooit zo'n soort film heb gezien. Waarom zou ik? Meestal is het gewoon anderhalf uur lang platte seks.' Ze had hem alleen maar aangekeken, net zo lang tot hij zich van zijn eigen verspreking bewust werd en er razendsnel aan toevoegde: 'Of niet soms?'

Jack Farrell was niet rood geworden. Hij had evenmin zenuwachtig heen en weer geschuifeld. Nee, als hij ook maar een klein beetje geschrokken was van haar plotselinge verschijning, dan had hij dat uitstekend weten te verbergen.

Als je me de plot vertelt, herinner ik het me misschien weer. Dat had hij gezegd. Zonder een spier te vertrekken.

Hoe dan ook, ze kon de detective maar beter uit haar hoofd zetten. Waarschijnlijk was hij toch al bezet. Of te oud. Ze had gezien dat zijn zwarte haar al een beetje grijs werd bij zijn slapen. Aan de andere kant, er waren mannen die al heel jong begonnen te grijzen. Toch?

Whatever.

Voor de zoveelste keer probeerde ze zich op haar werk te richten. Archies zevenenzestigjarige schoonmaakster Doreen was vorige week met pensioen gegaan en als er niet snel een vervanger kwam, stond ze straks tijdens de lunchpauze zelf met een toiletborstel in haar hand. Dat was wel het laatste waar ze zin in had.

Maar opnieuw kwam ze niet toe aan het formuleren van een eerste zin voor haar advertentie, want nu zag ze vanuit haar ooghoek de deur van Archies kantoor opengaan. Het volgende ogenblik kwam de vrouw die beweerde dat ze Tiffany Love heette naar buiten. Ze zag er opgetogen uit en liep regelrecht op de receptiebalie af.

'Ik moet hier mijn gegevens achterlaten. Archie zegt dat ik een contract krijg.'

'Dat is heel mooi,' zei Dana, terwijl ze opzichtig naar de linkerborst van de wannabe-actrice staarde.

Tiffany Love tuurde naar beneden, zag het glinsterende vocht op haar stretchpakje en zei: 'Oeps. Dank je...'

'Niets te danken,' zei Dana. Ze gaf de vrouw een tissue, noteerde haar gegevens en zei dat ze contact zou opnemen zodra ze met Archie had gesproken.

Tiffany Love schudde haar hoofd. 'Je hoeft me niet te bellen. Archie zegt dat ik mijn contract morgenochtend op de deurmat kan verwachten. Hij heeft kennelijk al iets voor me in gedachten.'

'Oké...' zei Dana, terwijl de vrouw zich omdraaide en op haar zwarte pumps naar de uitgang beende.

Dana keek haar na, zag de vetbultjes en spataderen op haar net iets te dikke benen en dacht: die oude viezerik, hij leert het ook nooit af.

12

Morgenavond? Dan al?

Bud Raven zat te kijken naar een televisieserie over een honkballer die voortdurend op belangrijke momenten geblesseerd raakte en dan steevast een heel moeilijk gezicht trok, alsof hij in zijn broek had gescheten. Het was een belachelijke vertoning – de hele serie was belachelijk – maar ja, wat wilde je ook: om drie uur 's middags keek er natuurlijk geen hond en ze moesten de zendtijd ergens mee vullen.

Bud grijnsde voor zich uit. Hoe slecht de serie ook was, er was heel wat meer voor nodig om zijn goede humeur te bederven.

Morgenavond? Dan al?

Larry Venice was nu ruim een halfuur weg, maar steeds kwamen de woorden bij Bud terug.

In eerste instantie, toen Larry was begonnen over zijn filmidee – een verhaal over een stel mannen die meenden dat ze hun penis kwijt waren, maar die in werkelijkheid onder betovering verkeerden van een of ander Congolees voodoogezelschap – was Bud almaar meer geïrriteerd geraakt. Op zeker moment was zijn vertwijfeling zo groot geweest dat hij had overwogen het praatgrage kereltje ter plekke het zwijgen op te leggen. De reden dat hij het niet gedaan had, was dat Larry's bloed waarschijnlijk overal op de muren en vloeren terecht zou komen en hij er nooit in zou slagen alles schoon te maken voordat Nora en Ruby-Beth thuiskwamen. Zelfs al deed hij nog zo zijn best, Ruby-Beth zou vast ergens een vergeten druppel of vlekje vinden. Als het aankwam op viezigheid, rommel en andere wanorde in haar huis, was er geen ontkomen aan: het oude mens zag alles.

In zekere zin had Bud het dus aan Nora's moeder te danken dat hij Larry had laten raaskallen over zijn volslagen krankzinnige filmidee.

Larry had tegen Bud gezegd dat hij na jarenlang klooien in de marge van de porno-industrie klaar was voor het echte werk: een film maken die *Deep Throat* van de eerste plaats zou verdringen als de meest legendarische pornofilm aller tijden. Het was Larry's grote droom zijn film te maken, de lof te incasseren en daarna op jonge leeftijd dood te gaan, zoals alleen de echt grote sterren het deden. Vervolgens, zo vertrouwde hij Bud toe, zou hij ergens vanaf een wolkje naar beneden kijken terwijl de mensen rouwden om zijn dood en zich afvroegen hoe het nu verder moest met de wereld.

Bud zat daar maar, de Beretta losjes in zijn hand, en vroeg zich af of de man gewoonweg kon zijn vergeten dat er een pistool in de kamer was. Net op het moment dat Bud dacht: misschien helpt het als ik hem eens flink door elkaar schud, zei Larry: 'Shit, Bud, geloof het of niet, maar ik krijg net wéér een idee...'

'Gaat het over mijn geld?'

'Nee. Of nou ja, gedeeltelijk. Ik dacht ineens: jouw verminkte gezicht zou weleens een pluspunt kunnen zijn voor de film die ik in mijn hoofd heb. Je zou Obutu kunnen spelen, de voodoohoofdman, een van de hoofdrollen.'

'Larry...' Abrupt hield Bud zijn mond. Wat had de mafkees daarnet net ook alweer gezegd over Archies geld?

Vijftigduizend dollar is een fooi voor hem. Ik bedoel: voor zo'n bedrag hoeft hij niet eens naar de bank. Bud vroeg zich af of het iets anders kon betekenen dan dat Archie Venice enorme hoeveelheden contant geld in huis had, en dacht: nee, want iets waarvoor je niet naar de bank hoeft, heb je in huis. Toch? Ja. Dus als hij nou eens...

Hij voelde de energie terugkeren in zijn lichaam, deed zijn best om rustig te blijven en richtte zich weer op het kereltje tegenover hem. 'Meen je dat, Larry?'

'Wat?'

'Dat je mij een van de hoofdrollen in je film zou willen geven?'

'Natuurlijk meen ik dat, Bud. En echt niet alleen omdat ik medelijden met je heb vanwege je gezicht. Zoals ik al zei, het schoot me ineens te binnen, je weet wel, zo van: *pats*... maar ja, het zal waarschijnlijk toch niet doorgaan, want ik heb het nog niet aan mijn vader verteld en die zal het wel weer een klote-idee vinden.'

Bud knikte voor zich uit. Toen zei hij: 'Larry? Heb je er ooit bij stilgestaan dat je vader niet de enige producent van pornofilms in de VS is?'

'Ja, natuurlijk. Hoezo?'

'Omdat het betekent dat hij niet de enige is tot wie je je kunt wenden met een goed idee.'

'Nee, dat snap ik. Maar Archie is... nou ja, hij is mijn vader. Ik denk niet dat hij het me in dank afneemt als ik een idee heb en ermee naar een ander ga.'

'Waarom niet?'

'Nou, stel dat die ander er wél iets in ziet en de film wordt een succes. Dan is hij daar natuurlijk niet gelukkig mee.'

Bud keek Larry recht in de ogen, legde de Beretta in een demonstratief gebaar naast zich op de bank en zei: 'Ben *jij* gelukkig, Larry?'

'Ja hoor. Best wel...'

'Larry, het idee dat je me net vertelde, is uniek. Het zou een sensatie kunnen worden. Zal ik je eens wat vertellen? Vergeet je vader. Ik wil niet alleen de hoofdrol, ik wil die film voor je producéren.'

'Jij? Maar jij hebt toch helemaal geen geld?'

Bud klopte op de plastic tas. 'Een pornofilm hoeft niet duur te zijn. Als we het slim aanpakken, is dit meer dan genoeg.'

'Tienduizend? Om met een hele ploeg naar Congo te gaan?'

Bud schudde zijn hoofd. 'De setting zullen we moeten veranderen. Maar New Orleans is ook niet verkeerd, toch?'

Larry trok een moeilijk gezicht – een beetje zoals de honkballer in de serie – en treuzelde zo lang dat Bud dacht: shit, hij zal toch wel begrijpen dat het al die regenjassen geen reet uitmaakt of zijn personages elkaar in New Orleans of in Congo neuken?

Uiteindelijk zei Larry: 'Ik vind het moeilijk de originele setting los te laten, maar je hebt gelijk: New Orleans zou ook kunnen, eventueel...'

Bud had voor de vorm naar details van zijn verhaal gevraagd, maar al snel was Larry zenuwachtig gaan doen. Hij had gezegd dat

Werner zich waarschijnlijk afvroeg waar hij bleef en Bud zei: 'Weet je wat? Laten we morgenavond ergens in de stad afspreken. Dan kunnen we het er uitgebreid over hebben.'

'Morgenavond? Dan al?'

'Waarom zouden we langer wachten? Ken je de Tribeca Grill in Greenwich Street?'

'De Tribeca Grill? Dat is niet goedkoop, Bud.'

Bud wees naar de plastic tas. 'Het ziet ernaar uit dat ik het me kan veroorloven.'

Vervolgens drukte hij Larry op het hart niets tegen zijn vader te zeggen over de plannen. 'Je vader zal me waarschijnlijk willen dwarsbomen vanwege wat er in het verleden is gebeurd. Praat er dus met niemand over. Oké?'

'Ik zeg niets,' zei Larry. En, plotseling vol bravoure: 'Hij komt er vanzelf wel achter, over een maandje of acht, als wij in alle bladen staan en aan het cashen zijn, hè Bud?'

Dat was een uur geleden.

Bud hoorde het geluid van een auto.

Dat moesten Nora en Ruby-Beth zijn. Hij zette de tv uit, stond op en schrok toen hij zag dat er een spoor van grind te zien was, dat begon op de plek waar Larry had gestaan en verdween in de richting van de voordeur. Doordat de zon erop scheen, was het extra duidelijk te zien. Hij pakte een stoffer en blik, veegde het grind op en gooide het in de vuilnisbak in de keuken. Vervolgens ging hij weer op de bank zitten en wachtte op het geluid van de voordeur.

Bud moest een glimlach onderdrukken toen Nora en Ruby-Beth enkele seconden later op identieke leren sandalen de woonkamer binnenkwamen. Nora had een voordeelpak schuursponsjes onder haar arm. Ruby-Beth zweette onder haar oksels en loodste een splinternieuwe rode stofzuiger van het merk Dirt Devil met zich mee.

Nora zei: 'Hallo, schat. Alles goed?' Ze maakte een merkwaardig gebaar met haar hoofd, alsof ze hem ergens op attent wilde maken.

'Uitstekend,' zei Bud, die geen idee had wat ze hem probeerde te zeggen.

Ruby-Beth zette de doos op de grond en zei: 'Bud? Zou je me misschien willen vertellen wat hier aan de hand is?'

'Wat bedoelt u?' zei Bud, terwijl hij een vluchtige blik op de vloer wierp om te zien of hij misschien een spatje grind over het hoofd had gezien.

'Ik denk dat je heel goed weet wat ik bedoel. We hebben het erover gehad toen je hier introk. Ik heb je uitgelegd dat we hier bepaalde regels hebben. Regels met betrekking tot het huis.'

'Ja,' zei Bud. 'Dat weet ik nog. Maar –'

'Kun je me dan misschien vertellen waarom toen Nora en ik weggingen de gordijnen dicht waren, zoals het hoort, en nu niet meer?'

Shit. En hij had zich nog wel voorgenomen ervoor te zorgen dat alles er precies hetzelfde uitzag. De tienduizend dollar lagen veilig verborgen in het sloop van zijn hoofdkussen. De Beretta lag weer keurig op zijn plek in het nachtkastje. Net op tijd had hij het grindspoor verwijderd...

Maar de gordijnen was hij vergeten.

'Nora,' zei Ruby-Beth met een uitdrukkingsloos gezicht. 'Zou je Bud en mij even alleen willen laten?'

'Ja, moeder,' zei Nora. Ze keek hem aan, trok haar wenkbrauwen op alsof ze wilde zeggen: *je hebt het aan jezelf te danken*, en liep de kamer uit.

Later, toen hij zijn preek had gehad en Ruby-Beth naar bed was, vroeg Nora hem hoe het die middag was gegaan. Bud vertelde haar dat alles in kannen en kruiken was, maar dat hij de komende dagen waarschijnlijk een paar keer de deur uit zou moeten voor zaken.

Nora drukte een vinger tegen haar onderlip. 'Zaken?'

'Ja, meis,' zei Bud. 'Zaken.' Toen hij zag dat Nora hem zo mogelijk nog bezorgder aankeek, kreeg hij medelijden en besloot hij dat een leugentje om bestwil geen kwaad kon. 'Ik ga misschien weer een film maken.'

De bezorgdheid op haar gezicht was in één klap verdwenen. 'Echt waar? O, lieverd, waarom zei je dat dan niet meteen? Dat moeten we vieren.'

Ze nam hem mee naar de slaapkamer, stak een paar kaarsen aan en trok haar kleren uit. Bud liet haar begaan en keek dromerig toe terwijl haar roomwitte borsten op en neer deinden in het kaarslicht, net zo lang tot zijn gedachten afdwaalden naar Larry Venice en hij ineens weer moest denken aan die film van vanochtend, over die kerel die nog maagd was, en al dat gelul over zaadjes die planten werden. Wat had die knaap ook alweer beweerd? O ja, dat je eerst een zaadje in de grond moest stoppen en dan geduld moest hebben, totdat het zaadje een plant was geworden, om vervolgens – *boem* – de plant te neuken. Tja, dacht Bud, vlak voordat hij plichtmatig klaarkwam: misschien was het toch niet zo'n gekke theorie.

13

Jack Farrell hield van de manier waarop de wereld er 's ochtends vroeg uitzag. Als de zon net op was en het blauw van het water en het groen van de bomen bedekt waren met een zilverkleurig waas, als in een droom. Het was prettig om het gefluit van vogels te horen, in plaats van jankende motoren van auto's en stemmen van mensen die te hard in hun mobiele telefoon praatten.

Om die reden stond hij iedere morgen om zes uur op. Hij jogde een uurtje langs de Hudson, douchte lang en ging dan naar Bubby's voor een kop koffie en de ochtendkrant. Normaal gesproken ging hij vervolgens terug naar huis om op televisie naar het nieuws te kijken, maar dat deel van zijn ochtendritueel zou de komende drie weken komen te vervallen. Archie Venice had hem verzekerd dat zijn zoon sinds zijn middelbare schoolperiode nooit meer voor achten zijn bed was uitgekomen, maar Farrell wilde geen risico nemen en had daarom zijn auto die ochtend om halfacht schuin tegenover het kantoor van Venice Pictures geparkeerd. Op de passagiersstoel lag een foto van Larry en een van zijn ex-vriendin, Amanda James. Volgens Archie was de kans klein dat Larry die ochtend al voor problemen zou zorgen, omdat er een opdracht voor hem lag om een buitenlocatie te regelen voor een film die *Bottom Watchers* heette. Om twaalf uur zou hij de aan het project verbonden regisseur iets moeten laten zien, wat weinig tijd overliet om Amanda lastig te vallen.

Terwijl hij wachtte, tuurde Farrell naar de overkant van de straat, naar het dubbele herenhuis van rode baksteen waarin de studio's, kantoren en privéappartementen van zijn opdrachtgever waren gevestigd. De twee huizen, samengevoegd tot een reusachtig pand, zagen er niet anders uit dan de andere huizen in de straat. Iemand die van niets wist, zou nooit kunnen bevroeden wat zich achter de façade van neutraal ogende eenvoud afspeelde.

Om vijf over halftien gingen de gordijnen in Larry's appartement op de derde verdieping open. Drie kwartier later kwam hij gekleed in een blauw trainingsgpak van Sean John en witte Nike-gympen naar buiten. Hij stapte in een wit bestelbusje, ontbeet twee straten verder bij een Dunkin' Donuts en reed vervolgens naar het noorden. Om tien over elf parkeerde hij de bestelbus voor een leegstaande garage, een gebouwtje van zo'n drie meter hoog dat er tussen de omringende appartementencomplexen nogal verloren uitzag. Het deed Farrell denken aan een kinderboek dat hij vroeger had gehad, over een huisje op Manhattan dat steeds meer werd ingesloten tussen wolkenkrabbers, totdat iemand het optilde en ergens anders neerzette, op een rustige plek met uitzicht.

Larry haalde de ladder uit de bestelbus en zette het ding tegen de garagemuur. Vervolgens kwam hij op de proppen met iets wat eruitzag als een ingeklapt gordijn op wieltjes. Farrell – die op veilige afstand vanuit zijn auto toekeek – zag Larry met het gordijn onder zijn arm de ladder op klimmen.

Soms, als hij in een *flow* zat, kreeg Larry Venice zoveel inspiratie dat hij zich net een magneet voelde. Geen gewone magneet, maar een heel speciale; eentje die exclusief en vrijwel onafgebroken de meest geniale ideeën aantrok. Hoewel het prettig was, al dat moois, bezorgden de ideeën Larry ook weleens hoofdpijn. Vooral wanneer ze in groten getale tegelijk kwamen: dan was het net alsof hij op een feestje was waar iedereen heel hard door elkaar heen praatte en hij steeds de draad van het gesprek kwijtraakte; af en toe drong er wel iets door, maar het waren niet meer dan flarden, losse frasen waar hij niets mee kon. Als de hoofdpijn hem te veel werd, was er maar één oplossing: naar bed gaan en zo snel mogelijk in slaap vallen, zodat de ideeën hem niet meer konden bereiken en ze langzaam wegdreven, op zoek naar een ander slachtoffer.

Zo was het ook gegaan met het idee voor *The Cock Robbers.*

Larry had het idee voor zijn film gekregen via een artikel in de *New York Post.* Het artikel had als kop PENISDIEVEN SLAAN SLAG IN CONGO en verhaalde van een groep van dertien mannen, die door de Congolese politie werd vastgehouden op verdenking van penisdiefstal. De problemen waren begonnen in Kinshasa, waar een aantal slachtoffers aangifte had gedaan. Ze beweerden dat de dieven hen aanraakten, waarna hun penis verschrompelde of zelfs helemaal verdween. In de meeste gevallen maakten de daders zich direct na de diefstal uit de voeten, in een enkel geval vroegen ze hun verbouwereerde slachtoffers geld voor genezing. Omdat in Ghana eerder dat jaar twaalf penisdieven door hun furieuze slachtoffers waren gelyncht, hadden de Congolese autoriteiten besloten niet alleen de daders, maar ook de slachtoffers in hechtenis te nemen. 'Als je ze vertelt dat ze hun penis nog hebben, geloven ze je niet,' aldus een woordvoerder van de politie, die niet wilde reageren op het vermoeden dat er zwarte magie in het spel was.

De eerste keer dat Larry het artikel las, een halfjaar geleden nu, had hij direct geweten dat dit het idee was waar hij zijn hele leven op had gewacht. Hij pakte pen en papier en begon driftig aantekeningen te maken, maar na een halfuur kon de balpen in zijn hand de ideeënstroom in zijn hoofd niet meer volgen en kon hij niets anders doen dan een time-out nemen en accepteren dat daarmee een deel van zijn ingevingen verloren zou gaan voor het nageslacht. Die wetenschap bezorgde hem vreselijke hoofdpijn, mede omdat de nieuwe ideeën zich – ondanks zijn beslissing een pauze in te lassen – in een genadeloos hoog tempo bleven aandienen. Kreunend van frustratie besefte Larry dat er maar één manier was om een eind te maken aan de wanorde in zijn hoofd: de noodrem. Hij haastte zich naar het medicijnkastje, nam een handvol Advils en slikte de pillen weg met een halve liter V8-tomatensap. Vervolgens kroop hij met een warme kruik en zijn ogen stijf dicht onder de wol.

Toen hij zes uur later wakker werd, was het – op een zachte, zeebriesachtige ruis na – stil in zijn hoofd en kon hij weer aan de slag.

Algauw zag hij in dat hij weinig aan het oorspronkelijke verhaal zou hoeven veranderen. Natuurlijk, het aantal slachtoffers moest worden gehalveerd en er moest een x-aantal vrouwen worden toegevoegd, maar verder stond het als een huis. Met dit onderwerp kon hij de diepte in, hij zou iets neerzetten dat al die drie tot vier pagina's tellende scripts van zijn vader deed verbleken. Hij zou er een film met drie akten van maken, zoals ze in Hollywood deden, iets met een begin, een midden en een eind. Op het affiche zou hij met grote letters 'gebaseerd op een waargebeurd verhaal' laten zetten. De pers zou ervan smullen.

Vanavond – over precies negen uur – had hij zijn eerste officiële bespreking met Bud. Natuurlijk, hij had wel vaker deelgenomen aan een bespreking, maar dat was altijd in zijn functie als locatieregelaar, en dan had hij nooit een eigen inbreng. Een regisseur zei: 'Larry, ik heb een douche nodig,' of: 'Zoek een groene bank van minstens drieënhalve meter lang,' en dat was dat.

Met Bud zou het heel anders zijn. Bud was enthousiast over zijn idee en was geïnteresseerd in zijn mening, wat betekende dat ze op basis van gelijkheid zouden praten, met wederzijds respect voor elkaar.

Ja, het vooruitzicht van de bespreking maakte dat Larry zich vandaag uitstekend voelde, en zijn goede gevoel was het afgelopen uur alleen maar versterkt terwijl hij werkte aan de locatie voor de scène van Wilton Kane en Sonya Samson in *Bottom Watchers.* Naast de schoorsteen op het dak van de garage had hij een gordijn opgesteld, zo'n rijdend ding op wieltjes dat ze in ziekenhuizen gebruikten wanneer er meerdere patiënten op een zaal lagen en er eentje naar het toilet moest. De scène zou beginnen vanachter het gordijn, zodat de kijker Wilton en Sonya in eerste instantie alleen in silhouet zag. Vervolgens zou de camera achter de schoorsteen en het gordijn langsrijden, net zo lang tot de *real deal* in beeld kwam. Het was zó sexy dat Larry er achteraf blij om was dat Stanley zijn locatie op de zolder vorige week had afgekeurd.

In afwachting van het moment dat Stanley zou komen opdagen om de locatie te keuren, bereidde Larry zich alvast een beetje voor op zijn afspraak met Bud, door wat aantekeningen te maken in het notitieboekje dat hij altijd bij zich had voor als hij onverwacht geniale invallen kreeg. Hij schreef:

Titel: 'The Cock Robbers' (werktitel! – kan nog veranderen)
Locatie: New Orleans (WANT CONGO TE DUUR! – jammer, maar is niet anders, proberen niet meer aan te denken. Richten op wat wél kan)
Hoofdrol: Bud
Vrouwelijke hoofdrol: ??? – zelf over nadenken en bespreken met Bud

Om kwart over twaalf – een kwartier te laat; Larry was inmiddels druk bezig Amerikaanse namen te verzinnen om de Afrikaanse in zijn script te vervangen – kwam Stanley aankakken, zijn haar zoals altijd zorgvuldig in de war om hip en trendy over te komen. Achteloos liet Larry het notitieboekje in zijn achterzak verdwijnen, groette de regisseur en liet hem de locatie zien.

Terwijl hij vertelde hoe hij de scène in zijn hoofd had, zag hij Stanley peinzend knikken, maar in plaats van naar de schoorsteen en het gordijn te kijken, tuurde de arrogante regisseur met samengeknepen oogleden naar boven, naar de plek waar de zon zo-even was verdwenen, achter een van de appartementencomplexen naast de garage.

Larry zuchtte. Hij probeerde zich niet te ergeren aan het feit dat Stanley blijkbaar meer geïnteresseerd was in het weer dan in de locatie.

Stanley bleef naar het appartementencomplex turen. Net toen Larry wilde vragen wat er zo interessant was aan het gebouw, keek Stanley hem aan. 'Larry, hoeveel mensen denk je dat daar wonen?'

Voor het eerst die dag tuurde Larry naar boven. Hij zag kleine vierkante ramen met gordijnen en planten erachter.

Stanley zei: 'Nou?'

'Geen idee,' zei Larry. 'Maar wat doet het ertoe? We zitten toch niet in de onroerendgoedbranche?'

'Nee, Larry, we zitten niet in de onroerendgoedbranche. We maken pornofilms. Wat denk je dat de mensen die daar wonen zullen doen als ze op een dag naar beneden kijken en een spiernaakte vrouw over die schoorsteen gebukt zien staan met achter haar een vent met een jagerspet en een apparaat van tweeëntwintig centimeter?'

Larry dacht daar even over na en zei toen dat hij het niet wist. Hij was locatieregelaar, geen helderziende.

Stanley zei: 'Je hoeft niet over paranormale gaven te beschikken om te kunnen voorspellen wat ze zullen doen, Larry.'

'Oké...' zei Larry. 'Eens even kijken... misschien worden ze er wel opgewonden van, en halen ze hun eigen –'

'Larry? Ze zullen er niet opgewonden van worden. Ze zullen de telefoon pakken en de politie bellen.'

'O ja?' zei Larry. 'Als ik daarboven woonde en onverwacht een gratis voorstelling kreeg, zou ik het wel weten.'

'Ja, jij wel. Maar jij woont daar niet. Jij woont bij je pappie. Misschien woont daarboven wel een meisje van vijf jaar dat iedere dag in haar kamertje met haar Barbies speelt. Hoe denk je dat haar vader zal reageren als hij binnenkomt om zijn dochter een glaasje priklimonade te brengen en ziet dat zijn kleine meid met een glazige blik uit het raam staart terwijl ze Barbie en Ken dingen laat doen die ze hen nog nooit heeft laten doen?'

Larry merkte dat hij boos begon te worden. Het was ook nooit goed. Hij probeerde uit alle macht kalm te blijven en te denken aan de toekomst. Aan de film die hij zou gaan maken met Bud. Hij zei: 'Misschien moeten we meer gordijnen gebruiken. En we zouden een laken kunnen spannen boven de plek waar we gaan filmen, zodat we niet bang hoeven zijn dat er kleine meisjes in de war raken.'

Stanley zei: 'Heb je al nagedacht over hoe je aan de kijker gaat uitleggen wat zo'n ziekenhuisgordijn überhaupt op het dak van een garage doet?'

Dat was nog zo'n irritante gewoonte van Stanley: van onderwerp veranderen als je het even niet meer wist.

Larry vroeg Stanley waarin hij dacht dat de kijker het meest geïnteresseerd zou zijn: de roze tepels van Sonya Samson of de ziekenhuisgordijnen? Dacht Stanley werkelijk dat al die stumpers thuis op de bank aandacht zouden hebben voor een gordíjn? Oké, misschien zou iemand met een gordijnfetisj zich afvragen wat de ziekenhuisgordijnen op het dak deden, maar de kans dat zo iemand *Bottom Watchers* zou gaan zien was zo goed als te verwaarlozen. De persoon in kwestie zou zich naar alle waarschijnlijkheid liever afrukken bij een serie als *ER*, waarin het wemelde van de ziekenhuisgordijnen. En zelfs als er per ongeluk toch iemand een probleem had met de gordijnen, wat dan nog? Het was een utopie om te denken dat je een film kon maken waar iederéén gelukkig van werd.

Stanley was onvermurwbaar. 'Luister, Larry,' zei hij. 'Het is een groot misverstand te denken dat onze kijker vergelijkbaar is met een klein kind dat klakkeloos alles accepteert wat je hem voorschotelt en alleen maar kwijlend op een portie harde actie zit te wachten. Onze kijker is niet dom. Als hij een gordijn op een dak ziet, zal hij willen weten wat dat gordijn daar doet. Zo simpel is het. Ons publiek wil serieus genomen worden, net zoals jij en ik. Hoe dan ook: het wordt nu allemaal erg kort dag qua productietijd. Gebruik de rest van de dag maar om een geschikte badkamer te zoeken. Dan kunnen we een douchegordijn en kunstlicht gebruiken en zijn we niet afhankelijk van het weer.'

Larry kon zich niet langer beheersen. 'Een geschikte badkamer? Wacht even. Vorige week heb ik me urenlang uit de naad staan werken op een zolder en kreeg ik te horen dat het niet goed was omdat je een buitenlocatie wilde. Nu regel ik een buitenlocatie en kom je me vertellen dat je liever een badkamer hebt omdat je *niet afhankelijk wilt zijn van het weer*? Zal ik je eens wat vertellen, Stanley? Krijg maar lekker de tyfus. Ik ga dit tegen mijn vader zeggen. Ik weiger me nog langer door klootzakken als jij de les te laten lezen. Ga zelf maar een badkamer zoeken voor die kutfilm van je.'

14

Ondanks al zijn successen was Archie Venice zich maar al te goed bewust van de betrekkelijkheid van media-aandacht, prijzen en het leven zelf. De laatste tijd leek zo'n beetje alles tegen te zitten, en blijkbaar was het nog niet gedaan met de tegenslag, want nog geen vierentwintig uur nadat hij ervoor had gezorgd dat Larry de komende drie weken nauwlettend in de gaten zou worden gehouden, dienden de volgende moeilijkheden zich alweer aan.

Archie bevond zich in zijn privéstudio op de tweede verdieping, die tijdelijk was omgebouwd tot set van de film *Space Hookers Undercover.* In de studio heerste grote commotie, omdat een van de mannelijke acteurs, Sterling More, was vergeten de uitslag van zijn maandelijkse hiv-test af te halen. Zijn tegenspeelster, Trinity Peach, weigerde daarom aan de geplande scène te beginnen.

Archie baalde.

Door al dat gedoe met Larry was hij helemaal vergeten aan Werner te vragen hoe zijn bezoek aan Bud Raven gisteren was verlopen. Hij had gedacht Werner – die de regie van *Space Hookers* voor zijn rekening nam – er snel even over te kunnen aanschieten, maar waar hij had verwacht binnen te lopen tijdens een gladjes verlopende seksscène, belandde hij midden in een heus arbeidsconflict. Overal liepen luid of binnensmonds vloekende licht-, geluids- en cameramensen, en zelfs de doorgaans gretig ogende freelancers leken het wel zo'n beetje gehad te hebben.

Trinity Peach, slechts gekleed in een roze ochtendjas, zat mokkend op een bank in de hoek van het vertrek. Ze zoog op het medaillon van haar zilveren halsketting en wierp om de haverklap een vernietigende blik op Sterling, die met een halve stijve op het waterbed in het midden van de studio lag en uitstraalde dat ze wat hem betreft ieder moment konden beginnen.

Omdat Werner nergens te bekennen was, liep Archie naar Trinity toe. Hij ging naast haar op de bank zitten, legde vaderlijk een arm om haar schouder en zei: 'Wat is het probleem, schoonheid?'

Trinity schudde mismoedig haar hoofd. Vervolgens wees ze naar Sterling. 'Hij is het probleem. Heb je het niet gehoord?'

'Je bedoelt van zijn test?'

'Die sufferd is hem vergeten. Nou, dan houdt het voor mij gewoon op.'

'Is Greg er?'

'Ja,' zei Trinity. 'Hij geeft me groot gelijk.'

Greg Mills was Trinity's echtgenoot en grootste fan. Archie vond het een aardige kerel, maar vroeg zich regelmatig af waarom hij het deed: toekijken terwijl zijn vrouw met een ander neukte. Greg had hem ooit gezegd dat hij ertegen kon omdat het 'niets anders was dan werk' en er 'voor Trinity geen emotie bij kwam kijken'.

Geen emotie. Wie dacht de man voor de gek te houden?

Trinity zei: 'Kom op, Archie. We hebben het afgelopen halfjaar wéér twee positieve tests gehad. Ik weet wat mijn rechten zijn...'

'Is het een optie om het voor deze ene keer met condoom te doen? Dan verzinnen we voor de popshot wel iets creatiefs...'

'Mét?' Ze schudde haar hoofd. 'Je weet dat ik dat niks vind, Arch. Die lulhannes moet gewoon naar huis gaan en de uitslag van zijn test overleggen. Dit is niet míjn schuld.'

'Waar is Werner?'

Ze snoof. 'Ja, dat is nog zoiets. Die loopt gewoon weg voor de problemen. Zei dat hij iets ging eten in de kantine en terug zou komen zodra we, in zijn woorden: "ons probleempje hadden opgelost en klaar waren om aan de slag te gaan". Lekkere regisseur.'

Archie gaf Trinity een bemoedigend kneepje in haar wang. Vervolgens stond hij op, liep naar het bed waar Sterling More een beetje met zijn pik lag te spelen en zei: 'Sterling, klopt het dat je de uitslag van je test niet bij je hebt?'

'Ja, Arch. Dat klopt. Maar ik heb hem wel – thuis – en ik heb al drie keer gezegd dat ik hem vanmiddag nog op kantoor kom laten zien, zodat mevrouw de superster daar' – hij wees op een provocerende manier naar Trinity – 'niet bang hoeft te zijn dat ze een of andere enge ziekte van me heeft gekregen. Moet je verdomme eens naar dit lichaam kijken: dit lichaam is nooit ziek. Weet je wat de ware reden is dat ze zo moeilijk doet? Ze heeft vorige week een scheurtje in haar rectum opgelopen en nu is ze gewoon bang dat het weer gebeurt.'

Werner Brünst keek naar het plastic bordje met eiersalade dat voor zijn neus stond en probeerde te beslissen of hij nog eens zou opscheppen of terug zou gaan naar de studio om erachter te komen of dat stelletje omhooggevallen vedetten eindelijk klaar was met ouwehoeren en ze aan de slag konden. Hij keek naar het eten en drinken dat was uitgestald op de lange tafel in de hoek van de kantine: kersentaart, bananen, appels, vruchtensappen, melk, koffie, thee, bagels, diverse kazen, vleeswaren, chocoladepasta, jam, muesli, cruesli... het leek verdomme wel een hotel. Maar werken? Ho maar. Nee, dat was vroeger in Oost-Duitsland wel even anders geweest. Daar kwam je ondervoed aan op de set, zonder eten of drinken, en kon je maar beter presteren, anders zwaaide er wat.

Maar goed, Archie had hem al vaak genoeg gezegd dat hij daar niet mee moest aankomen bij deze generatie acteurs. De meesten hadden geen flauw benul van dingen als geschiedenis en plichtsbesef en dus had hij daarnet geen belerende speech gehouden, maar had hij in plaats daarvan met een uitdrukkingsloos gezicht naar kleine Werner gewezen en gezegd: 'Jongens en meisjes: hier hangt-ie.'

Vervolgens was hij naar de kantine gegaan, waar hij net zo lang zou blijven totdat iemand hem kwam vertellen dat het gezeik voorbij was en er eindelijk een film kon worden gemaakt. Gebeurde dat niet? Ook goed. Vijf uur werd het toch wel.

Van schuldgevoel ten opzichte van Archie had Werner geen last. Hij had dit soort problemen voorspeld toen Archie was gezwicht voor de vele brieven en e-mails die wekelijks binnenkwamen, waarin kijkers zich beklaagden over het feit dat ze bij de penetratiescène overduidelijk het condoom zagen, terwijl bij het popshot ineens geen condoom meer te bekennen was: onder druk van de aanhoudende stroom klaagpost was Archie in 2006 – tegelijk met Vivid – afgestapt van zijn verplichte-condoombeleid. Hij had zijn acteurs laten weten dat ze vanaf dat moment onderling mochten bepalen of ze wel of geen bescherming wilden gebruiken, waarbij de niet-uitgesproken boodschap was: liever geen. Werner had gewaarschuwd voor problemen, maar Archie was eigenwijs en dit was het gevolg: een studio – voor de gelegenheid omgebouwd tot luxe hotelkamer – vibrerend van de stress en niemand die leek te weten hoe het verder moest.

Werner schudde zijn hoofd, tuurde naar de bak met eiersalade op de lange tafel en dacht: ach, waarom ook niet? Hij stond op en wandelde naar de tafel. Net toen hij zich afvroeg of hij misschien toch niet liever een klein puntje kersentaart zou proberen, kwam Archie binnen.

Zijn aanwezigheid verbaasde Werner. Het kwam niet vaak voor dat Archie zich op de set vertoonde. Meestal bleef hij achter zijn bureau op kantoor zitten en was hij de hele dag aan de telefoon. Omdat hij zijn mond vol had, stak Werner bij wijze van groet zijn plastic vorkje op.

Archie zei: 'Hoe is de eiersalade?'

'Gaat wel. Ik moet íéts doen om de tijd door te komen.'

Archie zuchtte. 'Ja, ja, ik weet het. Je had gelijk wat betreft dat condoombeleid. Maar wat moest ik anders? Ik kan ze moeilijk omwille van een realistische weergave van zaken dat ding laten ómhouden. Als ik zo'n kerel close-up laat klaarkomen in een condoom, worden we helemáál bedolven onder de boze brieven. Maar goed: ik heb Sterling naar huis gestuurd en hem gezegd dat hij, als hij niet binnen een halfuur terug is met de uitslag van die test, op zoek kan gaan naar ander werk.'

'Bedankt, Arch,' zei Werner. Hij sneed een stukje kersentaart af. 'Jij?'

Archie schudde zijn hoofd. 'Nee, ik heb al ontbeten. Ik kwam eigenlijk alleen maar even langs om te vragen hoe het gisteren is gegaan.'

'Je bedoelt met Larry?'
'Nee, met dat geld voor Bud.'
'O, dat,' zei Werner. Om de oude man niet te hoeven aankijken, tuurde hij naar zijn kersentaart. 'Dat liep gesmeerd.'
Archie keek hem verbaasd aan. 'Hij accepteerde het?'
'Ja, natuurlijk. Wat had je dan gedacht? Dat hij op het laatste moment zou zeggen: "Weet je wat, laat eigenlijk maar zitten die tien ruggen"?'
'Nee,' zei Archie. 'Maar door al die ellende met Larry en het zoeken van iemand om hem in de gaten te houden, was ik je helemaal vergeten te vertellen dat Bud om vijftigduizend dollar had gevraagd. Ik vond tienduizend wel genoeg en had je erop willen voorbereiden dat hij misschien ontevreden zou zijn en weer zou gaan klagen over zijn verminkte gezicht.' Archie schonk zichzelf een glas vruchtensap in. 'Maar dat was dus niet het geval?'
'Nee...'
'Mooi zo, dat is dan in ieder geval één probleem minder. Ik begon eerlijk gezegd een beetje bang te worden dat dit een slepende affaire zou gaan worden.' Archie nipte van zijn vruchtensap en speelde afwezig met de Snoopy-sleutelhanger aan zijn broekrits.
Net toen Werner besloot dat hij – voordat Archie er zelf achter kwam en boos op hem zou worden – misschien maar beter de waarheid kon vertellen over het feit dat niet hij, maar Larry het geld had afgegeven, kwamen er twee freelancers de kantine binnen; een negentienjarige brunette uit Hongarije en een wat oudere Texaanse met een zilveren neusringetje. De meisjes droegen geen schoenen en hadden allebei een geruite wollen deken om zich heen. De Hongaarse wees schichtig naar de lange tafel en zei: 'Eten?'
'Ga je gang,' zei Werner. 'Als je maar niet vergeet voordat je straks aan de beurt bent je tanden te poetsen.'
Het meisje keek hem niet-begrijpend aan.
Werner zei: 'Je hebt een pijpscène, toch?'
'Ze spreekt geen Engels,' zei Archie.
Werner bracht zijn vinger naar zijn mond, wreef ermee langs zijn tanden en zei: 'Eten? Oké. Maar daarna: poetsen.'
Het meisje knikte en zei iets onverstaanbaars in haar eigen taal.

Archie zei: 'Sorry voor de vertraging, dames. Dit is zwaar klote.'

De Texaanse grijnsde. 'Het hele leven is klote. Dus wat maakt het uit?'

In eerste instantie was Farrell een beetje verbaasd geweest. Op basis van wat Archie Venice hem had verteld, had hij zich Larry Venice voorgesteld als een tamelijk gefrustreerd en licht ontvlambaar type. Maar de man die hij op het dak bezig zag met het gordijn, leek allesbehalve gefrustreerd. Hij had een uur lang uiterst kalm met het gordijn geschoven en was vervolgens met zijn rug tegen de schoorsteen gaan zitten om een aantal dingen op te schrijven.

Maar toen was er een andere man komen opdagen, waarschijnlijk de regisseur die de locatie kwam keuren, en was Larry's houding veranderd. Hoewel Farrell vanuit zijn auto niet kon verstaan wat ze tegen elkaar zeiden, werd al snel duidelijk dat Larry in de verdediging was. Aan de manier waarop zijn gesprekspartner – een gladde figuur met piekerig haar en een poloshirt van Lacoste – almaar zijn hoofd bleef schudden, leidde Farrell af dat hij niet tevreden was over de locatie. Halverwege het gesprek had Larry zijn armen over elkaar geslagen en had hij nauwelijks meer bewogen. Farrell had het gevoel dat hij op het punt stond de Larry Venice te zien over wie zijn vader het had gehad. *Je ziet aan zijn gezicht dat hij vanbinnen kookt, maar hij slikt zijn woede in of loopt demonstratief de kamer uit. Waar het op neerkomt, is dat hij niet goed kan omgaan met afwijzing.*

En inderdaad: op een bepaald moment in het gesprek liet Larry alle zelfbeheersing varen. Farrell zag hem wild met zijn hoofd schudden, terwijl hij met opgeheven vinger tegen de man in het poloshirt praatte, waarna hij zich met een ruk omdraaide en naar de ladder liep. In zijn haast om beneden te komen, gleed zijn linkervoet halverwege van een van de sporten, zodat hij met een smak beneden op de stoep terechtkwam.

Tierend van woede was hij naar het bestelbusje gelopen en Farrell dacht: laten we hopen dat hij niet uitgerekend nú naar zijn vriendin gaat...

Daar leek het niet op. Archie had hem verteld dat Amanda James woonde en werkte in *midtown* Manhattan, en Larry reed precies de andere kant op, in de richting waarvandaan hij vanochtend was gekomen. Hij maakte een korte stop bij een Burger King en Farrell zag hem naar buiten komen met een Whopper en een handvol servetjes, die hij in de zak van zijn blauwe trainingsjack propte. Aan de opgefokte manier waarop hij vervolgens terug naar het busje beende, leidde Farrell af dat het gesprek met de man op het garagedak hem nog altijd meer dan dwarszat.

15

Deze keer had hij die arrogante klootzak te pakken.

Ontslaan zou zijn vader hem niet, dacht Larry, maar het kon niet anders of Stanley zou op z'n minst op het matje worden geroepen. Archie wist dat Larry opdracht had een buitenlocatie te regelen. Door nu plotseling te switchen naar een binnenlocatie (terwijl hij vorige week de locatie op de zolder had afgekeurd!) had Stanley bewezen dat niet Larry Venice degene was die zijn werk niet goed deed, maar dat de regisseur er zelf een zootje van maakte.

Larry stelde zich Stanleys beteuterde gezicht voor op het moment dat zijn vader hem de les zou lezen en vroeg zich af wat zijn kwelgeest zou zeggen. Waarschijnlijk iets in de trant van: 'Het spijt me, Arch. Larry had gelijk.' Of: 'Het zal nooit meer gebeuren. Ik beloof het.' Stanley zou flink door het stof moeten en dat betekende gerechtigheid – eindelijk – voor alle keren dat de regisseur om volstrekt onzinnige redenen zijn locaties had afgekeurd.

Het enige waar Larry voor moest zorgen wanneer hij zich zo dadelijk bij zijn vader beklaagde, was dat hij niet zou laten merken dat Stanleys blunder hem een intens goed gevoel bezorgde. Dat soort dingen zag Archie altijd meteen, en dan zou hij ongetwijfeld weer zo'n verhaal ophangen over hoe hij moest proberen de dingen niet altijd zo persoonlijk op te vatten.

Nee, hij zou zijn verhaal rustig en op zakelijke toon doen. Later, wanneer hij de deur van zijn vaders kantoor eenmaal achter zich had dichtgedaan, was er tijd genoeg om te genieten van zijn overwinning.

Larry grijnsde, pulkte al rijdend met zijn tanden het papiertje van zijn Whopper en trapte het gaspedaal nog wat dieper in.

Bud begon zich af te vragen of het telefoonnummer dat Larry Venice hem had gegeven wel klopte. Hij had hem nu al drie keer gebeld, maar het kereltje nam niet op. Had de mafkees hem in de maling genomen met dat geschifte filmidee en hem een vals nummer gegeven, alleen maar om heelhuids weg te kunnen komen? Bud vloekte (wat kon, omdat Nora en Ruby-Beth de kelder aan het schoonmaken waren), en stond op het punt de verbinding te verbreken, toen Larry opnam.

'Bwud? Bwen jijat?'

Bud hield de telefoon een eindje bij zijn oor vandaan. Op de achtergrond hoorde hij het geluid van een automotor.

'Ja, Larry. Ik heb je de hele ochtend gebeld. Was je soms je telefoon kwijt?'

'Nwee. Ik mwas een blocatie aan het... enm in het bwusje laten liggen.'

'Ik versta je nauwelijks, Larry. Zit je te eten?'

'Wjah,' zei Larry. 'Een Whopper.' Het bleef even stil, op het geluid van de motor na. Toen zei het kereltje: 'Ik heb nu mijn mond leeg. Waarom belde je, Bud?'

'Ik bel omdat ik wilde weten of je onze afspraak niet bent vergeten.'

'Vergéten? Meen je dat nou serieus? Man, ik denk aan niets anders: de Tribeca Grill, vanavond, negen uur. Maak je geen zorgen. Ik ben er. Ik heb intussen al heel wat tijd gehad om na te denken en dat heeft best veel opgeleverd, al zeg ik het zelf. Maar dat vertel ik je straks allemaal wel.'

'En je hebt niets tegen je vader gezegd?'

'Over onze afspraak, bedoel je? Nee, natuurlijk niet. Dat had ik toch beloofd?' Het bleef even stil. 'Wacht even, Bud. Heel even wachten... o, shit...'

'Wat is er, Larry?'

'Niets... die klotesaus... O, jee, néé... gatverdámme... Bud? Is het goed als ik je zo terugbel? Ik zit helemaal onder.'

'Laat maar, Larry. We zien elkaar vanavond wel.'
'Wat? Nééééé. Shit. O, vanavond. Ja, goed. Tot dan...'

Na zijn tussenstop bij Burger King reed Larry Venice rechtstreeks terug naar Venice Pictures. Hij reed het busje de parkeergarage onder het gebouw in, kwam even later te voet weer naar buiten en ging het kantoor binnen. Zijn tred was iets rustiger en meer zelfverzekerd dan een paar minuten geleden.

Farrell parkeerde de Cadillac schuin tegenover de ingang, trok een blikje Liptonice open en liet zich onderuitzakken in zijn stoel.

Ondanks het vroege tijdstip werd het al behoorlijk warm. Zijn overhemd plakte tegen zijn rug en hij was blij dat hij een parkeerplaats in de schaduw van een grote boom had gevonden. De zon zou er nog wel even over doen voordat hij de motorkap van de Cadillac bereikte.

Vlak nadat Larry naar binnen was verdwenen, gingen de glazen deuren van het productiebedrijf opnieuw open en kwamen er twee schaars geklede dames naar buiten. Actrices, gokte Farrell. Maar toen keek hij wat beter en dacht: nee, dit waren de meiden op de foto's in Archies kantoor, Rhonda en Leslie. De verpleegster en de vriendin van de familie. Beide vrouwen droegen hakken van minstens tien centimeter, een kort rokje en nietsverhullende mouwloze T-shirts. Farrell keek hen na terwijl ze hand in hand wegwandelden over het zonovergoten trottoir. Vervolgens richtte hij zich weer op de ingang. Hij probeerde te ontdekken of Dana Evans achter de receptiebalie zat, maar zag haar nergens.

'Hé, pap, luister je wel?' zei Larry. 'Je hoeft hem echt niet meteen te ontslaan of zo, maar misschien moet je hem, nou ja, weet ik veel, een soort van reprimande geven. Terwijl ik erbij ben en zijn gezicht kan zien. Dan weet ik meteen zeker dat hij me nooit meer zo zal behandelen als vandaag.'

Ze zaten in zijn vaders kantoor. Archie achter zijn bureau, met voor zijn neus een of andere zompig ogende salade, Larry tegenover hem in de zwartlederen fauteuil voor bezoekers. Larry had zojuist zijn verhaal gedaan over wat hem die ochtend was overkomen. Hij had verwacht dat zijn vader onmiddellijk de telefoon zou pakken om Stanley ter verantwoording te roepen, maar dat was – voorlopig, althans – niet gebeurd, want Archie had het te druk met zijn salade. Met duim en wijsvinger viste hij allerlei vreemde korreltjes tussen het groen vandaan, die hij in een kringetje op het katoenen servet naast zijn bord legde. Kennelijk vond hij zijn middageten belangrijker dan het feit dat zijn zoon zojuist tot op het bot was vernederd door een van zijn regisseurs.

'Pap?' zei Larry. 'Je zult hier echt iets aan moeten doen. Er zijn vandaag grenzen overschreden.'

Archie zei: 'Ik zweer het. Als die Pakistaan bij Fresh & Green het nog één keer presteert om te veel pijnboompitten in mijn salade te doen, zijn ze me daar voorgoed kwijt als klant. Dan geef ik Dana opdracht mijn lunch voortaan bij Bimmy's te bestellen.' Hij schoof het servet een stukje in Larry's richting, keek hem voor het eerst langer dan een seconde aan en zei: 'Het is vervelend dat het zo is gelopen, Larry, maar ik begrijp Stanleys beslissing. We zitten nogal krap met het productieschema.'

'O,' zei Larry. 'Dus je bent het met hem eens en vindt dat ik er weer eens een zootje van heb gemaakt.'

'Ik zei dat ik zijn beslissing begrijp. Niet dat jij er een zootje van hebt gemaakt.'

Larry beet op zijn tong. Wanneer zijn vader deze toon tegen hem aansloeg, kreeg hij altijd spontaan zin om iets kapot te maken. 'Je begrijpt zijn beslissing? Oké. En kun je me ook vertellen waarom je het – zoals altijd – met hem eens bent, en niet met mij?'

'Ja, Larry. Dat kan ik. Maar nu je hier toch bent, zou ik het liever eerst even met je over iets anders willen hebben.'

Misschien moest hij het maar eens doen. Iets kapotmaken. Gewoon om te zien hoe zijn vader zou reageren. Zijn ogen begonnen het vertrek af te zoeken naar een geschikt voorwerp om mee te gooien.

Archie zei: 'Ik heb besloten dat je binnenkort voor een tijdje naar je moeder gaat.'

'Wát?' Hij moest het verkeerd hebben verstaan. 'Naar Hawaï?'

Zijn vader knikte.

'Je stuurt me wég?'

'Zo moet je het niet zien. Je moeder was ook sceptisch toen ik er jaren geleden een huis voor haar kocht, maar inmiddels heeft ze er helemaal haar draai gevonden. Ze is er gelukkig en daar ben ik oprecht blij om. Wist je dat er op Hawaï schitterende vulkanen zijn?'

'Je hebt mama niet naar Hawaï gestuurd om haar gelukkig te maken. Je hebt dat huis voor haar gekocht om van haar af te zijn. Dat heeft ze me zelf verteld.'

Archie zuchtte. 'Je moeder heeft haar eigen kijk op de waarheid. Hoe dan ook, soms vraag ik me gewoon af of jij in deze stad wel op je plek bent. Dan zeg ik tegen mezelf: mijn zoon hoort hier helemaal niet, hij is een natuurmens die ruimte nodig heeft. Frisse lucht...'

Ruimte? Frisse lucht? Waar hád die ouwe het over? Hij was hier gekomen om Stanley op zijn nummer te zetten. Niet om te worden verbannen naar een *eiland*...

De wending die dit gesprek nam beviel Larry helemaal niet, en ineens had hij heel veel zin zijn vader te vertellen over zijn ontmoeting met Bud, iemand die wel naar hem luisterde en wel in zijn ideeën geloofde. Hij wilde zeggen: 'Sorry, pap, maar ik kan nog even nergens naartoe, want ik ga een film maken,' en dan de uitdrukking op het gezicht van zijn vader zien veranderen. Die alwetende glimlach zien verdwijnen om plaats te maken voor een blik vol onzekerheid en twijfel. Larry vroeg zich af hoe zijn vader zou reageren als hij het zou doen. Zou hij smeken of hij het idee eerst mocht horen, zodat hij de film eventueel zelf zou kunnen maken? Zou hij hem geld bieden om niet met Bud in zee te gaan?

Larry wilde niets liever dan de proef op de som nemen, al was het maar omdat hij dan eindelijk zelf eens degene zou zijn die praatte vanuit een machtspositie. Maar toen herinnerde hij zich wat Bud had gezegd. *Je vader zal me waarschijnlijk willen dwarsbomen vanwege wat er in het verleden is gebeurd. Praat er dus met niemand over.* En daarnet aan de telefoon: *Je hebt niets tegen je vader gezegd?*

Nee, het was in dit stadium beter om niet te proberen zijn gelijk te halen. Dat kwam later wel. Hij zou zich zonder zijn vaders steun bewijzen, en daarna, als Archie tenminste bereid was heel diep door het stof te gaan, zou hij laten zien dat hij de kwaadste niet was en misschien, heel misschien alsnog bereid was een film voor die ouwe te doen. Maar dan wel op zíjn voorwaarden...

Archie praatte weer tegen hem. Zei dat het tijd werd om te gaan afronden, omdat hij over een paar minuten een andere afspraak had en eerst nog even zijn lunch naar binnen wilde werken. Nu schoof hij het servet met pijnboompitten in Larry's richting. 'Zou jij onderweg naar buiten deze troep even voor me in de vuilnisbak willen gooien?'

Larry keek naar het servet. 'Ik ga niet naar Hawaï.'

'Ik zie dat je aan het idee moet wennen. Daar snap ik. We hebben het er nog wel over...'

Larry kwam overeind uit zijn stoel, maakte een propje van het vochtige servet en zei: 'We hoeven het er niet meer over te hebben, want ik ga er niet heen. Ik heb andere plannen met mijn leven en het kan me niet schelen hoeveel frisse lucht er daar is.'

'Je kunt die pitten weggooien in de afvalbak in het toilet,' zei Archie. 'Dan kun je meteen je trainingsjack schoonmaken. Er zit hamburgersaus op.'

Weer dat denigrerende toontje. Die ouwe genoot hier gewoon van. Larry stond op het punt de AVN Award van het bureau te pakken en het ding met volle kracht tegen een van de fotolijsten aan de muur te smijten, toen er op de deur werd geklopt en hij een seconde later Dana Evans hoorde zeggen dat Archies volgende afspraak er was.

Archie zei: 'Eén seconde, Dana. Larry wilde net weggaan.'

Larry keek naar de AVN Award. Aarzelde. En dacht toen: nee, ik sta hierboven. Hij verlegde zijn blik naar het servet met pijnboompitten in zijn hand, gooide het met een demonstratief gebaar terug op Archies bureau en zei: 'Ik ga niet naar Hawaï. Ik blijf hier.' Vervolgens draaide hij zich om en beende met grote passen in de richting van de deur.

'Zorg je dat je uiterlijk vanmiddag om vier uur een badkamer hebt geregeld voor Stanley?'

Larry bleef doorlopen. 'Stanley kan de tyfus krijgen, pap. Vanaf nu doe ik alleen nog maar waar ik zin in heb.'

Bud reed naar Manhattan in de Subaru van Nora's moeder. Hij parkeerde het oude wrak op Madison Avenue, zag een winkel waar heel groot ARMANI op het raam stond en liep naar binnen. Hij zei tegen de verkoopster – een vrouw met blond haar en abnormaal hoge jukbeenderen – dat hij een nieuw leven ging beginnen en dat daar een mooi donkergrijs pak bij hoorde.

De verkoopster keek fronsend naar zijn kleding, zag de littekens op zijn gezicht en sloeg geschrokken haar ogen neer.

Toen herstelde ze zich en zei: 'Natuurlijk. Loopt u maar even mee.'

De rest van de tijd die Bud in de winkel doorbracht ergerde hij zich aan het feit dat de man van de beveiliging vlak achter hem bleef lopen terwijl de verkoopster hem nerveus glimlachend de verschillende pakken liet zien.

Toen hij uiteindelijk met een grijs pak, een wit overhemd en een paar zwarte instappers naar de kassa liep, deed hij er met opzet extra lang over om de tweeduizend dollar die hij bij zich had uit de achterzak van zijn spijkerbroek op te diepen. Hij zag de uitdrukking op het gezicht van de verkoopster veranderen en zei: 'Zo zie je maar. Uiterlijk zegt niet alles.'

De verkoopster vroeg wat hij bedoelde.

'Dat hoef ik niet uit te leggen, want dat begrijp je best, schat. Tenzij je plastisch chirurg per ongeluk ook je hersens heeft weggezogen terwijl hij bezig was je jukbeenderen te verzieken.'

De verkoopster wierp een angstige blik op de man van de beveiliging, die zich, nadat Bud zijn geld tevoorschijn had gehaald, geruisloos had teruggetrokken.

'Rustig maar,' zei Bud. 'Ik ga je echt geen pijn doen. Ik probeer je alleen maar iets te leren.'

Toen de verkoopster hem zijn wisselgeld gaf, keek ze hem niet aan.

Bud verkleedde zich in het toilet van een McDonald's, liet zijn oude kloffie achter bij de wastafels en kocht voor twee dollar een zonnebril met spiegelglazen bij een souvenirwinkel op Lexington Avenue. Vervolgens keek hij op zijn horloge en zag dat hij nog ruim een uur had om naar Tribeca te rijden en na te denken over de meest geschikte manier om Larry Venice te bewerken.

16

Na drie dagen als oppasser voor Larry Venice te hebben gefungeerd, was Werner Brünst vanochtend opgestaan met een uiterst goed gevoel, niet vermoedend dat hij op de set van *Space Hookers Undercover* zou worden geconfronteerd met een meute verwende en klagende Amerikaanse nietsnutten. Na tussenkomst van Archie was Sterling More uiteindelijk voor de dag gekomen met zijn testuitslag en waren de geplande scènes alsnog geschoten, maar de opnamen hadden tot halfacht geduurd, en tegen die tijd was Werners humeur zodanig verpest dat hij alleen nog maar zo snel mogelijk terug wilde naar zijn appartement op de derde verdieping van het Venice Pictures-pand. Hij wilde zich ontdoen van zijn Amerikaanse kleding en een ijskoud bad nemen. Het was de enige manier waarop hij er op dagen als deze in slaagde de orde in zijn hoofd te herstellen en zijn frustraties van zich af te laten glijden. Door de jaren heen had hij zich erin getraind om, liggend in het koude water, zijn omgeving voor even te vergeten en in contact te komen met de Duitser binnen in hem.

Vandaag kostte het hem meer moeite dan anders om zichzelf terug te vinden – werkweigering was iets wat hij eenvoudigweg niet begreep, hoe hij ook zijn best deed zich in de verknipte Amerikaanse manier van denken te verplaatsen – maar uiteindelijk voelde hij hoe het koude water zijn lichaam omhulde en hem mee terug nam naar een betere plek: zijn vroege jeugd, de bevroren straten van Oost-Berlijn. Hij zag de oude staalfabriek waar hij, gehuld in een lederhose en een versleten voetbalshirt, de barre temperaturen had getrotseerd en zich urenlang had vermaakt met niets anders dan puinsteen en verbogen stukken ijzer.

Denkend aan die goeie ouwe tijd vroeg hij zich zoals zo vaak af of hij misschien nooit naar het Beloofde Land had moeten gaan en in plaats daarvan het baantje had moeten accepteren bij de kruidenierswinkel van Frau Lubach.

Ja, waarschijnlijk wel.

Maar hij was jong geweest, eigenwijs en – eerlijk is eerlijk – geil, en dus had hij gekozen voor een alternatieve carrière en lag hij nu hier, in het koude water, terwijl aan de andere kant van het badkamerraam het land van de bizarre fantasieën, exorbitante levensstijlen en geschifte ego's zich uitstrekte.

Larry Venice was misschien wel het meest geschifte ego van allemaal. Werner was dan ook blij dat Archie had besloten het bebrilde stuk ongeluk binnenkort voor een lange vakantie naar Hawaï te sturen. Op die manier zou hij Werner nooit meer in de problemen kunnen brengen, zoals vanochtend bijna was gebeurd, toen Archie bij hem was komen informeren naar de geschiedenis met Bud Raven. Werner had gezegd dat alles goed was gegaan, en toen was ineens gebleken dat Bud om veel meer dan tienduizend dollar had gevraagd en had Werner zich in spreekwoordelijke zin voor de kop geslagen omdat hij Larry het geld had laten afgeven.

Larry had erop gezinspeeld dat Bud niet tevreden was geweest, maar vervolgens had hij net gedaan of hij een grapje maakte. Hij had gezegd dat hij zo lang was weggebleven omdat hij met Bud over Werners oude werk had gepraat.

Maar was dat ook zo?

Daar kon hij maar beter snel achter zien te komen. Wat als Bud niet tevreden was geweest en Larry hem een grote bek had gegeven en had gezegd dat hij niet moest zeuren? Dan bestond de kans dat Bud Archie zou bellen om zich te beklagen en zou Archie erachter komen dat niet híj, maar Larry het geld had afgegeven. Dan zou hij weten dat Werner zich niet aan zijn taak had gehouden.

Verlies hem niet uit het oog, had Archie gezegd.

En dat had hij wel gedaan.

Natuurlijk, mocht het zover komen, dan zou hij altijd de blaar kunnen aanvoeren als excuus. Hij zou kunnen zeggen dat Larry weer keurig was teruggekomen naar de auto. Dat hij niet had geprobeerd ervandoor te gaan om zijn vriendin lastig te vallen.

Maar feit bleef dat hij vanochtend tegen Archie had gelogen.

Ik vond tienduizend wel genoeg en had je erop willen voorbereiden dat hij misschien ontevreden zou zijn en weer zou gaan klagen over zijn verminkte gezicht, had Archie gezegd. *Maar dat was dus niet het geval?*

En Werner had gezegd: 'Nee.' Zonder te weten of het werkelijk zo was omdat niet híj maar Larry het geld had overhandigd.

Zuchtend richtte hij zich op, draaide zich half om in het water en gluurde door de deuropening naar de koekoeksklok boven de open haard, dertig jaar geleden op een vlooienmarkt in Rostock gekocht maar nog altijd in prima staat, in tegenstelling tot de helft van de gelikt uitziende, maar praktisch onbruikbare Amerikaanse keukenapparatuur waarmee Archie zijn appartement had laten uitrusten.

De koekoeksklok liet hem weten dat het halfnegen was.

Werner liet zich terugzakken in het koude water en staarde een tijdje gedachteloos naar zijn tenen, die aan weerszijden van de chromen kraan boven het wateroppervlak uitstaken.

Misschien maakte hij zich zorgen om niets en zou het allemaal wel loslopen. Maar aan de andere kant: Larry's appartement was op dezelfde verdieping, twee deuren verderop. Het was een kleine moeite even bij hem aan te kloppen en zich ervan te verzekeren dat Archie niet op korte termijn zou worden getrakteerd op meer boze telefoontjes van Bud.

Achttienduizend dollar voor drie weken mocht dan een hoop geld zijn, de middag was dermate slopend geweest dat Farrell op zeker ogenblik vurig had gewenst dat hij 'nee' had gezegd tegen Archie Venice. In dat geval had hij vandaag waarschijnlijk op het terras van de Empire Diner doorgebracht, genietend van een uitsmijter met gegrilde paprika en zich verheugend op zijn vakantie in Miami.

Maar hij had geen nee gezegd tegen de klus en dus hoefde hij zich voorlopig nergens op te verheugen.

Om twee uur had de zon de motorkap van de Cadillac bereikt. De auto was binnen een halfuur veranderd in een bakoven. Om vijf uur was Farrell door zijn halve voorraad Liptonice heen en pas om vijf voor halfnegen, toen de zon al ver genoeg was gezakt en zijn auto weer in de schaduw stond, liet Larry zich zien. Hij droeg nog altijd zijn blauwe trainingspak en had een doorzichtig mapje van A4-formaat bij zich. Met het mapje onder zijn arm geklemd verdween hij in de parkeergarage onder het Venice Pictures-pand, om twee minuten later, zittend achter het stuur van zijn witte busje, weer naar buiten te komen. Farrell wachtte tot het busje bijna uit zicht was verdwenen, startte de Cadillac en zette de achtervolging in.

17

Bud voelde zich als herboren in zijn Armani-pak. Hij merkte dat de mensen weer naar hem keken, zoals vroeger. Natuurlijk: zodra ze de littekens op zijn gezicht zagen, sloegen ze nog steeds hun ogen neer, maar op een heel andere manier dan wanneer hij erbij liep als de eerste de beste zwerver.

Om kwart voor negen – een kwartier te vroeg – stapte hij de Tribeca Grill binnen. Hij keek om zich heen, zag een in het zwart geklede ober op zich af komen en vroeg of hij kon plaatsnemen aan de tafel helemaal in de hoek. De ober schudde zijn hoofd en zei dat die was gereserveerd. Bud wees naar een andere tafel, rechts van de bar, die eveneens voldoende privacy bood. De ober knikte, bracht hem erheen en vroeg wat hij wilde drinken. Bud bestelde een gin-tonic en een fles witte wijn, stond op en liep in de richting van de toiletten. Hij boog zich over een wastafel, plensde water in zijn gezicht en grijnsde naar zichzelf in de spiegel. Dacht aan zijn opzet. Simpeler kon niet. Larry laten praten. Zijn film de hemel in prijzen. Zorgen dat zijn glas goed gevuld bleef. Het gesprek brengen op Archies geld.

De contanten waar hij niet voor naar de bank hoefde.

Hoeveel was het?

Waar bewaarde hij het?

In een kluis, dat kon bijna niet anders. Maar wáár? In Archies villa op Long Island? Op zijn kantoor in 22nd Street?

Zodra hij het wist, kon hij aan de slag. In Fairton had hij een knaap ontmoet die zijn beroep had gemaakt van het kraken van kluizen in alle soorten en maten. Als hij die nou eens opzocht in de bak.

Hem om wat deskundige hulp vroeg in ruil voor een klein percentage. Iedere maand een slof sigaretten en een paar spannende blaadjes...

Larry parkeerde zijn busje voor een oud pakhuis in Greenwich Street. Farrell reed het busje voorbij, zette de Cadillac enkele meters verderop langs de stoeprand en zag via zijn achteruitkijkspiegel hoe Larry uitstapte, de straat overstak, en met het mapje onder zijn arm in de richting liep van een restaurant dat de Tribeca Grill heette.

Farrell zette de leuning van zijn stoel een stukje naar achteren en pakte een mueslireep. Bedacht zich toen en realiseerde zich dat hij er verstandig aan deed na te gaan of Larry niet toevallig een afspraak had gemaakt met Amanda James, of erachter was gekomen waar ze die avond zou gaan eten en had besloten eropaf te gaan om zijn actie van de week ervoor nog eens dunnetjes over te doen.

Hij stapte uit, liep naar het restaurant en probeerde de locatiescout op discrete wijze via het grote raam aan de lange zijde in het vizier te krijgen. Het duurde even, maar uiteindelijk lukte het. Larry Venice zat aan een tafeltje vlak bij de bar. Tegenover hem zat niet zijn ex-vriendin Amanda, maar een man in een duur uitziend pak met een netwerk van dikke littekens op de linkerhelft van zijn gezicht. Larry zei iets en de man in het dure pak glimlachte, waarna hij de fles wijn pakte die tussen hen in stond en Larry's glas bijschonk. Larry viel in zijn blauwe trainingspak behoorlijk uit de toon, maar klaarblijkelijk was dat voor de eigenaar van de zaak geen reden hem de deur te wijzen.

Voor de zekerheid speurde Farrell de omringende tafeltjes af, op zoek naar vrouwen die gelijkenis vertoonden met Amanda James, maar al snel zag hij in dat hij zich geen zorgen hoefde te maken. Er waren maar twee vrouwen met blond haar in het restaurant. De een was zo te zien een serveerster. De ander was ruim zestig jaar oud en zat in een rolstoel.

Werner Brünst klopte voor de derde keer op de deur van Larry's appartement. Met zijn andere hand krabde hij afwezig aan de band van zijn lange, geruite onderbroek, het enige kledingstuk dat hij had aangetrokken voor zijn wandeling door de gang.

Binnen was het stil, voor zover hij dat vanaf hier kon bepalen, en misschien had hij zich daarnet dus vergist toen hij meende aan de andere kant van de deur een geluid te horen. Minutenlang had hij doodstil staan luisteren omdat hij vermoedde dat Larry wel degelijk binnen was, maar bezig aan een nummertje met een of ander mokkel en daarom niet van zins de deur te openen. Dat deed hij wel vaker: niet reageren wanneer er iemand bij hem aanklopte, net doen alsof hij er niet was omdat hij lag te *bumsen* of gewoon omdat hij te lui was om op te staan.

Het bleef echter stil en uiteindelijk slofte Werner terug naar zijn eigen appartement.

Misschien kon hij Larry mobiel bereiken.

Hij had de voordeur van zijn appartement bijna bereikt toen achter hem twee vrouwenstemmen vrijwel in koor zijn naam riepen. Hij draaide zich om, zich afvragend of hij het goed had gehoord, en ja hoor, daar waren ze: Archies prijsmeisjes, Rhonda en Leslie, zoals altijd gehuld in korte rokjes en T-shirtjes die weinig aan de fantasie overlieten. Oké, misschien was niet álles slecht in Amerika.

Rhonda schonk hem een ondeugende glimlach, hield een tas van Blockbuster en een paar zwarte brilletjes omhoog en zei: 'Hé Werner, we hebben *Avatar* gehuurd. Ga je mee naar boven om te kijken? Archie zei dat je een zware dag achter de rug hebt en wel wat ontspanning kunt gebruiken.'

'Ja, Werner,' zei Leslie. 'We zouden het kunnen naspelen en net doen alsof jij ook zo'n geluksvogel bent die in een ander lijf terechtkomt en terug mag naar Oost-Duitsland. Dan trekken Rhonda en ik onze legeruniformen aan en nemen je gevangen.'

Die twee kregen er ook nooit genoeg van. En, toegegeven, hij had zelf ook best zin in een leuk spelletje. Maar toen dacht hij aan Larry Venice en het telefoontje dat hij moest plegen. Weifelend krabde hij aan de band van zijn onderbroek. 'Ik weet het niet...'

'We kunnen *Avatar* ook voor een andere keer bewaren,' zei Rhonda. 'Dan doe ik gewoon mijn verpleegstersact.'

Werner grijnsde. Gespeeld of niet, hij kon moeilijk beweren dat het hem onberoerd liet, deze twee jonge meiden met hun prachtige lichamen, die klaar waren om hem op elke gewenste manier te verwennen.

En dus besloot hij dat de kwestie met Larry nog wel even kon wachten. Als je het nuchter bekeek, maakte hij zich waarschijnlijk toch zorgen om niets. Bud zou het geld vast en zeker ter plekke hebben geteld en hebben ingezien dat hij maar beter tevreden kon zijn met wat hij had gekregen. Hij had er tenslotte niets voor hoeven doen.

Moest je hem nu zien zitten: in het blauwe trainingspak met sausvlekken zag Larry Venice er nog het meest uit als een toerist uit Iowa die voor het eerst in de grote stad was en niet besefte dat daar andere regels golden dan in the middle of nowhere. Dat je je, om maar wat te noemen, behoorlijk aankleedde als je de straat op ging.

Vijf minuten geleden, toen Larry het restaurant was binnengekomen, had Bud een moment lang gevreesd dat hij op zoek zou moeten naar een andere locatie om de mafkees uit te horen. De obers hadden ter hoogte van de bar koortsachtig met elkaar overlegd. Het kon niet anders of de discussie ging over Larry's trainingspak.

Maar kennelijk hadden ze besloten er geen punt van te maken. Ze bleven op hun plek, zelfs toen Larry na enkele seconden Bud in het oog kreeg, zijn handen als een toeter naar zijn mond bracht en riep: 'Hé, Bud. Daar ben je. Shit, ik herkende je bijna niet in dat dure pak.'

Bud kromp ineen. Probeerde net te doen alsof hij geen idee had dat Larry's kreet voor hem was bestemd. Dat had natuurlijk geen zin, want een paar seconden later schoof de locatiescout bij hem aan.

Larry begon direct te praten. Niet, zoals Bud had verwacht, over zijn film, maar over een of andere locatie die hij eerder die dag had verziekt. Bud kreeg alle details te horen, tot en met de hoeveelheid gel die de regisseur met wie Larry het aan de stok had gekregen dagelijks in zijn haar smeerde, en – uiteindelijk – de reactie van Archie op het voorval: 'Hij wil me naar Hawaï sturen, maar daar ga ik dus mooi niet heen.'

Bud, die er geen enkel probleem mee zou hebben door iemand naar Hawaï te worden gestuurd, zei: 'Nee, dat snap ik. Wat moet je nou op zo'n eiland waar het lijkt alsof iedereen voortdurend vakantie heeft?'

Larry knikte. 'Precies. Daar word je alleen maar lui van. En dat is dodelijk als je zoveel ambitie hebt als ik.'

Bud zei: 'Over ambitie gesproken: vanochtend aan de telefoon zei je dat je me heel wat te vertellen hebt.'

'Ja,' zei Larry. 'Dat is ook zo.' Hij zweeg even en zei toen: 'Jezus, Bud. Hoor mij nou. Zit ik hier een beetje over mijn vader te ouwehoeren terwijl we het allang over mijn film hadden kunnen hebben.' Hij schudde zijn hoofd en klopte met zijn knokkels op het doorzichtige mapje dat hij bij binnenkomst samen met een grote bos sleutels naast zijn bord had gelegd. 'Vanwege dat gezeik met die locatie heb ik de rest van de dag aan mijn film kunnen werken. Ik heb alle Afrikaanse namen veranderd in Amerikaanse. Dat was nog een heel gedoe, om Amerikaanse namen te vinden die een beetje voodoo-achtig klinken. Hoe dan ook, jij heet nu geen Obutu meer, maar Zed. Je weet wel, net als die geschifte psychopaat in *Pulp Fiction.*'

'Dus je hebt je erbij neergelegd dat Congo niet haalbaar is?'

'Ik leg me nooit ergens bij neer, Bud. Dat doen alleen watjes. Nee, ik hoop natuurlijk stiekem dat zich tussentijds een grote investeerder meldt. Maar zolang dat niet het geval is, ben ik het met je eens dat we realistisch moeten zijn. Vind je Zed een goede naam?'

'Ik vind Zed een prima naam. Beter dan Obutu. Dat vond ik eerlijk gezegd meer een naam voor een of andere oude muts. Volgens mij heb jij ondanks al die ellende met die locatie een hele goede dag gehad.'

'Mijn dag is pas goed als jij mijn synopsis hebt gelezen en me hebt verteld dat je er blij mee bent.'

Bud slikte en keek naar het doorzichtige mapje naast Larry's bord. 'Je synopsis? Die wil ik best lezen, maar volgens mij zit het met jouw creatieve vermogens wel snor.'

'Dat denk ik ook,' zei Larry. 'Maar we weten het pas zeker als het door een echte professional zoals jij is bevestigd. Waar of niet?'

Bud begreep dat hij geen keus had. 'Oké, misschien heb je gelijk. Maar laten we eerst wat bestellen.'

18

Larry voelde zich helemaal te gek. Hier zat hij dan, in dit chique restaurant vol maatschappelijk geslaagde mensen, samen met niemand minder dan pornolegende Bud Raven. Geveld door het noodlot, maar opgekrabbeld en teruggekeerd naar het front om zíjn film te produceren.

Ze hadden zojuist hun hoofdgerecht op, een sappige biefstuk met een saus waarvan Larry de naam alweer was vergeten, maar die prima had gesmaakt.

Wat Larry niet was vergeten, waren de woorden van Bud, die tijdens het eten zijn synopsis had gelezen. Bud, nippend van zijn wijn, die zei: 'Dit is puik werk, Larry. De rol van Zed is me op het lijf geschreven.' En, even later: 'Ik kan niet wachten om aan dit project te beginnen.' Bud had ook gezegd dat hij Obutu een naam vond voor een of andere oude muts. Dat was minder leuk, maar iedereen had recht op een eigen mening en het deed er verder niet toe, want Obutu heette nu Zed.

Larry kon zijn geluk niet op. Hij wilde opstaan en roepen: 'Zie je wel, Amanda? Zie je wel dat ik het kan, stom kutwijf...' Maar dat had natuurlijk geen zin, want Amanda was hier niet. Zijn vader en Stanley ook niet. Ze zouden pas weten dat ze zich in hem hadden vergist zodra zijn film een feit was en ze hem zagen.

Larry nam een slok van zijn wijn en keek Bud aan. 'Is er helemaal niets dat je zou veranderen aan mijn synopsis? Als jij het voor het zeggen had, bedoel ik?'

Bud schudde zijn hoofd. 'Helemaal niets. Het staat als een huis.

De personages zijn uiterst herkenbaar. De plot is waterdicht. Het onderwerp zeer vernieuwend...'

'Ja,' zei Larry. 'En dat is precies wat de mensen willen: iets nieuws. Wat het moet worden, is een soort *The Puppet Masters* meets *Wild at Heart.* Een mix van seks, bovennatuurlijke shit en drama. *Wild at Heart* heb ik als uitgangspunt gebruikt omdat David Lynch mijn lievelingsregisseur aller tijden is en ik die film al duizend keer heb gezien. Weet je wat mijn favoriete scène is? Als die griet met dat zwarte haar poedelnaakt op dat bed gaat liggen en tegen Sailor zegt dat hij een hapje van de perzik mag nemen.'

Bud zei: 'Dat wijf met wie Nicholas Cage neukt in *Wild at Heart* heeft geen zwart haar. Ze heeft blonde krullen.'

'Ja,' zei Larry. 'Dat is Laura Dern. Maar zij is niet degene die haar kut met een perzik vergelijkt. Die perzikengriet heeft zwart haar, net als jij. Ze speelt verder geen rol in het verhaal, het is gewoon iemand uit het verleden die Sailor een keer alle hoeken van de kamer heeft laten zien.'

'Oké.'

'Geloof je me niet?'

'Jawel, ik geloof je. Ik kan me die scène alleen niet meer herinneren. Het enige wat me nog helder voor de geest staat is Willem Dafoe met zijn rotte gebit.'

Willem Dafoe? Die film zat vol met mooie vrouwen en Bud keek naar *Willem Dafoe*?

'Nee, wacht even. Misschien herinner ik me die scène toch...'

'Laat maar, Bud. Het doet er verder niet toe. Wat vind je van het einde?'

'Het einde is goed. Alles valt op zijn plek.'

'Dus het is ook duidelijk dat Lydia in de laatste scène doodgaat?'

'Je bedoelt als haar hoofd van haar lichaam wordt gescheiden door die zeis? Ja, daar zal niemand aan twijfelen.'

'Gelukkig. Ik had namelijk nog een alternatief einde bedacht, waarin je haar hoofd ziet neerkomen op een hek en het aan zo'n scherpe punt wordt gespietst. Je weet wel, voor alle zekerheid...'

Bud zei: 'Ze offert zich op, pijpt Zed nog een laatste keer en wordt onthoofd. Wat is daar onduidelijk aan?'

'Niets,' zei Larry. 'Maar ik wilde het gewoon even zeker weten. Als ik ergens een hekel aan heb, dan is het aan open eindes. Je kent het wel: dat je starend in zo'n halflege doos met popcorn de bioscoop uit loopt en er maar niet achter komt waar je nou eigenlijk anderhalf uur naar hebt zitten kijken...'

Het was nu halftwaalf en pikkedonker. Nog altijd was Larry niet naar buiten gekomen. Farrell zat onderuitgezakt in zijn Cadillac, kauwde op een mueslireep en luisterde naar een radiozender waarop alleen maar nummers uit de jaren tachtig werden gedraaid. Op dit moment klonk er een liedje uit de speakers dat 'Take on Me' heette. Farrell herinnerde zich de videoclip die bij het nummer hoorde, over een meisje dat een stripboek las in een *diner* en vervolgens door de zanger van de band het stripverhaal in werd getrokken. Het was een goede clip, dacht Farrell, terwijl hij vanuit zijn ooghoek zag hoe een man en een vrouw in avondkleding naar buiten kwamen bij het restaurant aan de overkant.

Farrell keek toe hoe de man de vrouw in haar jas hielp.

De aanblik van de simpele, maar liefdevolle handeling bezorgde hem een melancholiek gevoel. Starend naar het gelige licht van de straatlantaarns in Greenwich Street, gingen zijn gedachten bijna ongemerkt terug naar twee maanden geleden, toen hij was thuisgekomen van een klus, zijn overhemd net als nu tegen zijn rug geplakt van het zweet. De laatste keer dat hij serieus had nagedacht over ander werk...

Elaine was nog op geweest.

Ze zat op haar hometrainer, gekleed in niets anders dan haar sport-bh en een Nike-broekje van een of andere ultradunne stof, en keek al trappend naar een programma op het thuiswinkelkanaal. Farrell zag een presentatrice met zwart haar en een tandpastaglimlach die keukengerei aan de man probeerde te brengen.

'Je bent vroeg,' had Elaine gezegd, zonder haar blik af te wenden van het televisiescherm.

'Het was een makkelijke klus,' zei Farrell, terwijl hij zijn best deed het katterige toontje van zijn vriendin te negeren en niet naar het afzichtelijke groene frame van de hometrainer te kijken.

Een paar maanden eerder, toen ze net bij hem was ingetrokken, had hij haar op een ochtend gevraagd of het echt nodig was, dat groene gevaarte zo midden in de kamer. Ja, zei Elaine, want als ik hem op een minder prominente plek zet, dan zie ik hem niet of ga ik hem expres ontwijken. Het gevolg is dat ik mijn schema laat versloffen en in een neerwaartse spiraal terechtkom. Farrell zei dat hij het begreep en stelde voor het ding in de slaapkamer te zetten. Nee, zei Elaine, want 's ochtends ben ik lui; ik weet precies wat er zal gebeuren. Ik ga douchen en kom de hele dag niet meer in de slaapkamer. Tot 's avonds laat, als ik naar bed ga. Dan zie ik hem en denk ik: jij vet varken, je hebt wéér niets gedaan.

Farrell vroeg haar waar ze zich druk om maakte: ze woog negenenvijftig kilo en zag er geweldig uit. Elaine keek hem aan en zei: 'Hou je nou eigenlijk van me of niet?'

En dus stond het ding nu al maandenlang in de woonkamer.

Op de muur achter de hometrainer had zijn vriendin een poster opgehangen van een aan lager wal geraakte soapster met overgewicht. Over de buik van de soapster had ze in fluorescerend paarse letters geschreven: DIT IS NIET WAT JE WILT. Het woordje 'niet' was driemaal onderstreept. Daar hield Elaine van, dingen onderstrepen. Wanneer ze 's ochtends in de krant iets las wat haar interesseerde, onderstreepte ze het ook altijd, om vervolgens de krant – inclusief onderstreepte passages – een kleine tien minuten later samen met de koffiedrab en de mandarijnschillen in de afvalbak te kieperen.

Farrell liep naar de keuken, zag dat zijn vriendin niet de moeite had genomen de afwas te doen terwijl hij werkte, en pakte een bierglas uit het afdruiprek. Met het bierglas in zijn ene en een flesje Sierra Nevada Pale Ale in zijn andere hand liep hij terug naar de woonkamer.

Op televisie liet de presentatrice van het thuiswinkelkanaal een gemarineerd stuk vlees zien aan een reusachtige zwarte man die Farrell deed denken aan Mr. T. De vrouw legde het vlees in een doorzichtig apparaat dat de FlavorWave Turbo Oven heette en zei: 'Hou jij van barbecueën, Mr. T?'

Mr. T – het was hem dus inderdaad – zei dat hij niets liever deed, maar keek erbij alsof hij op het punt stond een stel slechteriken op hun donder te geven in een aflevering van *The A-Team*.

Farrell keek naar Elaines bezwete lichaam. Hij kuchte en vroeg haar of ze even konden praten. Elaine staarde gebiologeerd naar de FlavorWave Turbo Oven en leek hem niet te horen.

Farrell zei: 'Ik denk erover om iets anders te gaan doen.'

Dat trok haar aandacht. Ze hield haar benen stil en keek hem aan. 'Iets anders? Hoe bedoel je?'

'Ik bedoel het zoals ik het zeg,' zei Farrell, terwijl hij zijn glas halfvol schonk en het flesje bier naast de foto van zijn overleden vader op de schoorsteenmantel zette. 'Ik geloof dat ik er niet meer tegen kan.'

Elaine liet zich van de hometrainer glijden, kwam met een zorgelijke glimlach op hem af en drukte een zoute kus op zijn lippen. 'Ach, lieverd, had je weer zo'n kinky stel als een paar maanden geleden?'

Farrell schudde zijn hoofd. 'Ja, maar daar gaat het niet om. Niet alléén. Het is gewoon... het is alsof er een grens is bereikt. In mijn hoofd.'

'Misschien moet je toch maar een keer met een psychiater gaan praten.'

'Nee, het heeft niets te maken met het verleden. Daar heb ik vrede mee. Het gaat om nu. Om mijn gevoel.'

Elaine zei: 'Lieve schat, iedereen heeft weleens een slechte dag op zijn werk. Maar dat is toch geen reden om er meteen maar mee te stoppen?'

Uit de mond van een vrouw van achtentwintig die haar tijd verdeelde tussen de hometrainer, de duurdere kledingzaken op 6th Avenue en het terras van de Empire Diner, klonken de woorden onbedoeld komisch.

'Ik wilde je alleen maar even op de hoogte stellen,' zei Farrell. 'Ik denk erover om weer een tijdje achter de bar te gaan staan, totdat ik erachter ben wat ik wil.'

'Achter de bar,' zei Elaine, met een gezicht alsof ze zojuist een kakkerlak op haar tandenborstel had aangetroffen. 'En dan? Voor tien dollar per uur proberen de beste cocktail van de stad te maken? Je bent godverdomme eenendertig, Jack.'

'Wat heeft mijn leeftijd ermee te maken?'

'Ik probeer je alleen maar te zeggen dat als je ervan droomt Tom

Cruise in *Cocktail* te zijn, je weleens bedrogen uit zou kunnen komen.'

'Het enige wat ik wil, is een rustige baan. Iets waarmee ik mijn geld kan verdienen zonder mijn zelfrespect te verliezen.'

'En dus wil je *drankjes* gaan serveren?'

Farrell zuchtte. Zijn overhemd – nog altijd nat van het zweet – plakte tegen zijn rug en hij merkte dat hij geïrriteerd begon te raken. Lag het aan hem of hadden ze de laatste tijd alleen maar van dit soort gesprekken? Zes maanden geleden, toen hij haar had ontmoet bij een concert van John Fogerty in de Hammerstein Ballroom, had het te mooi geleken om waar te zijn. Ze hadden hetzelfde favoriete drankje, hielden van dezelfde muziek...

Vier weken later stond ze met al haar spullen bij hem voor de deur en was bij hem ingetrokken. Dat was voordat hij ontdekte dat ze filmsterren consequent bij hun achternaam noemde, alsof ze hun manager was en tijdens romantisch bedoelde etentjes meer aandacht besteedde aan de menukaart dan aan hem.

Elaine zei: 'Nou? Is dat wat je wilt, Jack?'

Farrell wees naar de televisie. 'Vind je het erg als ik van zender verander? Het is Kevin Spacey-avond op het Superstation. *The Usual Suspects* begint zo.'

Hoewel ze pas vijf maanden samenwoonden, was Farrell er al tamelijk goed in de stemming van zijn vriendin te peilen. De nauwelijks waarneembare trilling in haar neusvleugels wees op een aanstaande woedeuitbarsting. Dat zou hem zeker het begin van de film kosten.

Snel zei hij: 'Luister, je hoeft het niet met me eens te zijn. Ik zou het alleen wel fijn vinden als je me een beetje steunt.'

Ze snoof. 'Ga je dat ook tegen de huisbaas zeggen, als hij straks voor de deur staat om ons eruit te flikkeren: "Sorry van de huurachterstand, maar ik hoop dat u me blijft steunen"?'

'Sinds wanneer maak jij je druk over hoe ik de huur betaal?'

'Sinds twee minuten geleden, Jack. Toen je met die dromerige uitdrukking op je gezicht begon te raaskallen over "grenzen in je hoofd" en de geestelijke rust die je denkt te vinden als je de hele dag biertjes staat te tappen.'

'Als je bang bent dat we op straat belanden en je zelf een keer je handen uit de mouwen zult moeten steken, dan kan ik je geruststellen. We blijven gewoon hier. Dit appartement heeft huurbescherming. Ik betaal achthonderd dollar per maand en kan het me makkelijk veroorloven om het een halfjaartje wat rustiger aan te doen.'

Gedurende enkele seconden stonden ze zwijgend tegenover elkaar, geen van beiden bereid een strobreed toe te geven.

Op televisie zei de thuiswinkelpresentatrice iets over een tornadovormige luchtstroom, die door de FlavorWave Turbo Oven waaide en er als het ware voor zorgde dat het vet van het vlees af werd geblazen. Mr. T was onder de indruk. De presentatrice zei: 'En is er iets heerlijkers dan van dichtbij toekijken hoe je eten gaar wordt?'

Toen, schijnbaar uit het niets, veranderde de uitdrukking op Elaines gezicht. Ze frunnikte aan haar sportbroekje en vroeg of hij honger had.

Farrell, die dacht dat hij het verkeerd had verstaan, zei: 'Wat?'

'Ik vroeg of je honger hebt. Het is een mooie avond. Misschien kunnen we samen ergens een pizza halen. Een stukje langs de Hudson wandelen...'

Farrell was nog steeds geïrriteerd en stond op het punt een cynische opmerking te maken. In de zes maanden die hij haar nu kende, had hij Elaine er niet op kunnen betrappen dat ze veel anders naar binnen werkte dan maaltijdsalades, fruitdrankjes en vitaminepillen. En nu wilde ze midden in de nacht pizza gaan eten? Aan de andere kant: ze was bepaald geen type dat uitblonk in het aanbieden van excuses. Misschien moest hij haar uitnodiging om iets te gaan eten opvatten als een verkapte verontschuldiging voor haar woede-uitbarsting; een manier om duidelijk te maken dat het haar speet zonder gezichtsverlies te lijden.

En dus vroeg hij haar niet hoe ze in hemelsnaam honger kon krijgen van het kijken naar Mr. T, maar zei hij in plaats daarvan: 'Een pizza? Dat lijkt me een goed idee.'

Hij liep naar de gang, trots op zijn volwassen reactie, terwijl hij achter zich in de woonkamer de thuiswinkelpresentatrice alweer een groot voordeel van de FlavorWave Turbo Oven hoorde aankaarten: je hoefde niets schoon te maken, dat deed het apparaat zelf.

De stem van Elaine zei: 'Waar ga je naartoe?'

'Even een schoon overhemd aantrekken,' zei Farrell. 'Deze is helemaal nat van het zweet.' Hij opende de deur van de slaapkamer en trok zijn plakkerige werkoverhemd uit. De avondlucht die door het open raam naar binnen stroomde, deed zijn huid tintelen.

'Dus ik hoef niet te schrobben!' zei de stem van Mr. T vanuit de woonkamer, gevolgd door de stem van Elaine, die zei: 'Je favoriete overhemden zitten allemaal in de was.'

Nee, daar vergiste ze zich in. Zijn blauwe Arrow-overhemd was schoon. Hij opende de deur van de inloopkast en stapte naar binnen.

'Hier ligt nog een schoon T-shirt,' riep Elaine. 'Waarom doe je dat niet gewoon aan...'

Een andere stem, dichterbij, zei: 'Oooh, shit.'

Eerst dacht Farrell dat het Mr. T was, die eindelijk zijn echte mening gaf over de kwaliteiten van de FlavorWave Turbo Oven. Maar toen zag hij het pezige mannetje met het zwarte stekeltjeshaar dat achter in de inloopkast stond, half verscholen tussen de skibox en een stel oude rotanstoeltjes, zijn armen beschermend om zijn naakte lichaam heen geslagen.

Farrell knipperde met zijn ogen.

'Oooh, shit,' zei het mannetje weer. 'Luister, man. Ze heeft nooit gezegd dat ze een vriend had. Dat zweer ik...'

19

Gedurende zijn carrière als pornoacteur had Bud Raven heel wat ideeën voor films onder ogen gekregen. Goede ideeën, slechte ideeen, grappige en meer serieuze dingen.

Maar zoiets als dit?

Nee.

Het idee voor *The Cock Robbers* was met afstand het meest gestoorde idee voor een pornofilm waarmee hij in zijn hele leven was geconfronteerd.

Toch was het hem gelukt ruim een uur met een geïnteresseerd gezicht door de onzin heen te bladeren, tussendoor de juiste dingen te zeggen en er bovendien voor te zorgen dat ze inmiddels aan hun derde fles wijn bezig waren.

De ober had zo-even het nagerecht gebracht. Een enorm bord met banaan, vanille-ijs en chocoladesaus voor Larry en een espresso voor Bud. Larry at smakkend van zijn toetje en zei tegen Bud dat hij het een verademing vond met hem te werken, nu al, en ze waren nog niet eens begonnen. Bud zei dat hij ook een goed gevoel had, een heel goed gevoel zelfs. Hij zei dat hij het onvoorstelbaar vond dat Archie niets zag in Larry's ideeën. 'Als ik zelf een zoon had met jouw talenten, dan zou ik hem de vrije hand geven. Een situatie creëren waarin hij zijn creativiteit optimaal zou kunnen benutten.'

Larry zei: 'Dat bedoel ik nou, Bud. Daarom bevalt onze samenwerking me zo goed. Jij begrijpt me en snapt wat ik wil.'

'Misschien komt er een dag dat je vader het ook gaat begrijpen.'

Larry keek op van zijn toetje. 'Ja, misschien. Maar daar reken ik eerlijk gezegd niet meer op. De waarheid is dat hij langzaam aftakelt. Lichamelijk, maar vooral geestelijk. Ik bedoel: welke zichzelf serieus nemende producent denkt dat hij betere pornofilms zal maken als hij het hele bedrijf om de twee weken optrommelt voor een of andere teambuildingsactiviteit?'

'Doet Archie tegenwoordig aan teambuilding?'

Larry knikte. 'Karten, wildwaterkanoën... hij bedenkt iedere keer iets anders. Vorige maand gingen we rotsklimmen in New Jersey. Bungelde ik daar op vijftig meter hoogte aan zo'n touw. Wat denk je? Het begint te regenen. Leuk hoor, teambuilding. Morgenavond gaan we steengrillen in Brooklyn. Ik heb er nu al zin in.'

Bud zei: 'Ik wilde je nog iets vragen. Ik was het al bijna vergeten, maar nu we het toch over je vader hebben... kun je me vertellen hoe het komt dat Archie de opbrengsten van zijn films tegenwoordig contant krijgt uitbetaald?'

Larry propte een stuk banaan in zijn mond. Chocoladesaus droop via zijn mondhoeken op het tafelkleed. Uiteindelijk zei hij: 'Contant?'

'Ja,' zei Bud. 'Als dat makkelijk te regelen valt, is het voor onze film ook iets om over na te denken.'

Larry trok een moeilijk gezicht. 'Ik geloof niet dat ik begrijp wat je bedoelt, Bud. Voor zover ik weet worden de opbrengsten van zijn films gewoon bijgeschreven op zijn bankrekening.'

'Op zijn bankrekening?' Bud fronste zijn wenkbrauwen. 'Nou, dan heb ik het blijkbaar verkeerd onthouden. Ik dacht dat je gisteren, toen je me die tienduizend kwam brengen, zei dat vijftigduizend dollar een fooi was voor je vader. Dat hij voor zo'n bedrag niet eens naar de bank hoefde...'

'O, bedoel je dat. Nou, dat hoeft hij ook niet. Maar dat heeft niets te maken met de opbrengsten van zijn films.'

'Waarmee dan wel?'

'Hij krijgt die cash van een adverteerder.'

'Een adverteerder?'

'Ja. Een grote zakkenwasser die Marco heet.'

Bud keek naar de enorme pupillen achter de brillenglazen, die de indruk dat het in Larry's bovenkamer een chaos van jewelste was alleen maar versterkte. Hij zei: 'Is dat niet een beetje raar? Een adverteerder die contant betaalt?'

'Raar? Het is gewoon zo, Bud. Ik kan er ook niets aan doen. Maar kunnen we het nu weer over iets anders hebben? Die Marco is echt een enorme eikel. Hij is niet iemand aan wie ik in mijn vrije tijd graag denk.'

Bud nipte van zijn espresso en deed zijn best een nonchalante pose aan te nemen. 'Natuurlijk, Larry. We zijn hier tenslotte voor je film. Maar nog even uit nieuwsgierigheid: waar adverteert die kerel voor?'

'Geen idee. Ik weet alleen dat hij mijn vader iedere maand een koffertje brengt met vier ton erin.'

Bud verslikte zich in zijn espresso.

'Hoeveel?'

'Vier ton,' zei Larry. 'Het zit in zo'n patserig koffertje dat met een ketting aan zijn hand vastzit. Alsof hij een of andere crimineel uit een B-film is. Hij noemt me altijd Larry de Loser. Als hij me ziet, tenminste, want meestal probeer ik er niet te zijn als hij langskomt.'

'Jezus,' zei Bud. 'Waar laat je vader in hemelsnaam al die cash als hij het niet op de bank zet?'

Larry grijnsde. 'Had ik je al verteld dat ik van plan ben een ode te brengen aan David Lynch?'

'Aan wie?'

'David Lynch. De regisseur van *Wild at Heart*.'

De man had het weer over zijn film.

'Het liefst wil ik in *The Cock Robbers* knipogen naar die perzikscène waar ik je net over vertelde. Het probleem is dat ik geen fruitsoort kan bedenken die net zo sexy is als een perzik. Verder dan "Neem maar een hapje van de kiwi" kom ik niet, en dat gaat hem niet worden, want dan denkt iedereen meteen aan zo'n zwaar behaarde muts.'

Bud dacht: *vier ton. Iedere maand.* Hij zei: 'Niet alle kiwi's hebben haren.'

'Groene kiwi's wel, Bud. En daar zijn er de meeste van.'

'Ja, maar...'

'Wat?'

'Niets. Ik zat nog even met mijn gedachten bij die adverteerder. Vier ton per maand. Dat is veel geld om in een oude sok of onder je matras te bewaren.'

'Ik kan het natuurlijk specificeren en Lydia laten zeggen: "Neem maar een hapje van de gele kiwi," maar dat ligt weer niet lekker in het gehoor.'

'Weet je zeker dat er meer groene kiwi's zijn dan gele?'

'Véél meer. Ik heb het nagevraagd bij de groenteboer.'

Godallemachtig. De man deed research.

'Maar hoe zit het nou met dat geld van je vader? Waar laat hij al die cash? Dat is iets waar wij straks, als onze film eenmaal een succes is, ook over zullen moeten nadenken, Larry. Waar laten we onze winst?'

'*Onze* winst? Bedoel je dat je mij in de winst wilt laten meedelen?'

'Dat bedoel ik inderdaad, Larry. Ik dacht aan fifty-fifty. Maar nogmaals: waar laten we straks ons geld? Het lijkt me slim daarvoor met een schuin oog naar je vader te kijken. Het mag dan een egoïstische klootzak zijn, maar als het om geld verdienen gaat, ken ik maar weinig mensen die aan hem kunnen tippen.'

'Je zult wel gelijk hebben. Maar geld verdienen is iets anders dan geld beheren. Ik pieker er niet over het geld dat ik met *The Cock Robbers* verdien te gaan bewaren op dezelfde plek als waar mijn vader zijn cash bewaart.'

'Nee?'

Larry schudde zijn hoofd. 'Ik zet het liever gewoon op de bank. Dan krijg je rente.'

'Ja,' zei Bud. 'Of ze gaan failliet en je bent alles kwijt. Maar laat me raden: je vader heeft vast een stevige kluis laten bouwen in zijn huis op Long Island...'

'Dat zou ík doen als ik zoveel geld had en het niet op de bank wilde zetten: het veilig in een kluis stoppen. Mijn vader niet. Hij bewaart het in zijn doodskist.'

Bud dacht dat hij het verkeerd verstond. 'In zijn doodskist? Bedoel je dat het ergens onder de grond ligt?'

Daar moest de man om lachen. 'Nee, natuurlijk niet. Hij is toch nog niet dood? Die kist staat gewoon in zijn kantoor. Hij heeft hem een jaar geleden op maat laten maken voor als het eenmaal zover is.

Tot het moment waarop hij de pijp uit gaat, gebruikt hij hem als koelkast. Hij heeft dat hele ding volgestouwd met ijsblokjes, maar er zit zo'n handige dubbele bodem in en daar bewaart hij die poen.'

'Wanneer heeft hij je dat verteld?'

Larry schudde zijn hoofd. 'Die ouwe vertelt mij nooit iets. Nee, ik ben er zelf achter gekomen. Ik was daar toevallig een keer en toen heb ik het gezien.'

'Je was daar toevallig?'

'Nou ja, helemaal toevallig was het ook weer niet...'

Bud wilde een vraag stellen, maar hield zijn mond toen de ober aan hun tafeltje verscheen, een fronsende blik op Larry's half gesmolten toetje wierp en vroeg of ze nog iets wensten. Bud, die niet wilde dat Larry nog harder ging praten dan hij al deed, zei: 'Nee, dank u. We hebben niets nodig.'

'Ik zat op het toilet,' zei Larry.

De ober zei: 'Pardon?'

Larry schudde zijn hoofd en zei tegen de ober dat hij het niet tegen hem had, maar tegen Bud, waarop de ober beleefd knikte en zich geruisloos uit de voeten maakte.

Bud zei: 'Het toilet?'

'Archies privétoilet. Daar zit ik soms. Gewoon, om een uurtje te chillen. Net doen alsof de hele tent van mij is. Je weet wel...'

Bud knipperde met zijn ogen.

'Het is niet zomaar een toilet,' zei Larry. 'Die pot die hij erin heeft laten zetten is van een heel zeldzame natuursteen. Hij staat op een verhoging van bijna een halve meter, zodat het net lijkt alsof je op een troon zit.'

'Wacht even: je gaat daar zitten, met je broek op je enkels, en doet net alsof je je vader bent?'

'Nee, natuurlijk niet. Ik ben gewoon mezelf, net als nu. Hoe dan ook: op een dag zit ik daar lekker te zitten en ineens hoor ik stemmen aan de andere kant van de deur. Een ervan was van mijn vader en de andere van die klootzak, Marco. Ik schrik me kapot, want mijn vader heeft er een hekel aan als mensen zonder toestemming zijn kantoor binnengaan, laat staan van zijn privétoilet gebruikmaken. Maar goed, ik kan geen kant op en doe mijn best om stil te zijn tot ze weer weggaan. Na een paar minuten hoor ik mijn vader "dank je wel" zeggen. Ik heb geen idee waarvoor. De deur staat al die tijd op een kiertje, maar ik zit nog steeds op die pot, dus ik kan niet zien wat er gebeurt. Ineens begint die Marco te vertellen hoe tevreden iedereen is over de samenwerking en dat het honorarium daarom wordt verhoogd van driehonderdvijftig- naar vierhonderdduizend dollar. Toen werd ik natuurlijk nieuwsgierig. Ik sluip naar de deur toe, gluur door die kier en het volgende ogenblik zie ik mijn vader, die bezig is al dat geld in die kist te stouwen.'

'Waar maakte je uit op dat die Marco een adverteerder is?'

'Nergens uit. Dat wist ik op dat moment niet. Ik had hem al vaker gezien, dat wel, maar ik wist natuurlijk niet wat er in dat koffertje zat dat hij altijd bij zich heeft. Later, toen die eikel weg was en mijn vader uit lunchen ging, ben ik langs Dana's bureau gelopen en heb stiekem in haar agenda gekeken. Bij iedere laatste vrijdag van de maand stond de naam "Marco" en erachter, tussen haakjes: "adverteerder". Vandaar dat ik het weet.'

'Wie is Dana?'

'Archies secretaresse. Best een lekker ding, maar niet helemaal mijn smaak.'

Jezus christus. Iemand bracht Archie Venice vier ton per maand. Geld dat hij verstopte in zijn doodskist. Het kon niet anders of de oude baas was verwikkeld geraakt in een of ander crimineel zaakje, maar Larry had niets in de gaten omdat hij in de agenda van Archies secretaresse had gelezen dat de man die zijn vader al dat geld bracht een adverteerder was...

'Tja,' zei Bud. 'Als het in Dana's agenda staat, moet het wel waar zijn. En nu ik erover nadenk: het lijkt me helemaal niet zo'n gek idee om al je geld in een doodskist te bewaren. Wie durft daar nou een poot naar uit te steken? Het zou respectloos zijn. Ja, misschien doe ik het ook wel: mijn eigen kist laten bouwen en daar al mijn geld in stoppen. Het enige wat ik dan nog nodig heb is een goed alarm. Welk type heeft je vader laten installeren?'

'Een alarm? Dat heeft hij volgens mij niet eens.'

'Echt niet?'

'Nee. De ingang naar mijn appartement is ook de bedrijfsingang.

Als er een alarm zou zijn, dan zou ik dat toch moeten uitschakelen met een of andere code?'

'Ja, dat zou inderdaad moeten.'

'Nou, dat hoef ik dus niet.'

'Al dat geld,' zei Bud. 'Zonder enige beveiliging... Is dat niet een beetje onverstandig?'

Larry staarde naar zijn toetje. Stukken banaan dreven rond in een mengsel van gesmolten ijs en chocoladesaus. 'Onverstandig? Ja, dat is het zeker. We hebben het dan ook over mijn vader. Het zou me niets verbazen als hij er een kick van krijgt: al die flappen in die kist, zonder dat iemand het weet. Maar kunnen we het nu weer over mijn film hebben? Ik heb het van tevoren liever niet over de winst. Dat zorgt alleen maar voor druk en dat moet ik niet hebben. Met druk kan ik slecht omgaan. Dat was vroeger al zo, op school.' Hij zweeg even. 'En dit hoef ik niet meer, Bud. Moet je zien. Het lijkt wel páp...'

Twee maanden geleden, toen Jack Farrell de man met het zwarte stekeltjeshaar had aangetroffen in zijn inloopkast, had hij op de een of andere manier het gevoel gehad dat hij heel boos moest worden, of op z'n minst iets mannelijks moest zeggen in de trant van: 'Klootzak, ik maak je af,' of: 'Als ik met je klaar ben, zul je er spijt van hebben dat je ooit bent geboren.' Maar hij voelde geen boosheid. Eerder een bevredigend soort kalmte die hem deed denken aan het gevoel dat hij als kind had gehad na het maken van een puzzel die in eerste instantie heel moeilijk had geleken, maar waarvan hij zich, zodra de stukjes eenmaal op hun plek lagen, had afgevraagd waarom hij niet eerder had ingezien hoe alles in elkaar paste.

Zijn moeder was minder kalm. 'Je hebt haar erúít gezet? Zie je wel. Het is dat werk van je. Daardoor heb je het gevoel dat iedere relatie bij voorbaat gedoemd is te mislukken.'

'Mam? Je hoorde toch wat ik zei? Ik kwam thuis en trof haar personal trainer naakt aan in de inloopkast.'

'Ja,' zei zijn moeder. 'Je weet er altijd weer een draai aan te geven waardoor het lijkt alsof het niet aan jezelf ligt. Verdorie, Jack. Kun je niet tegen haar zeggen dat je er spijt van hebt?'

Nee, dat kon hij niet.

Maar nu, zittend in de Cadillac en turend naar het inmiddels vrijwel lege restaurant aan de overkant van de straat, vroeg Farrell zich af in hoeverre hij inderdaad pessimistisch was over het hebben van een relatie. Hij had zichzelf altijd beschouwd als iemand met een bovengemiddelde tot goede intuïtie, maar na de ervaring met Elaine was hij aan zichzelf gaan twijfelen. In hoeverre kende hij zichzelf en drukte hij mindere evaringen voor het gemak naar de achtergrond van zijn bewustzijn? Waarom slaagde hij er niet in iemand te vinden die werkelijk bij hem paste? Welk genoegen schepte een vrouw als Elaine erin om in te trekken bij iemand van wie ze niet echt hield en diegene vervolgens te bedriegen? Had het überhaupt zin om over dit soort dingen na te denken, of kon je maar beter gewoon veel dóén en zo min mogelijk terugkijken?

Farrell schrok op uit zijn overpeinzingen toen er iemand naar buiten kwam uit de Tribeca Grill. Het was een man met een duur grijs pak en ravenzwart haar die leek op de tafelgenoot van Larry Venice. Ja, nu zag Farrell ook de littekens op de linkerhelft van zijn gezicht. Enkele seconden later kwam Larry zelf naar buiten, licht wankelend, alsof hij te diep in het glaasje had gekeken. In zijn ene hand had hij het doorzichtige mapje dat Farrell ook bij binnenkomst had gezien. Met zijn andere hand rommelde hij in de zak van zijn trainingsjack. Nu legde hij het mapje op het trottoir en doorzocht ook zijn andere jaszak. De man met het zwarte haar zei iets tegen hem. Larry schudde zijn hoofd, griste het mapje van het trottoir en verdween weer terug naar binnen.

Blijkbaar was hij iets vergeten.

20

Larry had verwacht dat hij na zijn bespreking met Bud in een flow zou zitten, maar dat zat hij niet. Hoewel de bespreking een succes was geweest en de verwezenlijking van zijn droom niet lang meer op zich zou laten wachten, voelde hij zich vanochtend allesbehalve lekker. Zijn hoofd deed pijn, hij was misselijk en het leek wel alsof hij zich de helft van wat er gisteravond was besproken niet meer kon herinneren.

Zoveel had hij toch niet gedronken? Of wel? Ja, misschien toch wel, want hoe was hij er anders in geslaagd zijn sleutels kwijt te raken in het restaurant? Zoiets belachelijks was hem nog nooit overkomen.

Toen hij bij het naar buiten gaan in zijn zakken had gevoeld en had gemerkt dat hij zijn sleutelbos miste, had hij zich aanvankelijk niet zoveel zorgen gemaakt. Hij wist vrijwel zeker dat hij zijn sleutels bij binnenkomst naast zijn bord had gelegd, zoals altijd wanneer hij uit eten ging. Maar eenmaal terug bij zijn tafel zag hij dat ze daar niet lagen. Zijn gesmolten toetje stond er nog wel, de tafel was nog niet afgeruimd. Larry begreep er niets van. Hij schoot de ober aan die hen de hele avond had bediend en vroeg de man of er misschien ergens een sleutelbos was gevonden. 'Een sleutelbos?' zei de ober. 'Nee, meneer, niet dat ik weet.' Larry vroeg de man of het mogelijk was dat zijn sleutels met de borden van hun hoofdgerecht waren meegenomen naar de keuken. De ober zei dat hem dat onwaarschijnlijk leek, maar vond het geen probleem even naar de keuken te lopen om het te vragen. Intussen merkte Larry dat het in zijn hoofd steeds meer begon te draaien. Hij wilde liggen. Naar bed. De ober kwam terug. Schudde zijn hoofd. Ook in de keuken was niets gevonden.

Larry zei: 'Ook niet bij de afwas?'

De ober zei: 'Er is niets gevonden, meneer. Echt niet. Het spijt me.'

Larry zocht onder de tafel, bij de bar en in de toiletten. Zonder resultaat. Was hij ze dan misschien onderweg naar het restaurant verloren? Hij ging weer naar buiten en zocht de straat af. Niets.

Uiteindelijk was hij door Bud naar huis gebracht, waar hij minstens vijf minuten had staan aanbellen voordat Rhonda zo goed was geweest haar nest uit te komen en de deur voor hem open te doen.

Nu was het negen uur 's ochtends.

Larry zat met een nat washandje op zijn voorhoofd op de bank, nipte van een kop citroenthee en keek naar *Tom & Jerry* op het Cartoon Network. Jerry had besloten naar Manhattan te gaan, maar hij vond het er helemaal niet leuk en aan het einde van het filmpje wilde hij weer naar huis omdat hij Tom miste. Larry begreep er geen reet van: die kat zat hem altijd achterna en toch wilde die muis bij hem in de buurt zijn?

Hij schudde zijn hoofd, zette de televisie uit en wachtte net zo lang totdat zijn maag het teken gaf dat hij zonder vervelende gevolgen kon opstaan. Vervolgens liep hij naar de keuken, slikte een paar Advils en pakte zijn bos met reservesleutels uit de I ❤ NEW YORK-mok op het aanrecht. Toen hij zeker wist dat zijn maag het zou houden, hees hij zich in zijn blauwe trainingspak, trok zijn gympen aan en keek in zijn portefeuille om te zien of hij voldoende cash had voor een taxi naar Tribeca.

Tijdens zijn achtjarige verblijf in de Fairton Federal Correctional Institution was Bud er algauw achter gekomen dat er in de gevangenis heel andere regels golden dan op een filmset en je lang niet altijd iets te kiezen had. Sommige dingen gebeurden gewoon, en als het eenmaal zover was, kon je niets anders doen dan je terugtrekken in een klein kamertje in je geest, om pas weer naar buiten te komen als een en ander voorbij was. Hoewel Bud in Fairton geen enge ziekten had opgelopen, was hij zich er terdege van bewust dat de extremiteiten van het gevangenisleven hem niet onberoerd hadden gelaten. Het was dan ook geruststellend af en toe te kunnen constateren dat ook mensen die nooit in de gevangenis hadden gezeten afwijkend gedrag konden vertonen.

Mensen zoals Larry Venice.

Het was vijf voor twaalf. Bud zat in een van de plastic tuinstoelen van Ruby-Beth Quattlander in de achtertuin van het huis in Carmel. De zon scheen en voor hem stond een smeuïg ontbijt: roerei met spek, een kop koffie en een glas verse jus. Van binnen, uit het huis, hoorde hij de klanken van de relirockzender waar Ruby-Beth en Nora iedere ochtend naar luisterden. Een vrouwenstem met een zuidelijk accent liet hem weten dat er voor iedereen een jezus was, echt waar, zolang je er maar voor bleef openstaan en niet zwichtte voor het Kwade. Bud had het nummer al eens eerder gehoord. Destijds had hij de tekst afgedaan als totale onzin, maar misschien zat er toch een kern van waarheid in en was Larry Venice niemand minder dan zijn persoonlijke – zij het volledig geschifte – jezus, hem toegezonden door een comité van wijze heren daarboven, dat had besloten dat het hoog tijd was dat er weer eens iets positiefs gebeurde in zijn leven.

Kauwend op zijn ei en genietend van de zon gingen zijn gedachten voor de zoveelste keer terug naar gisteravond, zijn etentje met Larry.

Welke gek bewaarde vierhonderdduizend dollar in een doodskist?

Archie dus.

Vierhonderdduizend of meer, want volgens Larry kwam Marco – de adverteerder die natuurlijk helemaal geen adverteerder was – iedere laatste vrijdag van de maand langs met een koffer vol contanten.

Vanaf het moment dat Larry was begonnen over Archies geld had Bud maar aan één ding gedacht: hoe kom ik daar ongemerkt binnen? Het had niet lang geduurd of zijn blik was gevallen op Larry's sleutelbos. Het kon bijna niet anders of de bos bevatte de sleutel van het Venice Pictures-pand.

Al wat hem te doen stond, was een truc verzinnen om Larry de sleutel te ontfutselen, die zonder dat de locatiescout het merkte weer aan hem terugbezorgen en vervolgens een geschikt moment kiezen om naar binnen te gaan bij Venice Pictures, het liefst 's nachts, als iedereen sliep en hij de minste kans liep om te worden betrapt. Hij zou naar binnen gaan, die kist legen en aan een nieuw leven beginnen.

Maar eerst de sleutels.

Terwijl Larry doorratelde over zijn film – 'Weet je wat ik me net realiseer, Bud? We hebben het er nog helemaal niet over gehad wie Lydia gaat spelen. De vrouwelijke hoofdpersoon...' – kreeg Bud een idee.

De man was locatiescout. Hij was ijdel. Wat als Bud zou zeggen dat hij een locatie op het oog had voor Larry's film? Niet in New Orleans, maar hier in New York, ergens in een park, een plek waarvan niemand zou weten dat-ie niet in Louisiana lag, maar in The Big Apple? Het park zou ver genoeg uit de buurt moeten liggen, zodat Bud er zeker van was dat Larry met de auto kwam. Dan, tijdens het inspecteren van de locatie, zou Bud zich plotseling herinneren dat hij een boodschap moest doen voor zijn vriendin. Beter nog: voor zijn schoonmoeder. Hij zou zeggen dat hij met de trein was gekomen en vragen of hij Larry's auto even mocht lenen, terwijl Larry zelf rondkeek in het park en inschatte welke plekken bruikbaar waren voor zijn film. Vervolgens zou hij naar de dichtstbijzijnde sleutelmaker in het winkelcentrum rijden, een duplicaat laten maken van alle sleutels aan de bos en terugrijden naar het park om Larry een veer in zijn reet te steken vanwege alle mooie plekken die hij intussen had uitgezocht.

Bud wachtte op een geschikt moment en vroeg of Larry morgenavond tijd had.

Larry zei: 'Morgenavond? Een locatie bekijken? Ik weet het niet, Bud. Ik heb je toch verteld dat ik morgenavond moet steengrillen.'

'Je hebt gezegd dat je váder morgen gaat steengrillen met het bedrijf. Niet dat jij ook meegaat.'

'Maar zo is het wel, Bud. Het moet. Volgens die ouwe werkt teambuilding alleen als iedereen meedoet. Geloof me, ik heb vaak genoeg geprobeerd me in mijn appartement te verstoppen en net te doen alsof ik er niet was, maar dan komt hij me gewoon halen. Hij gaat voor mijn deur staan en zegt: "Kom naar buiten, Larry. Ik weet dat je daar bent." Alsof ik een of ander klein kind ben dat niet wil luisteren.'

Bud zei: 'Iedereen moet mee? Maar wie blijft er dan thuis?'

Daar moest Larry om lachen. 'Wie er thuisblijft? Niemand natuurlijk. Dat lijkt me duidelijk. Want als iedereen weggaat, nou ja, dan blijft er toch niemand over?'

Op dat moment zag Bud af van zijn plan met de locatie. Morgenavond zat het hele bedrijf te steengrillen in Brooklyn en zou er niemand aanwezig zijn in het Venice Pictures-pand. Dat betekende dat hij de sleutels nú nodig had. Meteen. Deze kans was gewoonweg te mooi om voorbij te laten gaan.

Larry zei: 'Maar wacht eens even, ik kan natuurlijk ook gewoon weggaan voordat mijn vader me komt zoeken. Als ik er niet ben, dan kan niemand me dwingen om mee te gaan.'

'Dat klopt,' zei Bud. 'Als je er niet bent, kan niemand je ergens toe dwingen. Misschien moet je dat gewoon een keer doen: ruim van tevoren weggaan. Geloof me, Larry, ik weet als geen ander hoe dominant je vader kan zijn. Als je niet aangeeft waar je grenzen liggen, dan walst hij als een bulldozer over je heen.'

'Ja,' zei Larry, terwijl hij wijn morste op het tafelkleed. 'Jou hoef ik natuurlijk niets te vertellen over onrecht.'

Bud moest een halfuur wachten. Toen stond Larry op en zei dat hij even naar het toilet moest. Bud keek om zich heen. Verzekerde zich ervan dat geen van de andere gasten noch de ober op hem lette, griste de sleutelbos van tafel en liet hem achteloos in de binnenzak van zijn Armani-jasje glijden.

Pas bij het naar buiten gaan merkte de mafkees dat hij iets miste.

Hij ging terug naar binnen, om even later met een moeilijk gezicht weer naar buiten te komen. 'Ze zijn weg. Ik snap er niets van. Hoe kan ik nou mijn sleutels kwijtraken in een restaurant?'

Terwijl Larry de straat begon af te zoeken, zei Bud dat hij zich niet kon herinneren dat Larry een sleutelbos op tafel had gelegd.

Larry zei: 'Nee?'

'Echt niet,' zei Bud. 'Maar misschien is het een teken van God dat je ze kwijt bent en wil Hij ervoor zorgen dat je niet net als ik stomdronken in de auto stapt en daardoor je roeping mist. Kom, ik breng je wel thuis. Ik neem aan dat je daar een setje reservesleutels hebt.'

Een halfuur later zag Bud vanuit de Subaru hoe Larry aanbelde bij het Venice Pictures-pand in 22nd Street.

Daarmee werd zijn laatste restje twijfel weggenomen.

Het kon niet anders of de sleutel van de voordeur zat aan de bos die hij in het restaurant achterover had gedrukt.

21

Eerder die ochtend, toen Larry naar buiten kwam in hetzelfde blauwe trainingspak dat hij de dag ervoor had gedragen, dacht Farrell: vandaag is mijn geluksdag. Hij hoopte dat Larry aan het werk zou gaan, liefst ergens buiten, waar voldoende plekken waren om hem in de gaten te houden zonder de hele dag in de Cadillac te hoeven zitten en net als gisteren langzaam murw te worden gebeukt door de brandende zon.

Maar Larry ging niet aan het werk.

Hij nam een taxi naar Greenwich Street, haalde zijn busje op en reed rechtstreeks terug naar Venice Pictures. Nadat hij het busje in de garage onder het pand had gezet, verdween hij weer naar binnen.

Farrell, die net als gisteren schuin tegenover het pand stond geparkeerd, kon niets anders doen dan een nieuw blikje Liptonice opentrekken en zich opmaken voor wederom een lange, slopende dag. De vochtigheidsgraad was nog hoger dan gisteren, de hemel strakblauw en ondanks het vroege tijdstip – halfeen – gaf de thermometer in de auto al eenendertig graden aan.

Eenendertig graden. Farrell probeerde er niet aan te denken dat deze temperatuur al was bereikt terwijl de Cadillac nog in zijn geheel in de schaduw stond.

Om niet aan de komende uren te hoeven denken, sloot hij zijn ogen en probeerde zich in gedachten te verplaatsen naar gisteravond, toen hij met zijn hoofd tegen de blauwbetegelde muur van de doucheruimte geleund het zweet van de dag van zich af had gespoeld – nog altijd verbaasd dat Larry erin was geslaagd zijn autosleutels kwijt te raken in een restaurant en dat de man met de littekens op zijn gezicht die hem had thuisgebracht rondreed in een met roestvlekken bespikkeld wrak dat totaal niet paste bij zijn dure pak.

De herinnering aan het koude water dat op zijn rug kletterde, was zo prettig dat Farrell er enkele seconden over deed om te beseffen dat het getik dat even later tot hem doordrong niet afkomstig was van zijn fictieve douche, maar van iemand die tegen het zijraampje van de Cadillac klopte.

Farrell keek op en was zijn nachtelijke douche op slag vergeten toen hij aan de andere kant van het glas de groene ogen van Dana Evans naar hem zag lachen. Hij drukte op een knop en het zijraampje ging omlaag. De geur van uitlaatgassen en een vleugje parfum dreven de auto binnen.

Dana keek, nog altijd vagelijk glimlachend, naar het blikje frisdrank in zijn hand. Ze zei: 'Dus zo ziet het leven van een privédetective eruit. Urenlang in de auto zitten en blikjes Liptonice drinken.'

Farrell zuchtte. 'Je hebt me betrapt. Nu kan ik nooit meer proberen indruk op je te maken door net te doen alsof mijn werk uiterst spannend is.'

Ze schonk hem een quasiverbaasde blik. 'Zo saai kan het toch niet zijn? Je drinkt vast weleens iets anders dan ijsthee.' En lachte weer naar hem op een manier die hem een gevoel bezorgde dat tegelijkertijd prettig en licht ongemakkelijk was.

Ze droeg vandaag een zwart rokje en een blouse met fleurige bloemetjes erop, de bovenste twee knoopjes open. Farrell keek toe terwijl ze zich vooroverboog, haar polsen op de rand van het portier legde en het interieur van de Cadillac inspecteerde. Haar ogen bleven even rusten op de cd van Tom Petty & The Heartbreakers die op het matje voor de passagiersstoel lag. Toen zei ze: 'Ik weet dat je er niet over mag praten, maar even uit nieuwsgierigheid: volg je Larry vanwege dat gedoe met zijn vriendin van vorige week of is er een andere reden?'

Farrell dacht: shit. Hij zei: 'Waarom denk je dat ik Larry volg?'

'Is dat dan niet zo?'

Op die laconieke toon van haar, zonder een moment het oogcontact te verliezen.

Farrell ging verzitten. 'Archie wil dat het geheim blijft, dus doe me alsjeblieft een lol. Hoe heb ik mezelf verraden?'

'Het was eigenlijk meer toeval,' zei ze, en wees naar een donkerbruin geveltrapje zo'n tien meter verderop. 'Ik zat daar in de zon te lunchen toen ik Larry zag aankomen in zijn busje. Vlak daarachter reed jij. Sinds Larry naar binnen is gegaan, heb je de ingang niet uit het oog verloren.' Ze zweeg even en glimlachte. 'Maar eigenlijk wist ik het pas echt zeker toen ik twee minuten geleden die foto's van Larry en Amanda op je passagiersstoel zag liggen.'

Farrell keek naar beneden, naar de foto's van Larry en zijn vriendin, die er al sinds gisteren lagen en die hij helemaal was vergeten.

Hij zei: 'Ben ik even blij dat ik niet voor een baas werk. Dan zou dit waarschijnlijk het moment zijn waarop ik te horen kreeg dat iedereen heel tevreden over me is, maar dat ik ondanks mijn geweldige prestaties mag gaan uitkijken naar een nieuwe uitdaging...'

Hij was grappig. De manier waarop hij haar had gevraagd niets tegen Archie te zeggen, zonder dat hij zich er werkelijk zorgen over leek te maken dat ze dat zou doen.

Archie wil dat het geheim blijft, dus doe me alsjeblieft een lol.

Alsof hij haar wilde laten weten dat hij haar vertrouwde, ook al kende hij haar nauwelijks. Of was het haar verbeelding en was hij gewoon nonchalant van aard? Ze wilde erachter komen of hij een vriendin had en dacht na over een subtiele opmerking, iets waardoor ze het te weten zou kunnen komen zonder er direct naar te vragen, maar ze kon niets bedenken. Hij keek haar nog altijd aan, grijnzend om haar opmerking over de foto's – of om iets anders. Ze kon het niet met zekerheid bepalen.

'En?' zei ze uiteindelijk. 'Moet je Larry overal volgen?'

Hij schudde zijn hoofd. 'Het is mijn taak ervoor te zorgen dat hij niet in de buurt van zijn ex-vriendin komt.'

'Is Archie bang dat hij haar iets aandoet omdat ze hem heeft gedumpt?'

'Ik betwijfel het.'

'Je betwijfelt of Archie er bang voor is, of dat Larry haar iets zal aandoen?'

'Beide. Ik geloof dat Archie er voornamelijk zeker van wil zijn dat hij de politie niet over de vloer krijgt. Volgens mij heeft hij me daarom ingehuurd, als een soort voorzorgsmaatregel. Hoe dan ook: over drie weken zit mijn werk erop. Dan gaat hij naar Hawaï.'

'Wie? Archie?'

'Nee, Larry. Hij gaat een tijdje bij zijn moeder wonen. Archie hoopt dat hij op het strand een nieuwe vriendin vindt.'

'En tot die tijd moet jij hem volgen?'

'Zo ongeveer. Tussen een uur 's nachts en acht uur 's ochtends heb ik vrij. Archie zei dat Amanda tijdelijk bij haar vader woont, een marinier voor wie Larry als de dood is. De kans dat hij haar midden in de nacht thuis zal lastigvallen is dus klein.'

'Ja, dat lijkt me ook. Larry is niet bepaald een held, als het erop aankomt.' Ze zweeg even. 'En? Bevalt het tot nu toe? Een betaald inkijkje in de porno-industrie?'

'De meeste tijd zit ik met een blikje frisdrank in de auto, zoals je zelf al constateerde.'

'Maar?'

'Maar je hebt gelijk: ik steek er het nodige van op. Ik had bijvoorbeeld geen idee dat er zoiets bestond als een locatiescout voor pornofilms.'

Ze glimlachte. 'Die functie bestaat ook niet. Het is iets wat Archie heeft verzonnen om Larry van de straat te houden en hem een doel te geven, iets om mee bezig te zijn. De regisseurs weten ervan en spelen het spel mee. Ze geven hem een compliment als hij iets aardigs verzint en milde kritiek wanneer hij er weer eens een zootje van maakt. Het komt vrijwel nooit voor dat ze zijn locaties ook werkelijk gebruiken. Daarvoor hebben ze een database met huizen van particulieren. Die zijn voor dagdelen of hele dagen af te huren. Heel makkelijk allemaal.'

Farrell fronste zijn wenkbrauwen. 'Maar als Larry's locaties nooit worden gebruikt, dan komt hij daar toch achter?'

'Als hij de films waarvan hij denkt dat hij eraan heeft meegewerkt zou bekijken, dan zou hij er inderdaad achter komen, ja. Maar dat doet hij nooit. Hij heeft het veel te druk met het verzinnen van ideeen voor eigen films. Het is Larry's droom zelf een pornofilm te maken. Ooit.'

'En jij? Hoe ben jij in deze business terechtgekomen?'

Ze stond op het punt antwoord te geven, maar realiseerde zich toen dat dit haar opening was. De kans waarop ze had gewacht.

Ze deed alsof ze heel diep nadacht, keek op haar horloge en zei: 'Dat is een lang verhaal. Te lang om in drie minuten te vertellen, en binnen die tijd moet ik weer achter mijn bureau zitten. Maar als je zin hebt om vanavond wat met me te gaan drinken, zal ik het je vertellen. De onverkorte versie.'

'Vanavond? Tja, ik weet niet of...'

Bezet. Dus toch. Ze zag hem worstelen, op zoek naar een passende reactie – iets wat haar niet onnodig zou kwetsen – en besloot hem een handje te helpen. 'Laat maar. Je hebt al een afspraak. Ik had het kunnen weten.'

Hij schudde zijn hoofd. 'Het punt is... ik weet niet of dat zal gaan, ergens iets drinken, gezien mijn werktijden. Tenzij je er geen probleem mee hebt om na een uur 's nachts af te spreken.'

Zijn werktijden. Natuurlijk. Shit, ze was lekker bezig.

Hij zei: 'Maar er zit een uitstekend Thais afhaalrestaurant in de Village. Dus als je er geen moeite mee hebt in de auto te eten en wat drank betreft afhankelijk te zijn van lauwe blikjes ijsthee...'

Dana zag hem glimlachen en wilde net gaan zeggen dat ze Thais op het dashboard een uitstekend plan vond, toen ze vanuit haar ooghoek een beweging waarnam.

Ze keek op, zag de deur van het Venice Pictures-pand openzwaaien, en daar was Larry, knipperend met zijn ogen tegen het felle zonlicht, met in zijn ene hand een flesje water en in de andere een notitieboekje.

Dana zei: 'Ik verheug me op de lauwe ijsthee, Jack. Maar zo te zien moet je nu weer aan het werk.'

22

Om kwart voor een was het relirockuurtje voorbij. Ruby-Beth gaf de planten in de tuin water en Bud liep met zijn lege ontbijtbord het huis binnen. Hij had zin in een nummertje, maar dat zou er niet van komen, want toen hij de woonkamer binnenkwam, zag hij dat Nora weer zat te schaken. Ze stond inmiddels honderdvierentwintigste in level twee en was vastbesloten voor het eind van de week door te dringen tot het hoogste level.

Bud begreep niet hoe ze het volhield om uren voor dat kleine computerscherm te zitten en mensen te verslaan die ze niet eens kon zien, laat staan kende. Eén keer, vlak na zijn vrijlating uit de gevangenis, had hij haar gevraagd waar haar fascinatie voor het spel vandaan kwam. Nora had gezegd dat ze het cool vond een zet te doen en vervolgens, zonder dat ze zelf een knopje hoefde in te drukken, het bord te zien veranderen omdat degene die tegen haar speelde ook een zet had gedaan. Het was net magie, zei ze, al wist ze natuurlijk ook wel dat het eigenlijk heel normaal was, gezien al die moderne technieken van tegenwoordig en zo...

Hoewel Bud het jammer vond dat Nora verdiept was in haar spel, besloot hij dat het misschien zo was voorbestemd, en dat het veel bevredigender zou zijn om haar pas vannacht alle hoeken van de kamer te laten zien. Zodra zijn kleine expeditie erop zat en zijn lustgevoelens nog eens extra zouden worden aangewakkerd door de nabijheid van een sporttas gevuld met minimaal vierhonderdduizend dollar in contanten.

Bud liet zich onderuitzakken op de bank, zette de televisie aan en viel midden in een herhaling van de *Late Show*. David Letterman liet het publiek een *Architectural Digest* zien met daarin foto's van het nieuwe huis van Jennifer Aniston. De actrice, die ernaast zat in een mouwloos zwart jurkje, glimlachte zonder ophouden en beschreef haar huis desgevraagd als 'sexy-comfortabel'. Bud keek naar alle kruisbeelden en oude meubels om hem heen en vroeg zich af hoe Jennifer dit huis zou beschrijven.

Religieus-gedateerd?

Ja, maar niet voor lang, want morgen was hij rijk en konden ze de boel hier eens flink gaan aanpakken.

'*Yes*,' zei Nora. 'Jij bent er geweest, ventje.'

Bud grijnsde. 'Heb je weer iemand verslagen?'

Ze keek op, een uitdrukking van verbazing op haar gezicht. 'Hé, hoe lang zit jij hier al? Ik dacht dat je nog sliep.'

'Welnee, ik ben al een uur wakker. Ik heb in de achtertuin ontbeten, zodat ik niet naar die relirock van je moeder hoefde te luisteren. Hoe dan ook: denk je dat ik vandaag nog een keer haar auto zou kunnen lenen? Mijn bespreking gisteren was zo'n succes, dat –'

'O, god,' zei Nora, terwijl ze verschrikt een hand voor haar mond sloeg. 'Je bespreking. Dat ben ik helemaal vergeten te vragen.'

'Geeft niets, lieverd. Ik had het je zelf ook kunnen vertellen, maar ik wilde je niet storen terwijl je aan het schaken was. Waar het op neerkomt, is dat het er allemaal heel goed uitziet en daarom moet ik vandaag weer naar Manhattan.'

'Dus hij gaat er echt komen? De nieuwe Bud Raven?'

'Met films weet je het maar nooit. Maar zoals ik al zei: het ziet er goed uit.'

'O, Bud, wat spannend. Mag ik weten waar-ie over gaat?'

Bud schudde zijn hoofd. 'Dat is een heel verhaal, lieverd. Ik vertel het je later wel. Ik zou niet willen dat je hoofd straks vol zit en je dankzij mij niet naar het volgende level gaat.'

Daarnet, toen Dana Evans hem erop had gewezen dat Larry naar buiten was gekomen, had Farrell gehoopt dat Larry een stukje zou gaan rijden. Maar dat deed hij niet. Terwijl Dana de straat overstak, had de locatiescout een plekje uitgezocht op het geveltrapje voor de ingang en het zich gemakkelijk gemaakt.

Hij zat daar nu al ruim een kwartier, met het notitieboekje op zijn knie. Het grootste deel van de tijd staarde hij een beetje afwezig voor zich uit. Af en toe nam hij een slok uit het flesje water dat naast hem op het trapje stond.

Farrell had het raampje aan de passagierskant open laten staan, maar veel hielp het niet – het bleef warm, zelfs in de schaduw – en dus restte hem weinig anders dan de situatie te accepteren en zich te concentreren op de meer positieve zaken des levens: een honorarium van achttienduizend dollar en een etentje met Dana Evans.

Zijn telefoon ging.

Een man die Jerald Truitt heette vroeg of hij hem wilde helpen zijn vriendin te betrappen met haar leraar Spaans. Hij zei zeker te weten dat ze vreemdging, omdat er steeds als ze terugkwam van haar avondcolleges sporen van sperma in haar ondergoed te zien waren.

Farrell zei: 'Ik zit de komende drie weken vol. Maar als je het al zeker weet, en je bent niet met haar getrouwd, waarom zou je mij dan inhuren om het te bewijzen?'

Na een korte stilte zei de man: 'Hé, ja, dat is een goede vraag. Zo had ik het nog niet bekeken. Bedankt, man.'

'Niets te danken,' zei Farrell. Hij stopte zijn telefoon weg, keek naar de overkant van de straat en zag nog net dat een ietwat gezette vrouw van rond de dertig met grote passen naar de ingang van Venice Pictures beende. De vrouw had hoogblond haar, droeg witte tennisschoenen en een paars jurkje, en als Farrells intuïtie hem niet in de steek liet, was ze ergens heel erg boos over.

Larry kon het niet uitstaan. Vanochtend was hij ondanks zijn hoofdpijn blij geweest vanwege zijn succesvolle bespreking met Bud, maar nadat hij was thuisgekomen met het busje, had de twijfel toegeslagen. Er zat hem nog altijd iets dwars. Iets wat te maken had met het verhaal voor zijn film. Het was iets kleins, dat wist hij zeker, maar juist omdat het iets kleins was, maakte het hem gek dat hij er niet in slaagde de vinger op de zere plek te leggen.

Met een toenemend gevoel van frustratie staarde hij naar het onbeschreven vel papier van het notitieboekje dat op zijn knie rustte.

Hij had gedacht dat hij hier, buiten in de frisse lucht, sneller een oplossing voor zijn probleem zou vinden dan binnen, waar de airco hem een schrale keel bezorgde, maar nee: er kwam niets in hem op.

Beneden zich hoorde hij een geluid.

Hij keek op van zijn notitieboekje en zag een blonde vrouw in een paars jurkje op hem af komen. De vrouw zag er woedend uit en toen haar blik de zijne kruiste, was hij heel even bang dat ze hem zomaar, zonder reden, zou gaan slaan.

Dat gebeurde niet.

In plaats daarvan liep ze zonder iets te zeggen langs hem heen en belde aan.

Toen Dana hem om tien voor een meldde dat ze Kevin Tingwald aan de lijn had, moest Archie zijn best doen zich in te houden en niet heel erg te gaan vloeken. Hij stond op het punt aan zijn lunch te beginnen – een smakelijk uitziende kom vruchtenyoghurt – en had helemaal geen zin om met Kevin te praten. Maar toen bedacht hij zich – van uitstel kwam afstel – en zei: 'Oké, Dana, verbind hem maar door. Maar zeg hem dat ik slechts één minuut heb.'

Een paar seconden later hoorde hij de beverige stem van Kevin zeggen: 'Arch? Sorry dat ik je stoor, maar ik was vanochtend op de set en toen hoorde ik het gerucht dat je me morgen gaat ontslaan. Ik zeg het maar meteen, want ik geloofde het natuurlijk niet, maar ik weet dat we maandag ons gesprek hadden over die filmtitels en dat je niet meer wilt worden aangeklaagd en zo, en, nou ja, ik kan niet ontkennen dat ik een beetje zenuwachtig werd toen ik het hoorde.'

Met zijn lepel viste Archie een halve aardbei uit zijn yoghurt en stopte die in zijn mond. 'Het is geen gerucht, Kevin. Wat je hebt gehoord, is waar. Ik ben bang dat ik je moet laten gaan.'

'Ja, maar... maar ik zou morgen om vier uur toch langskomen om erover te praten?'

De aardbei smaakte goed. Archie roerde met zijn lepel in de yoghurt, op zoek naar een volgende. Hij zei: 'Er valt niets te bespreken, Kev. Je bezorgt me meer hoofdpijn dan goede films. Die titelkwestie van afgelopen maandag was de spreekwoordelijke druppel.'

'Dit kun je me niet aandoen, Archie. Ik heb nagedacht en –'

Archie fronste zijn wenkbrauwen. Hoorde hij gestommel op de gang?

Het volgende ogenblik zag hij vanuit een ooghoek de deur van zijn kantoor opengaan en hoorde hij de stem van Dana Evans zeggen: 'Wacht. Je kunt daar niet zomaar naar binnen lopen. Archie is aan de telefoon.'

Kevin zei: 'Archie?'

Er kwam een blonde vrouw in een paars jurkje binnen, op de voet gevolgd door zijn receptioniste. De vrouw met het paarse jurkje zag er woedend uit en het duurde niet lang of Archie besefte dat het de actrice was van afgelopen maandag, Tiffany Love. Ze kreeg hem in het oog, zwaaide woest met een stapeltje papieren en zei: 'Jij smerig oud fossiel. Ik heb veel meegemaakt, maar jij? Jij spant de kroon. Ik geef je een beurt van twintig minuten en dan kom je met dít?'

Dana zei: 'Sorry, Archie. Ze rende zo langs me heen. Ik kon haar niet tegenhouden.'

Archie stak een hand op naar Dana, bracht zijn mobieltje naar zijn oor en zei: 'Kevin? Ik kan niet langer met je praten, ik moet ophangen. Ik wens je veel succes met het vinden van een andere werkgever.'

Kevin zei: 'Een andere werkgever? Nee, Arch, dit laat ik niet over zijn kant gaan. Ik –'

Archie verbrak de verbinding, legde zijn telefoon op het bureau en spreidde in een verzoenend gebaar zijn armen. 'Tiffany...'

De actrice beende naar zijn bureau en smeet de papieren midden in zijn kom met yoghurt. 'Nou? Wat heb je hierop te zeggen?'

Archie keek naar het stapeltje papieren in zijn lunch. Vervolgens wendde hij zich tot zijn receptioniste en zei: 'Ga maar verder met je werk, Dana. Alles is oké.'

'Alles is helemaal niet oké,' zei Tiffany Love met overslaande stem. Ze wees met een van haar gele nepnagels naar de papieren in zijn yoghurt. 'Ik vroeg je wat je hierop te zeggen hebt.'

Archie wachtte tot Dana de deur achter zich had dichtgedaan, keek de actrice fronsend aan en zei: 'Ik geloof niet dat ik je opwinding helemaal begrijp. Toen je hier gisteren was, zei je dat je overal voor openstond.'

'Ja,' zei Tiffany. 'Dat heb ik inderdaad gezegd. Maar dit is een contract voor een baan als schoonmaakster.'

Met duim en wijsvinger viste Archie het contract uit zijn yoghurt en schoof het over het bureau in de richting van de actrice. Hij zei: 'Luister. Ik begrijp dat dit misschien niet is wat je had verwacht. Maar geloof me: er zijn heel wat meiden die hier als schoonmaakster zijn begonnen en nu fulltime voor me werken. Angie Stone, Xandra Nice... Allemaal met een toiletborstel in de hand begonnen en daarna doorgegroeid.'

'Ze zijn *doorgegroeid*?'

'Ja,' zei Archie. 'Geloof het of niet, maar het komt in dit werk regelmatig voor dat er ergens een actrice uitvalt. Als we dan haast hebben en er is niemand anders in de buurt...'

Het linkerooglid van de actrice begon te trillen.

Archie, die weinig zin had om die gele nagels op zijn huid te voelen, zei: 'Maar goed, ik kan je natuurlijk niet dwingen om te tekenen.'

'Als ik wil doorgroeien,' brieste de actrice, 'dan kan ik net zo goed bij Wal-Mart blijven. Daar zegt Edward, de interim-manager, ook steeds tegen me dat er legio mogelijkheden voor me zijn als ik tussen de middag mijn lunch wil overslaan en op mijn knieën onder zijn bureau wil komen zitten om hem een beetje te compenseren voor zijn klotehuwelijk.'

Ze deed een stap naar voren, trok de kom met yoghurt naar zich toe en keerde hem, nog altijd briesend van woede, om op het bureau. Vervolgens draaide ze zich om en liep met grote passen naar de deur.

'Jeetje,' zei Archie. 'Het lijkt wel of iederéén vandaag boos is.'

23

Larry was er nog altijd niet achter wat hem dwarszat aan het verhaal van zijn film. Had het te maken met het einde? En zo niet: waarom bleef de scène waarin Lydia werd onthoofd met de zeis dan almaar bij hem terugkomen? Bud had dan wel gezegd dat het einde oké was, maar Bud was ook maar een mens en het was Larry's film, híj was de eindverantwoordelijke...

Achter zich hoorde hij de voordeur van het Venice Pictures-pand open- en dichtgaan. Een ogenblik later klonk er gesnik en zag hij een paars jurkje en een paar witte tennisschoenen voorbijkomen. Heel even was hij in verwarring gebracht, maar toen wist hij het weer: dit was de vrouw die hem een minuut of wat geleden briesend van woede was gepasseerd. De vrouw van wie hij even had gedacht dat ze hem zou gaan slaan.

Halverwege het geveltrapje bleef ze staan en ritste haar handtas open.

Nu pas zag Larry dat haar gezicht helemaal onder de zwarte vegen zat. Hij keek verder, meer naar beneden, en zag nog iets anders, iets wat hem daarnet nog niet was opgevallen: de vrouw had een paar stevige borsten en een heel behoorlijk achterwerk. Een beetje hoekig, zoals dat van Amanda.

De vrouw vloekte – kennelijk vond ze niet wat ze zocht –, ritste haar handtas dicht en begroef haar gezicht in haar handen. 'Ik weet het niet meer. Ik weet gewoon niet meer wat ik moet beginnen.'

Larry staarde gefascineerd naar haar achterwerk. 'Misschien kan ik je ergens mee helpen?'

De vrouw draaide zich om. 'Niemand kan mij helpen. Niemand wil me...'

'Niemand?' zei Larry, terwijl hij zijn notitieboekje in zijn achterzak stopte en overeind kwam. 'Dat lijkt me sterk.'

De vrouw gebruikte haar handpalm om een laagje snot van haar bovenlip te vegen en snikte zachtjes verder.

'Wat is er gebeurd?' zei Larry. 'Ben je soms afgewezen voor een of andere rol?'

De vrouw begon nog harder te snikken. 'Zie je wel? Ik straal het uit.'

'Wacht nou eens even,' zei Larry. 'Hoe heet je eigenlijk?'

Ze snoof. 'Ik heet Tiffany.'

'Oké, Tiffany. Laat me je een ding zeggen. Je straalt helemaal níéts uit. Niets negatiefs, bedoel ik. Je bent een schoonheid, zelfs met al die zwarte vegen op je gezicht, en geloof me: je bent niet de enige die zonder reden wordt afgewezen door mijn vader.'

'Je vader? Is dat wandelende fossiel familie van je?'

Larry knikte. 'Hij wil me verbannen naar Hawaï. Maar ik ga niet.'

De vrouw fronste haar wenkbrauwen en maakte aanstalten om door te lopen. Snel stak Larry zijn hand in de zak van zijn trainingsjack. 'Was je daarnet op zoek naar iets om je gezicht mee schoon te maken? Ja, hè?' Hij haalde een verfrommeld servetje van de Burger King tevoorschijn. 'Hier. Gebruik dit maar. Ik weet zeker dat je je daarna een stuk beter voelt.'

Tiffany pakte het servet aan, mompelde een bedankje en begon ermee over haar gezicht te wrijven.

'Oeps,' zei Larry. 'Dat was niet zo'n goed idee. Nu ben je helemáál zwart. Maar je hebt geluk: mijn appartement is hierboven. Dus als je behoefte hebt aan een wastafel en een spiegel om je even op te frissen...'

'Je appartement? Maar ik ken je niet eens.'

Larry haalde zijn schouders op. 'Ik ben Larry Venice. Achtentwintig jaar, bijna negenentwintig. Geboren en getogen in New York. In dienst bij Venice Pictures, maar bezig aan een carrièreswitch waar ik voorlopig niets over kan zeggen. Ik val op blonde vrouwen zoals jij en heb een hekel aan steengrillen, rotsklimmen en mensen die te laat komen. Zo, nu ken je me. Ga je mee?'

Tiffany keek naar haar vingers, die helemaal zwart waren. Toen zei ze: 'Val je echt op blonde vrouwen of was dat een grapje?'

De vermoeid ogende verkoper van Empire Power Tools zei tegen Bud dat hij met de Stihl MS 250 C-BE het beste van het beste in huis haalde. Vervolgens keek hij om zich heen, alsof hij zich ervan wilde vergewissen dat zijn baas niet in de buurt was, en voegde eraan toe: 'Maar onder ons gezegd en gezwegen: als je alleen maar iets nodig hebt om hout voor de open haard te zagen, dan kun je net zo goed de MS 180 C-BE nemen, het *best for the money*-model. De MS 180 is een praktische lichtgewicht en is net als de MS 250 uitgerust met het Easy2start-systeem, zodat je niet meer tijd kwijt bent aan het op gang krijgen van je materiaal dan aan het zagen zelf.'

Bud zei: 'Welke is de MS 180? Die oranje?'

'Ja,' zei de verkoper. 'Ik heb hem zelf ook. Het is een echte topper.'

Bud keek naar de kettingzaag, een afzichtelijk ding dat volgens het prijskaartje tweehonderdnegenentwintig dollar en vijfennegentig cent kostte.

De verkoper zei: 'Ik weet het. Het is een hele smak geld. Maar dan heb je ook wat.'

Bud dacht aan Archies doodskist. Het kon bijna niet anders of er zou een slot op zitten vanwege al dat geld. Hij zei: 'Oké, ik neem hem.'

Tien minuten later liep hij met de kettingzaag in een grote kartonnen doos over het parkeerterrein naar zijn auto. De zon scheen nog feller dan gisteren en hij voelde zijn littekens branden. Hij opende de kofferbak van de Subaru en legde zijn aankoop op een geruite deken, vlak naast de canvas tas met Larry's sleutelbos en Ruby-Beths Beretta erin.

Vervolgens sloot hij de auto af, liep naar de overkant van de straat en ging een Taco Bell binnen voor een snelle lunch.

Ze waren nu in Larry's appartement.

Tiffany friste zich op in de badkamer terwijl Larry thee zette in de keuken en tegelijkertijd probeerde met behulp van een blok ijs uit de vriezer van zijn stijve af te komen. Na vijf minuten riep Tiffany dat ze klaar was en even later hoorde hij haar tennisschoenen piepgeluiden maken op het parket in de woonkamer. Ze stelde hem een paar vragen over het meubilair, waarop Larry haar het antwoord schuldig moest blijven omdat niet híj maar Archie het appartement had laten inrichten en hij geen idee had waar alles vandaan kwam.

Toen hij even later met twee dampende mokken thee uit de keuken kwam, stond Tiffany met haar rug naar hem toe bij de open haard naar een rijtje ingelijste foto's te turen.

Larry bleef een ogenblik in de deuropening staan om haar achterwerk te bewonderen. Toen liep hij naar haar toe en zei: 'Voilà. De hoogtepunten uit de carrière van Larry Venice.'

'Dat dacht ik al,' zei Tiffany, terwijl ze zich omdraaide en hem een warme glimlach schonk.

Larry knipperde met zijn ogen. Nog altijd kon hij niet bevatten dat ze er zo vlot mee had ingestemd met hem mee te gaan naar boven. *Val je echt op blonde vrouwen*? Ja, natuurlijk...

Eerst al die mazzel met zijn film, en nu dit.

Het viel hem op dat hoe langer hij met Tiffany praatte, hoe meer ze op Amanda begon te lijken. Zelfs de manier waarop haar borsten meebewogen als ze lachte was hetzelfde. Moest je haar toch eens zien, blakend van gezondheid en zonder al die donkere vegen op haar gezicht.

Ze wees nu naar een foto waarop Larry op een kameel zat en werd geflankeerd door een blond meisje en een stevig gebouwde man met bruine krullen. 'Waar is deze gemaakt?'

'Dat was in Egypte,' zei Larry, terwijl hij haar een mok thee gaf. 'We waren daar voor *Pyramid of Lust* en kwamen een andere Amerikaanse filmploeg tegen. Ik zag dat meisje – Bobbi heette ze, Bobbi Eden – rondrijden op een kameel en vroeg of ik er ook even op mocht.'

'En?'

'Het mocht.'

'Ja, dat zie ik. Maar hoe was het?'

'Wel leuk,' zei Larry. 'Maar verder was die trip één grote ramp. We kregen problemen met de autoriteiten en mochten uiteindelijk alleen dialogen opnemen. Ik weet nog dat mijn vader de hele tijd in zo'n Egyptisch gewaad op zijn hotelbed zat en zwaar de pest in had. Voor de seksscènes zijn we een week later uitgeweken naar Italië.'

Tiffany zei dat ze dat ook weleens zou willen, op een kameel zitten.

Larry zei: 'Je zit hoger dan je denkt.'

'Wat zei je nou ook alweer dat je functie was?'

'Dat heb ik je nog niet verteld,' zei Larry, terwijl hij een lichte paniek voelde opkomen en zich afvroeg wat wijsheid was. Wanneer hij indruk op haar wilde maken, deed hij er verstandig aan van onderwerp te veranderen of te liegen. Nog beter zou zijn haar te vertellen dat hij werkte aan een film, maar dat was geen optie, want Bud had gezegd dat hij er met niemand over mocht praten.

Uiteindelijk verzamelde hij al zijn moed en zei: 'Ik ben momenteel locatiescout.'

Tiffany zette grote ogen op. 'Locatiescout? Wat leuk. Ik wist niet eens dat zoiets bestond.'

Even dacht Larry dat ze hem in de maling nam, maar toen zag hij dat ze hem oprecht geïnteresseerd aankeek. Hij zei: 'Leuk? Ja, het is best leuk. Je werkt heel je leven in de schaduw van anderen, dat wel, maar het is verdomd bevredigend om vanuit die schaduw een bepaalde invloed te hebben.'

'Dus eigenlijk ben jij degene die bepaalt hoe een scène eruit komt te zien?'

'Nou, de regisseur heeft natuurlijk ook wel enige invloed. Maar zonder geschikte locatie is er geen film. Daar heb je gelijk in.'

'Het lijkt me wel veel verantwoordelijkheid. Voor één iemand, bedoel ik...'

'Ik ben blij dat jij dat in de gaten hebt,' zei Larry. 'Topscorers van grote sportteams beweren toch altijd dat ze het nooit alleen hadden gekund, zonder al die prachtige voorzetten? Nou, in de porno-industrie is het eigenlijk hetzelfde. Het zijn de acteurs die neuken, maar ze zouden nergens zijn zonder mij: de man van de assist.'

Tiffany lachte en haar borsten bewogen mee. Toen ze was uitgelachen, zei ze: 'Ik moet je iets vertellen. Jij bent de eerste man in dit wereldje met wie ik langer dan een halfuur heb doorgebracht zonder dat ik moet huilen.'

'Dank je,' zei Larry. Hij voelde een sterke aandrang om *One World, One Love* van Michael Bolton op te zetten – zijn lievelings-cd wanneer het ging om romantische aangelegenheden – maar hij wachtte nog op het juiste moment. 'Ben je al lang actrice?'

'Nee, ik heb nog nooit een film gemaakt. Althans: niets wat officieel is erkend, zogezegd. Ik werk bij Wal-Mart. Na mijn ervaringen bij je vader en in LA denk ik dat ik het maar helemaal opgeef.'

'LA? Kom je daar vandaan?'

'Nee, ik heb er een tijdje gewoond. Maar ik ga nooit meer terug.'

'Was het zo erg?'

'Erg? Geloof me: er zitten nergens zoveel gladjakkers als daar in de woestijn. Ik ging erheen met al mijn spaargeld en hoopte er mijn kans te krijgen, maar die hele pornovallei is een broeinest van op zichzelf geilende producenten, agenten en andere figuren die in de marge opereren en denken dat ze heel wat voorstellen. Sommige van die lui geven je niet eens fatsoenlijk een hand. Ze hangen hem er gewoon meteen in, en dat is dan hun kennismaking.'

'Zomaar?' zei Larry. 'Zonder iets te zeggen?'

Tiffany knikte en trok een pruillip. 'Dan voel je je als vrouw zo machteloos.'

Larry zei dat hij het moeilijk vond daar iets op te zeggen omdat hij geen vrouw was.

Tiffany zei: 'Maar je moet niet denken dat ik zielig ben hoor, nu je mijn geschiedenis kent en zo.'

Larry keek haar aan en zei dat hij haar helemaal niet zielig vond. 'Sterker nog, ik zie juist heel veel kracht in jou.'

'Meen je dat?' Ze streek haar paarse jurkje glad.

'Dat meen ik,' zei Larry, terwijl hij naar de cd-speler liep en Michael Bolton in de slede schoof. 'In je ogen, maar ook in je... Nou ja, overal eigenlijk.'

Ze deed een stap in zijn richting. 'Ik zie in jou ook veel kracht, Larry. Je toont je gevoelens en dat is iets wat maar weinig mannen doen. Ik merk dat ik me kwetsbaar durf op te stellen in jouw gezelschap en dat je me tegelijkertijd enorm opwindt. Vind je het raar dat ik dit zeg?'

'Helemaal niet,' zei Larry. 'Wil je neuken?'

24

Larry Venice liet er geen gras over groeien. Nog geen twintig minuten nadat hij samen met de blonde vrouw naar binnen was gegaan, verscheen hij met ontbloot bovenlijf en zonder bril voor het raam van zijn appartement. Vanuit de Cadillac zag Farrell hoe de locatiescout met zijn ogen knipperde tegen het felle licht. Meteen daarop trok hij het gordijn dicht.

Farrell, die in zijn werk had geleerd nooit conclusies te trekken zonder onweerlegbaar bewijs, wachtte gefascineerd af. Als hij hetgeen hij daarnet had gezien correct interpreteerde, was Larry op onorthodoxe wijze bezig over zijn liefdesverdriet heen te komen en was de kans dat hij op korte termijn naar *midtown* Manhattan zou rijden om zijn ex-vriendin met een bezoek te vereren zojuist nog verder geslonken.

Maar soms waren de dingen niet zoals ze leken, en dus wachtte Farrell af, net zo lang totdat Larry en de blonde vrouw vier uur later naar buiten kwamen. De vrouw keek niet meer boos en verdrietig en hield Larry's hand vast terwijl ze het trapje naar de straat afdaalde. Larry had een vuurrood hoofd en zag eruit alsof hij slaapwandelde. Hij droeg niet langer zijn blauwe trainingspak, maar een wit T-shirt met daarop in zwarte letters de tekst LAAT DAT MAAR AAN LARRY OVER en daaronder een groen Adidas-sportbroekje.

Larry zoende de vrouw – het onweerlegbare bewijs waarop Farrell had gewacht – en vervolgens reden ze in het witte busje van de locatiescout naar de Upper East Side, waar ze parkeerden in 91st Street en plaatsnamen op een bankje voor een pizzatent die Pintale's heette.

Het was inmiddels zeven uur.

Enigszins gegeneerd keek Farrell vanuit de Cadillac toe terwijl Larry en de blonde vrouw cola met een rietje dronken en giechelend als twee kleine kinderen met hun tanden stukken salami van hun pizza trokken.

Zijn telefoon ging.

Het was Dana Evans, die meldde dat ze iets later kwam, omdat ze was vergeten dat Archie die avond zijn maandelijkse teambuildingsuitje organiseerde.

Farrell voelde een steek van teleurstelling. 'Teambuilding? Meen je dat nou? Waar gaan jullie heen?'

'*Jullie*? O, nee, je begrijpt me verkeerd. Ik ga zelf niet mee. Maar de rest van het bedrijf wel.'

'Dat is toch juist de bedoeling van teambuilding? Dat iedereen meedoet?'

'Ja,' zei Dana. 'Iedereen behalve ik. Toen Archie ermee begon, heb ik meteen gezegd dat het niets voor mij is. Ik legde hem uit dat ik niet close genoeg ben met de rest van het bedrijf om op zo'n avond van toegevoegde waarde te kunnen zijn. Die uitjes willen nog weleens, nou ja, op een aparte manier eindigen, als je begrijpt wat ik bedoel. Uiteindelijk kwamen we tot een compromis: iedereen verzamelt hier bij de receptiebalie, waar ik iets te drinken voor hen inschenk en ze vervolgens uitzwaai. Op die manier heeft Archie het gevoel dat ik toch meedoe en hoef ik mezelf geen geweld aan te doen. De reden dat ik niet weg kan, is dat we nog twee regisseurs missen. En niemand weet waar Larry uithangt.'

'Zeg maar tegen Archie dat hij niet op hem hoeft te wachten. Volgens mij heeft Larry andere plannen.'

'O ja? Waar is hij dan?'

'Hij zit pizza te eten in de Upper East Side. Samen met een dame die hij vanmiddag heeft leren kennen.'

'Een dame?'

'Ja,' zei Farrell. 'Maar wacht, ik bel Archie zelf wel even. Hij weet niet dat jij op de hoogte bent van mijn werkzaamheden. Dat wil ik graag zo houden. Heb je enig idee hoe laat je daar klaar bent?'

Met zijn ogen verscholen achter de spiegelglazen van zijn zonnebril keek Bud vanuit de Subaru toe hoe het twintigkoppige gezelschap het geveltrapje van Venice Pictures afdaalde en zich in de richting van de klaarstaande limousines begaf. Het feit dat Larry hem juist had geïnformeerd over de details van het teambuildingsuitje, stemde hem hoopvol wat betreft de rest van zijn onderneming.

Larry had gezegd dat het hele bedrijf om halfacht zou vertrekken en dat hij 'm zelf ruim voor die tijd zou smeren, omdat hij wist dat zijn vader hem anders zou komen halen en hij alsnog mee zou moeten. Dat was gisteravond geweest, de mafkees die opschepte hoe hij zou ontsnappen aan het ijzeren regime van zijn vader, zonder te beseffen dat hij Bud precies vertelde wat hij wilde weten: dat er na halfacht niemand meer aanwezig was in het pand en Bud dan rustig zijn gang kon gaan.

En nu was het zover: tijd om te oogsten.

Bud frunnikte aan zijn zonnebril en speurde tussen de opgedofte actrices en regisseurs naar Archie.

Het duurde even, maar uiteindelijk kreeg hij zijn voormalige werkgever in het oog, gekleed in het zwartleren pak dat hij als zijn handelsmerk beschouwde, zonder te beseffen dat het hopeloos uit de mode was. De eeuwige sleutelhanger bungelend aan zijn broekrits. De oude klootzak glimlachte voor zich uit, zelfvoldaan als altijd, en hield het portier van de eerste limousine open voor twee blonde vrouwen. Bud bedacht dat hij er heel wat voor over zou hebben om te kunnen zien hoe Archie over een paar uur uit zijn ogen zou kijken, zodra hij erachter kwam dat zijn doodskist in tweeën was gezaagd en hij was beroofd. Helaas zou hij niet kunnen blijven om daar getuige van te zijn.

Iedereen was inmiddels ingestapt.

Nee, wacht: iedereen op één iemand na.

Op het trottoir stond een jonge vrouw in een zwart rokje en een bloemetjesblouse. Bud was er zeker van dat ze bij het gezelschap hoorde, maar blijkbaar ging ze niet mee.

Dana wachtte tot de limousines uit het zicht waren verdwenen, liep 22nd Street uit en hield een taxi aan. Ze liet zich afzetten bij het Thaise restaurant waarvan Jack haar het adres had gegeven en bestelde tweemaal kip in rode curry. Vervolgens hield ze opnieuw een taxi aan en gaf de chauffeur opdracht haar naar 91st Street te rijden. Jack had niet meer teruggebeld, wat betekende dat Larry en zijn nieuwe vlam nog altijd bij Pintale's zaten.

Jack.

Ze noemde hem in gedachten al bij zijn voornaam, en terwijl de taxi zijn weg zocht in het drukke verkeer op Park Avenue South vroeg ze zich af of dat wel een goed idee was. Natuurlijk, ze vond de detective leuk en had vanaf hun eerste ontmoeting, twee dagen geleden bij de receptiebalie, het gevoel gehad dat hij haar ook zag zitten. Maar had ze datzelfde gevoel niet ook gehad bij Tim, haar ex?

Ja, dat had ze.

En dus sloeg de twijfel toe. Wat als de detective haar helemaal niet zag zitten? Wat als hij vanmiddag alleen maar uit beleefdheid was ingegaan op haar uitnodiging voor dit etentje? Nee, wacht even. Ze had hem uitgenodigd voor een dránkje. Het idee om samen te eten was van hem gekomen. En daarnet, toen ze hem had gebeld om te zeggen dat ze later kwam, had ze overduidelijk teleurstelling in zijn stem bespeurd.

Toch?

Nu stelde ze zich voor hoe ze straks bij hem in de auto zou stappen. Zou ze zich naar hem toe buigen voor een vluchtige zoen? Of gewoon 'hallo' zeggen, vervolgens de kip met rode curry op het dashboard zetten en afwachten wat híj zou doen?

Misschien moest ze het gewoon laten afhangen van het moment. Tot nu toe was hun contact spontaan en ongedwongen geweest, een van de redenen voor het prettige gevoel in haar onderbuik. Misschien moest ze er maar gewoon van uitgaan dat het zo zou blijven en niets forceren door allerlei scenario's te gaan bedenken.

Ze schrok op uit haar overpeinzingen toen de taxichauffeur zei dat ze er waren. Ze keek naar de meter en wilde net haar portemonnee tevoorschijn halen toen het voorportier aan de passagierskant openging.

Het was Jack. Blijkbaar had hij op de uitkijk gestaan. Zijn overhemd zag er enigszins gekreukt uit, maar zijn glimlach versterkte het prettige gevoel in haar onderbuik.

Hij keek haar aan. 'Stap maar vast uit, ik betaal wel.'

Ze stapte uit en zag hem een biljet van vijftig dollar uit zijn binnenzak halen.

Een ogenblik later was de taxi verdwenen en waren ze alleen.

Hij pakte haar hand, drukte er een vluchtige kus op en wees met zijn duim over zijn schouder. 'Laten we maar snel naar mijn auto gaan. Voordat Larry ervandoor gaat en ik oneervol word ontslagen.'

Nadat de limousines en de vrouw in het zwarte rokje waren vertrokken, tuurde Bud ruim drie kwartier vanuit de Subaru naar de overkant, speurend naar een teken van leven achter de donkere ramen van het Venice Pictures-pand. Om kwart over acht, toen hij zich ervan had overtuigd dat er niemand op kantoor was achtergebleven, stapte hij uit en opende de kofferbak. Hij ritste de canvas tas open en keek om zich heen. De straat, die baadde in de oranje gloed van het avondzonnetje, maakte een verlaten indruk.

Bud pakte de handschoenen – dun en zwart –, exemplaren van hetzelfde merk dat hij had gebruikt tijdens de tientallen bankovervallen die hij vlak na het ongeluk had gepleegd. Hij trok ze aan en viste Ruby-Beths Beretta uit de tas. Speurde nogmaals de straat af en stopte het wapen achter zijn broekband. Vervolgens ritste hij de tas weer dicht, tilde hem uit de kofferbak en hing hem over zijn schouder. Het verbaasde hem dat de kettingzaag zo weinig woog.

Met de tas over zijn schouder slenterde hij naar de overkant.

Zoals hij zich had voorgenomen, keek hij nu niet meer om zich heen en ging recht op zijn doel af: de voordeur van Venice Pictures.

Mochten er onverhoopt voorbijgangers langskomen, dan zouden die gewoon een plichtsgetrouwe burger zien die na een dag hard werken op weg was naar huis.

Onder het lopen haalde Bud Larry's sleutelbos uit zijn broekzak. Hij vond de sleutel waarvan hij vermoedde dat het de juiste was. Liep het geveltrapje op. Hield zijn adem in terwijl hij de sleutel in het slot stak. Draaide de sleutel een kwartslag. En ademde opgelucht uit toen hij voelde dat het slot meegaf.

25

Farrell had vaak genoeg ontbeten, geluncht en gedineerd in zijn auto, maar altijd alleen. In zekere zin was dit etentje dus een primeur, dacht hij, terwijl hij toekeek hoe Dana het zich gemakkelijk maakte op de passagiersstoel van de Cadillac. Ze droeg nog steeds haar bloemetjesblouse en het zwarte rokje, maar ze had haar bruine haar voor de gelegenheid samengebonden in een staartje. Ze zette de bakjes kip in rode curry op het dashboard, wierp een vluchtige blik op de pizzeria aan de overkant en keek toen, met een vage twinkeling in haar groene ogen, naar hem.

'En? Heb je Archie gebeld?'

'Ja,' zei Farrell, terwijl hij de raampjes van de Cadillac opendraaide zodat de voorruit niet zou beslaan. 'Hij was niet blij toen ik hem vertelde dat Larry niet zou komen. Ik wilde hem vertellen waar hij was, maar hij onderbrak me en zei: "Het kan me niet schelen waar hij is en met wie, zolang hij maar niet in de buurt van Amanda komt." Ik vertelde hem dat dit niet het geval was, en dat was het einde van het gesprek. Hij klonk niet alsof hij in een beste bui was.'

'Dat komt omdat Rhonda en Leslie over twee dagen naar Oostenrijk gaan. Dat doen ze ieder half jaar, ze krijgen daar een schoonheidsbehandeling. In de tijd dat ze weg zijn, is Archie niet te genieten. Hij wil het nooit toegeven, maar hij kan er niet tegen om alleen te zijn. Vond hij het trouwens niet vreemd dat je zomaar belde?'

Farrell schudde zijn hoofd. 'Ik heb gezegd dat ik belde om te vragen of Larry deze week nog ergens een locatie moest doen. Archie gaf niet eens antwoord en wilde alleen maar weten waar Larry nu was.'

Dana keek weer naar de pizzeria. 'Zit hij daarbinnen?'
'Ja,' zei Farrell. 'Samen met die dame. Ze hebben een tijdje buiten gezeten en zijn een kwartier geleden naar binnen verkast.'
'Wie is ze? Die dame die hij heeft ontmoet?'
'Ik weet het niet,' zei Farrell. 'Ze liep vanmiddag bij jullie naar binnen en zag er heel boos uit. Toen ze naar buiten kwam, huilde ze en raakte met Larry aan de praat. Blijkbaar klikte het, want even later verdwenen ze samen naar boven.'
'Heeft ze blond haar?'
'Ja.'
'Paars jurkje en tennisschoenen?'
Farrell knikte.
'Jezus. Dan kan het bijna niet anders of het is een actrice die net is afgewezen door Archie, Tiffany Love. Volgens mij vertelde ik je maandag over haar toen we het hadden over artiestennamen.' Ze schudde haar hoofd. 'Ik kan bijna niet geloven dat ze met Larry is meegegaan. Toen ze langs me heen naar buiten stormde, zag ze eruit alsof ze zin had om iemand te wurgen.'
'Misschien heeft ze dat ook wel gedaan,' zei Farrell, terwijl hij knikte naar een groepje voorbijgangers die met een vreemde uitdrukking op het gezicht naar de bakjes eten op het dashboard keken. 'Toen Larry vier uur later naar buiten kwam, zag hij er dodelijk vermoeid uit en was hij helemaal rood. Eens even kijken, zullen we maar gewoon de helft van de rijst bij die curry gooien en het omgekeerde doen met dat andere bakje?'
Dana keek naar de bakjes met eten. 'Ga je gang. Ik heb dit nog nooit eerder gedaan en vertrouw volledig op jouw ervaring. Maar jij denkt dus dat die twee het zwaar te pakken hebben?'
'Daar lijkt het wel op,' zei Farrell, terwijl hij met een plastic lepeltje stukken aubergine, bamboescheuten en kip begon over te hevelen. 'Toen ze daarnet buiten op dat bankje zaten, konden ze nauwelijks van elkaar afblijven.'
Er viel een stuk aubergine op zijn broek.
Hij bracht zijn hand omlaag om het te pakken, maar Dana was hem voor en hun handen raakten elkaar. Ze trok zich terug, zonder haast te maken, liet het schijfje aubergine in haar mond verdwijnen

en zei: 'Heb je het er met Archie over gehad dat dit zou kunnen gebeuren?'
'Wat?'
'Ik bedoel, dat Larry een nieuwe liefde zou kunnen vinden in de drie weken dat jij hem in de gaten moet houden.'
'Nee, Archie had het vooral over zichzelf.'
'Zo vader, zo zoon,' zei Dana. 'Maar je bent dus niet bang dat je taak er nu opzit?'
'Als ik gewoon mijn salaris krijg, heb ik daar geen moeite mee,' zei Farrell. 'Maar ik heb het gevoel dat Archie behoorlijk nerveus is en voorlopig niet zal willen dat ik Larry uit het oog verlies.'
'Archie is niet nerveus. Hij gedráágt zich nerveus. Hij houdt ervan voortdurend de indruk te wekken dat hij het heel druk heeft.'
'Terwijl dat niet zo is?'
'Geloof me, de meeste tijd brengt hij door met telefoneren en het googelen van zijn eigen naam op internet.'
'Je zou geen reden kunnen bedenken waarom hij met alle geweld de politie buiten de deur wil houden?'
Ze keek hem aan. 'Jij bent ervan overtuigd dat hij op de een of andere manier in de problemen zit, hè?'
'Dat zei ik niet.'
'Maar je denkt het wel. Want vanmiddag zei je dat je het gevoel hebt dat Archie je voornamelijk heeft ingehuurd om ervoor te zorgen dat hij de politie niet over de vloer krijgt. Als een soort voorzorgsmaatregel.'
'Oké,' zei Farrell. 'Die mogelijkheid schoot inderdaad door mijn hoofd toen ik met hem praatte. Maar misschien zit ik ernaast.'
'Aan wat voor problemen denk je?'
'Geen idee,' zei Farrell. 'En nogmaals: misschien zit ik ernaast.' Hij hield haar de twee bakjes met curry voor. 'Wat denk je? Heb ik het een beetje eerlijk verdeeld?'

Bud was binnen.
Hij stond vlak achter de voordeur, in het voorportaal. Links van hem was een trap die moest leiden naar de studioruimten en de appartementen op de hogergelegen verdiepingen. Recht voor zijn neus

was een tweede glazen deur, die toegang bood tot de receptieruimte. Achter de balie, helemaal aan de andere kant van het vertrek, zag hij de gesloten deur van Archie Venice' kantoor. Hoewel er een aantal dingen waren veranderd sinds hij hier voor het laatst was geweest, zag het kantoor er grotendeels hetzelfde uit.

Vijf minuten lang stond hij doodstil te wachten, al zijn zintuigen gespitst op aanwijzingen dat hij niet alleen was. Op naderende sirenes...

Larry mocht dan hebben gezegd dat er geen alarm was, toch wilde Bud geen risico nemen. Als Archie gisteren had besloten een stil alarm te installeren, was hij de lul en kon hij rekenen op een vervroegde terugkeer naar zijn oude kameraad Dédé in Fairton. Nee, dan maar liever vijf minuten langer wachten.

Pas toen hij zeker wist dat de kust veilig was, duwde hij de glazen deur open en liep de receptieruimte binnen, waar hij werd geconfronteerd met een overvloed aan ingelijste filmposters. Hoewel hij zich had voorgenomen recht op zijn doel af te gaan, was hij zich ervan bewust dat zijn ogen onmiddellijk de muren begonnen af te zoeken naar zijn persoonlijke hoogtepunten. Het duurde even, maar uiteindelijk vond hij wat hij zocht. Daar, half weggestopt in een hoekje achter de receptiebalie, hing de affiche van *Raven Rising*, zijn doorbraakfilm uit 1999. Op de poster, die was ingelijst, zat Bud trots voor zich uit te kijken op een glimmend zwarte Harley, gekleed in niets anders dan een paar afgetrapte cowboylaarzen. Hij herinnerde zich de prettige sensatie van het leren zadel tegen zijn blote achterwerk.

Bud deed een stap dichterbij, ging recht voor de poster staan en had meteen spijt. Want daar, in de weerspiegeling van het glas, zag hij vlak naast de trots kijkende versie van zichzelf plotseling een tweede Bud, een met een netwerk van grotesk uitziende littekens op de linkerhelft van zijn gezicht.

Hij wendde zijn blik af.

Het verleden was het verleden. Hij kon er niets meer aan veranderen, hoe graag hij dat ook wilde.

Maar Archie Venice een flinke poot uitdraaien, dat kon hij wel.

Recht voor zich uit, naast de waterkoeler, zag Bud de gesloten deur van Archies kantoor.

Hij liep eropaf.

Opende de deur en stapte naar binnen.

Ook hier hingen de muren vol met ingelijste posters. Bud herkende een aantal van de viagra slikkende losers die tegenwoordig het grote geld verdienden. Wilton Kane, Sterling More...

Zelf had hij nooit een pilletje nodig gehad. Nou ja, bíjna nooit.

Toen viel zijn oog op Archies doodskist. Een enorm gevaarte, met in zwarte letters het woord Budweiser erop. De kist stond rechts van de deur en werd half aan het zicht onttrokken door twee splinternieuwe chesterfieldbanken.

Bud liep om de banken heen. Liet de canvas tas van zijn schouder glijden en boog zich over de doodskist heen. Hij bracht zijn handen naar het deksel en trok. Het deksel gaf niet mee.

Bud liep om de kist heen. Daar, ongeveer in het midden, zat – precies zoals hij had verwacht – iets wat leek op een sleutelgat.

Bud kon een grijns niet onderdrukken.

Archie deed dus toch aan beveiliging. Alleen zou het niet voldoende zijn.

Nog altijd grijnzend draaide Bud zich om, ritste de canvas tas open en pakte de kettingzaag.

26

Werner Brünst lag languit op bed. Hij luisterde op zijn iPod naar 'Wind of Change' van *The Scorpions* en probeerde niet te denken aan het steengrilluitje dat hij miste vanwege zijn blaar. Nog nagenietend van de behandeling die hij gisteren had gekregen van Rhonda en Leslie had hij vanochtend zonder erbij na te denken zijn nieuwe schoenen aangetrokken en was boodschappen gaan doen, om er pas in de supermarkt, ter hoogte van de zuivelproducten, via een reeks gemene pijnscheuten aan te worden herinnerd dat die rottige blaar nog altijd niet was genezen. Het liefst had hij ter plekke zijn schoenen uitgedaan, net als maandag toen hij als oppasser voor Larry had gefungeerd, maar dat ging natuurlijk niet, want hij bevond zich niet in een auto maar in een supermarkt; hij voelde er bar weinig voor zijn weg door de gangpaden op blote voeten te vervolgen. Dat zou hem ongetwijfeld komen te staan op hoongelach van de vele winkelende Amerikanen om hem heen. Met zijn tanden op elkaar geklemd en oeh-geluiden uitstotend was hij doorgelopen, de helse pijn aan zijn hiel trotserend, om er eenmaal terug in zijn appartement achter te komen dat zijn blaar er vervaarlijk rood uitzag. Een uur lang was hij in de weer geweest met sterilon en betadinezalf, maar niets hielp. De stekende pijn in zijn hiel wilde niet weggaan en uiteindelijk kon hij niet anders dan Archie bellen om hem te laten weten dat hij het teambuildingsuitje zou moeten laten schieten. Het was zijn eer te na af te zeggen vanwege zoiets futiels als een blaar en dus gooide hij het op een griepje.

Werner baalde. Hij hield van vlees en het kostte hem grote moeite zich op het stemgeluid van Scorpions-voorman Klaus Meine te richten en zijn gedachten niet te laten afdwalen naar al het heerlijks dat vanwege die rotblaar aan zijn neus voorbijging. 'Wind of Change' liep op zijn einde, en Werner wilde net doorklikken naar 'Rock You Like a Hurricane', toen hij een snerpend geluid hoorde.

Daarnet, enkele minuten eerder, had hij het geluid ook al gehoord. Toen had hij het toegeschreven aan de manier waarop Matthias Jabs tijdens het refrein van 'Wind of Change' zijn gitaar liet huilen.

Deze keer hield het snerpende geluid langer aan.

Werner zette het volume van zijn iPod lager en spitste zijn oren.

Het geluid hield even op, maar vervolgens begon het weer.

Werner wist nu zeker dat het niet afkomstig was van de muziek op zijn iPod.

Nee, het kwam ergens anders vandaan.

Van beneden.

Larry zei tegen Tiffany dat het werk als locatiescout behoorlijk zwaar was, maar dat je ook veel leerde over verschillende culturen.

Tiffany zei: 'Ja, jij bent in Egypte geweest. Ik ben nooit verder gekomen dan Fort Yukon, Alaska. Daar woont mijn oom Bill.'

'Egypte was leuk,' zei Larry. 'Maar we hebben ook een keer een film gemaakt in het huis van een Libanees-achtige dictator. Dat huis was eigenlijk geen huis, maar eerder een paleis.'

'Een paleis? Jeetje. Woonde die dictator daar alleen?'

'Nee, hij woonde er met zijn dochter. Een of andere prinses. Boven op een berg had hij een tennisbaan gebouwd. Moest je eerst vijfendertig trappen op en als je dan eindelijk boven was, had je geen zin meer om te tennissen.'

Tiffany zei: 'Vijfendertig trappen? Echt waar?'

'Echt waar,' zei Larry. Hij knipperde met zijn ogen. Toegegeven: Amanda was mooier. Maar haar een verhaal vertellen? Dat was zo goed als onmogelijk geweest. Altijd begon ze tussendoor over iets anders, iets wat alleen háár interesseerde, en dan kon je niets anders doen dan wachten tot ze ophield met praten en weer van voren af aan beginnen met je eigen verhaal. Tiffany onderbrak hem niet wanneer hij een verhaal vertelde. Tiffany luisterde. Ze keek hem de hele tijd met van die grote, nieuwsgierige ogen aan en leek alles wat hij zei geweldig te vinden.

Ze zaten aan een klein houten tafeltje in een hoek van de pizzeria. Larry had een stuk pizza Siciliana voor zich, Tiffany een Margarita. Naast de pizzabordjes stonden twee blikjes Coca-Cola. Terwijl Larry toekeek hoe Tiffany van haar cola dronk, dacht hij terug aan een paar uur eerder, toen hij haar op de klanken van Michael Boltons 'How Am I Supposed to Live Without You' naar de slaapkamer had gedragen. Ze begon hem te pijpen en was net zo lang doorgegaan tot Larry zei dat het mooi was geweest en dat het nu zijn beurt was om haar te laten genieten. Vol verwachting daalde hij af naar de blonde pluk haar onder haar navel, en wat hij daar aantrof stelde hem niet teleur. Ze smaakte zout, als de zee: heel wat beter dan die smerige rioolsmaak waarop Amanda hem meer dan eens had getrakteerd. Alles wat Tiffany deed, deed ze beter dan Amanda, en Larry vond dan ook niet dat hij zichzelf kon verwijten dat hij, eenmaal in haar, al na vijftien seconden klaarkwam. Tiffany vond het blijkbaar ook niet erg, mede omdat Larry de tweede keer beter presteerde (ruim een halfuur, exclusief beffen). Ja, het was een fijne middag geweest. Zo fijn zelfs dat Larry geen seconde meer had gedacht aan het probleem met het einde van zijn film.

Iets anders wat hij door zijn ontmoeting met Tiffany was vergeten, was het aanstaande teambuildingsuitje van zijn vader. Pas om zes uur was het hem te binnen geschoten. Snel legde hij de situatie aan Tiffany uit en overtuigde haar ervan dat ze, voordat zijn vader hem zou komen halen, beter konden maken dat ze wegkwamen.

Ze waren naar Pintale's gereden en daar zaten ze nu nog, pratend over van alles en nog wat, met de warme gloed van de pizzaoven op hun wangen.

Tiffany zei: 'Denk je echt dat je vader je zou hebben gedwongen om mee te gaan steengrillen als we bij jou thuis waren gebleven?'

'Zeker weten,' zei Larry. 'Mijn vader kan een heel irritante klootzak zijn. Maar daar hoef ik jou natuurlijk niets meer over te vertellen. Je hebt hem zelf ontmoet.'

Tiffany nam een hap van haar pizza. Met volle mond zei ze: 'Ik vind hem niet alleen irritant, maar ook gierig. Het salaris dat hij me voor die schoonmaakbaan aanbood, was nog lager dan wat ik bij Wal-Mart verdien. En geloof me: dat is niet veel.'

'Hij ís gierig,' zei Larry. 'Ik kreeg pas zakgeld op mijn dertiende. Een dollar per week, en pas nadat ik hem een jaar lang iedere dag aan zijn kop had gezeurd. En al is hij inmiddels tweeënzeventig en zwemt hij in het geld, het blijft een oude vrek. Vorig jaar deed ik de locaties voor *Roomservice 8*. Archie liet de kleding voor de film aanschaffen bij Century 21. Hugo Boss, Polo Ralph Lauren, noem maar op. Voorafgaand aan de opnamen vraagt een van die acteurs of hij de broek die hij draagt na afronding van de film mag houden. Archie kijkt hem aan en zegt: "Je mag die broek houden als je ervoor betaalt. Zo niet, dan gaat hij nadat alle scènes zijn geschoten samen met de rest van de kleding terug naar de winkel." Het was te gek voor woorden: al die acteurs moesten er, terwijl ze elkaar de kleren van het lijf rukten, voor zorgen dat de prijskaartjes niet loslieten omdat Archie bang was dat hij anders zijn geld niet zou terugkrijgen. Kun je je dat voorstellen?'

'Century 21? Getver. Daar heb ik een keer een rokje gekocht.'

Larry zei tegen haar dat ze zich geen zorgen hoefde te maken. Century 21 was een grote zaak. De kans dat uitgerekend dát rokje was gebruikt in *Roomservice 8* was te verwaarlozen.

Tiffany lachte om zijn grap en nu wist Larry het zeker: het was niet langer alleen geilheid wat hij voelde. Dit meisje had een vaderfiguur nodig. Iemand die haar hielp met moeilijke beslissingen, en met andere dingen die ze niet zelfstandig aankon.

Ze nipte nu van haar cola, fatsoeneerde haar jurkje en zei: 'O ja, dat wilde ik nog vragen: wie is Amanda?'

Shit.

'Amanda? Hoe bedoel je?'

Ze wees naar de tatoeage op zijn onderarm.

'O, dat,' zei Larry. 'Maak je geen zorgen. Dat is niemand.'

'Niemand? Maar waarom staat haar naam dan zo groot op je arm, samen met die van jou en al die rozen?'

Larry zuchtte. Zelfs nadat ze hem had gedumpt, wist dat kutwijf hem nog in de problemen te brengen. Hij keek Tiffany aan, haalde zijn schouders op en zei: 'Iedereen maakt fouten, oké? Het is mijn ex. Ik moet dat ding nog laten weghalen.'

Tiffany keek de andere kant op.

'Wat is er? Geloof je me niet?'

Ze bleef de andere kant op kijken. 'Ja, ik geloof je, natuurlijk...'

Larry zei: 'Als je wilt, kunnen we hem samen laten weghalen. Of ik laat mijn naam staan en vraag of ze Amanda willen veranderen in Tiffany. Lijkt je dat wat? Dan weet iedereen meteen dat jij mijn nummer één bent.'

'Je nummer één?'

Larry knikte, blij dat ze direct begreep hoe de verhoudingen lagen.

Tiffany zei: 'Dus er is ook een nummer twee?'

Godallemachtig.

'Nee, natuurlijk niet. Waar zou ik een nummer twee voor nodig hebben?'

'Ik weet het niet, Larry. Het is alleen... Nou ja, ik ben gewoon al heel vaak in mijn leven teleurgesteld door mannen die ik aardig vond.'

Ze geloofde hem niet.

Larry voelde paniek opkomen, merkte dat hij zijn adem inhield en schrok toen hij zichzelf plotseling hoorde zeggen dat hij bezig was aan een film.

Tiffany keek hem aan en fronste haar wenkbrauwen. 'Wat heeft dat te maken met mijn gevoelens?'

'Niets,' zei Larry. 'En ik had het je ook helemaal niet mogen vertellen, want het is nog geheim.'

'O.'

Ze keek weer van hem weg.

Larry zei: 'Maar nu ik het je toch heb verteld, kan ik je net zo goed alles vertellen.'

Weer een frons. 'Larry, ik begrijp er niets meer van.'

'Ken je Bud Raven?'

'Bud Raven? Bedoel je dé Bud Raven?'

Larry knikte, zag haar ogen oplichten en wist dat hij de juiste snaar had geraakt.

Tiffany zei: 'Bud Raven. Ja, natuurlijk ken ik die. Dat was vroeger mijn grote favoriet. Is hij niet omgekomen bij een auto-ongeluk?'

'Bud heeft inderdaad een auto-ongeluk gehad. Maar hij overleefde het en na een paar jaar in de luwte heeft hij nu besloten mijn film te gaan produceren.'

Tiffany zei: 'Jouw film? Bedoel je dat dit niet iets is waaraan je alleen meewerkt als locatiescout?'

'Nee,' zei Larry. 'Dit is mijn eigen project. Iets waarover ík de baas ben en niemand anders.'

Tiffany ging verzitten en frunnikte wat aan haar jurkje. 'Het klinkt heel spannend. Maar waarom vertel je me dit allemaal?'

Larry keek haar aan. Probeerde koortsachtig iets te verzinnen waardoor hij zeker wist dat ze niet opnieuw over die klotetatoeage zou beginnen. Het kostte even moeite, maar toen – ineens – was het er: het antwoord op haar vraag én de oplossing van het probleem met het einde van zijn film.

Tiffany zei: 'Nou?'

'Ik vertel het je,' zei Larry, 'omdat Bud en ik nog een vacature hebben.'

'Een vacature?'

'We zijn dringend op zoek naar iemand voor de vrouwelijke hoofdrol.'

'Je maakt zeker een grapje.'

Larry schudde zijn hoofd. 'Ik meen het. Je zou de hoofdrol kunnen spelen: een arts van het Rode Kruis die op zoek is naar ware liefde en te maken krijgt met een probleem dat groter is dan zijzelf...'

Bud vloekte.

Die verdomde kist had dan wel een houten buitenkant, maar aan de binnenkant had Archie kennelijk een laag kunststof of een ander stug materiaal laten aanbrengen. Hoe hij ook zijn best deed, de kettingzaag wilde er maar niet doorheen komen. Het onding maakte bovendien meer lawaai dan hij had verwacht. Nog even en de buren zouden komen klagen over geluidsoverlast.

Niet aan denken.

Bud veegde een laagje zweet van zijn voorhoofd en concentreerde zich op de kleine groef die hij inmiddels in de kist had weten te maken. De zaag voelde met de minuut zwaarder aan en het kostte hem steeds meer moeite druk te zetten zonder daarbij uit de groef te schieten.

Dat zou wat zijn: Archie die later op de avond thuiskwam en hem hier zou aantreffen, doodgebloed na een potje vrij worstelen met die klotezaag.

Krak.

In eerste instantie dacht Bud dat hij was uitgeschoten. Dat hij de controle over de zaag was kwijtgeraakt en daarom geen weerstand meer voelde. Maar toen keek hij naar beneden en zag dat het hem was gelukt.

De doodskist was als een rijpe kokosnoot in tweeën gespleten.

Bud voelde de adrenaline nu door zijn lichaam pompen. Even waande hij zich weer in de goede oude tijd, het moment vlak voor een belangrijke scène, waarop de lampen aangingen en iedereen wist dat spoedig alle remmen zouden worden losgegooid. God, wat was dat een lekker gevoel geweest. Beter nog dan het neuken zelf.

Hij keek naar de kist.

Op de groene vloerbedekking ervoor lag een flinke berg ijsblokjes en blikjes frisdrank.

Bud legde de kettingzaag op de vloer en schoof de twee helften van de kist verder uit elkaar. Het gevolg was dat er nog meer ijs en blikjes frisdrank naar buiten kwamen glijden. Geld zag hij voorlopig niet, maar misschien was dat niet zo vreemd: Larry had het over een dubbele bodem gehad.

Bud ging op zijn knieën zitten, midden in de smeltende zee van ijs, en inderdaad: daar, helemaal onder in de kist, bevond zich aan beide kanten een smalle opening die heel goed de ingang zou kunnen zijn van een dubbele bodem. Hij boog zich naar voren, gluurde naar binnen door de smalle opening en voelde een seconde later een enorme knoop in zijn maag ontstaan.

Larry had gelijk gehad.

Onder in de kist zat inderdaad een dubbele bodem. Maar in de langwerpige, smalle ruimte lag niet datgene waarvan Larry had beweerd dat het er zou zijn.

Er lag geen geld.

Er lag helemaal niets.

Het enige wat Bud zag terwijl hij met groeiende gevoelens van ongeloof en frustratie naar binnen bleef turen, was leegte; kunststof en hout, op sommige plaatsen vochtig geworden door het doorsijpelende ijswater.

Toen Werner een minuut of wat geleden zijn iPod had uitgezet, was hij zich kapot geschrokken van de intensiteit van het geluid dat hij hoorde. In eerste instantie dacht hij: dit kan niet waar zijn. Het snerpende geluid dat maar niet ophield, kwam van beneden, maar dat kon niet, want *er was niemand beneden.* Het hele bedrijf zat te steengrillen in Brooklyn.

Of niet?

Het geluid bleef aanhouden en uiteindelijk kon hij zijn nieuwsgierigheid niet langer de baas. Hij graaide een lederhose en een T-shirt uit de kast, vond een paar oude teenslippers waarmee hij zou kunnen lopen zonder al te veel last te hebben van zijn blaar en stapte de gang op.

Hier klonk het geluid nog harder. Het leek wel alsof er beneden iemand aan het werk was. Had Archie iemand opdracht gegeven in zijn afwezigheid een en ander te verbouwen in zijn kantoor? Wilde hij zoiets liever in de avonduren laten doen, zodat zijn werk er niet onder leed? Half in gedachten verzonken, liep Werner de trap af. En toen – zomaar ineens – hield het geluid op.

Werner liep door. Kwam uit in het voorportaal, duwde de glazen tussendeur open en ging de receptieruimte binnen. Hij was de deur nog niet door of hij hoorde een nieuw geluid. Een gedempt gestommel, dat afkomstig was uit de richting van Archies kantoor.

Het gestommel hield aan en nu zag Werner dat de deur van het kantoor openstond. Vreemd. Archie deed zijn deur nooit op slot, maar hij liet hem ook nooit openstaan. Zeker niet wanneer hij er zelf niet was.

Nog meer gestommel.

En hoorde hij daar iemand zachtjes vloeken?

Vastbesloten om erachter te komen wie er op dit late tijdstip rondstruinde in Archies kantoor, liep Werner langs de receptiebalie in de richting van de openstaande deur.

Vervolgens bedacht hij zich – je wist immers maar nooit – en pakte in het voorbijgaan een zilveren kandelaar uit het raamkozijn.

Bud stond over Archies doodskist gebogen en vroeg zich af wat wijsheid was. Het liefst zou hij linea recta naar boven lopen, naar het appartement van Larry Venice, de locatiescout daar opwachten en hem om opheldering vragen.

Of hem opwachten en helemaal niets vragen.

Hem in plaats daarvan volpompen met kogels uit de Beretta van Ruby-Beth Quattlander. De oude vrouw had hem een paar maanden geleden toevertrouwd dat ze het wapen nooit had laten registreren, vanwege al die ingewikkelde formulieren die je daarbij moest invullen, dus zolang er geen getuigen waren, kon hij zich het een en ander permitteren. Maar nee, hij kon op dit moment maar beter geen emotionele beslissingen nemen. Wat hij moest doen, was luisteren naar wat zijn verstand hem ingaf, namelijk dat hij moest maken dat hij wegkwam. Later zou er tijd genoeg zijn om zich het hoofd te breken over de vraag waarom Larry tegen hem had gelogen en op welke manier de locatiescout daarvoor zou gaan boeten.

Vloekend tilde Bud de kettingzaag van de vloer. Hij deed een stap in de richting van de canvas tas en bleef toen abrupt staan omdat hij achter zich een geluid hoorde. Hij draaide zich om en vloekte nogmaals – in stilte ditmaal – toen hij Werner Brünst in de deuropening zag staan.

'Zocht je iets, Bud?'

Bud staarde naar de Duitser, die roerloos op de drempel stond. In zijn rechterhand had hij een zilveren kandelaar.

'Hé, Werner... eh ja, ik zocht inderdaad iets. Maar ik ben bang dat ik het niet kan vinden. En wat brengt jou hier?'

De Duitser keek hem met slaperige ogen aan en stapte het kantoor binnen. 'Mij? O, niets bijzonders. Ik lag boven naar The Scorpions te luisteren, hoorde plotseling het geluid van een kettingzaag en dacht: laat ik eens poolshoogte gaan nemen. Vond je die tienduizend dollar die je hebt gekregen niet genoeg?'

Bud haalde zijn schouders op. Hij keek naar de kandelaar in de hand van de Duitser en zei: 'Werner? Even los van mijn antwoord op je vraag: je bent toch niet van plan dat ding te gebruiken om een oud-collega pijn te doen, hè?'

Werner schudde zijn hoofd. Vanaf het moment dat hij enkele seconden geleden naar binnen had gekeken in dit kantoor en de chaos had gezien die Bud Raven met zijn kettingzaag had aangericht, had hij vrijwel onafgebroken gedacht aan het telefoontje dat hij gisteravond had willen plegen. Het telefoontje aan Larry Venice, waarin hij had willen vragen of Larry er honderd procent zeker van was dat Bud tevreden was met het bedrag dat hij had gekregen.

Het telefoontje dat hij uiteindelijk niet had gepleegd, omdat Rhonda en Leslie met hun 3D-brillen en wilde plannen bij hem langs waren gekomen.

Hij zei: 'Ik ga niemand pijn doen, Bud. Maak je geen zorgen. Wat we gaan doen is dit: jij neemt rustig plaats op de bank terwijl ik de politie bel. Vervolgens wachten we samen tot die is gearriveerd. Daarna scheiden onze wegen. Jij gaat terug naar de gevangenis en ik ga terug naar boven om verder te genieten van mijn muziek.'

Bud zuchtte. 'Kom op, Werner. Kun je niet een oogje dichtknijpen? *For old times' sake*? Weet je nog, Maui 2001? Samen met die twee Roemeense zusjes in het regenwoud? Dat waren toch mooie tijden?'

'Het was zeker mooi,' zei Werner. 'Maar het is ook al heel lang geleden. De wereld draait door, Bud. Alleen die van jou niet. Volgens mij is voor jou alles stil blijven staan op het moment dat je zo dom was stomdronken in die auto te stappen.'

'Je hebt gelijk,' zei Bud. 'Dat was dom. Maar als jij denkt dat ik je zomaar de politie zal laten bellen en vervolgens braaf ga zitten wachten tot die er is, ben je – vrees ik – niet veel slimmer dan ik.'

Werner wilde vragen wat de acteur met die laatste opmerking bedoelde en was een ogenblik in verwarring gebracht toen Bud Raven in een snelle beweging iets onder zijn broekband vandaan haalde.

Het duurde niet lang voor het tot Werner doordrong wat het was: een pistool.

Het volgende moment was het wapen op zijn hoofd gericht en

kwam Bud, die er plotseling heel wat zelfverzekerder uitzag, met grote passen op hem af.

Werner wist intuïtief dat hij nu iets zou moeten zeggen, iets dat deze krankzinnige Amerikaan met zijn kettingzaag tot bedaren zou brengen, maar er kwam niets in hem op. Terwijl Bud dichterbij kwam en Werner het zwarte gat van de pistoolloop groter en groter zag worden, zakte hem de moed in de schoenen. Voor zijn geestesoog verschenen de contouren van de sobere kruidenierswinkel van Frau Lubach.

Als hij verstandig was geweest, had hij op dit moment dáár gestaan – in de Oranienstrasse in Kreuzberg, Oost-Berlijn – tussen de kaneelstokken en zakken zilvervliesrijst.

Maar hij was niet verstandig geweest.

Hij was zijn gulzige pik achternagereisd naar dit verdorven land aan de andere kant van de oceaan. Dit verdorven land waar iedereen altijd maar meer wilde. En vandaag zou hij daarvoor de prijs betalen.

27

Dana zei tegen Farrell dat Archie en Larry minder van elkaar verschilden dan je op het eerste gezicht zou denken. Natuurlijk, Archie was slimmer, maar als je daar doorheen keek, zag je bijna alleen maar overeenkomsten. Allebei waren ze voortdurend bezig met indruk maken op anderen en ervoor te zorgen dat ze in het middelpunt van de belangstelling stonden.

Farrell zei dat hij over Larry niet kon oordelen, hij had de locatiescout immers nog nooit persoonlijk ontmoet. 'Maar wat Archie betreft: ik geloof dat ik begrijp wat je bedoelt. Hij houdt van een beetje theater.'

'Een beetje?'

'Oké. Meer dan een beetje.'

'Ik durf te wedden dat hij je maandag tijdens dat eerste gesprek zogenaamd terloops heeft laten weten wie Rhonda en Leslie zijn.'

'Dat doet hij bij iedereen, hè? "Nee, Jack, het zijn geen actrices. Rhonda is mijn verpleegster. Leslie is een vriendin van de familie." Ik had al zo'n gevoel. Het was alsof hij een toneelstukje opvoerde.'

Ze knikte. 'Hij vindt het prachtig om het een beetje vaag te houden en dan te kijken hoe de mensen reageren. Of ze meer willen weten en doorvragen.'

'Dat deed ik niet,' zei Farrell. 'Waarschijnlijk stelde hem dat teleur, want vervolgens kon hij het niet nalaten me te vertellen dat die twee uitstekend weten hoe ze een oude man jong moeten houden.'

Ze hadden hun curry op en keken met een blikje Liptonice op

schoot naar de ondergaande zon. Rechts van hen bevond zich het rustgevende groen van Central Park. Aan de overkant bij Pintale's was nog altijd geen beweging zichtbaar. Blijkbaar hadden Larry en zijn nieuwe vlam het naar hun zin in de pizzeria.

Dana zei: 'Ja, dat is Archie. Hij wil dolgraag subtiel overkomen, maar als je daar doorheen prikt, legt hij het er ineens heel dik bovenop, omdat hij als de dood is dat je niet inziet hoe goed hij alles voor elkaar heeft in zijn leven. Dat is het moment waarop je begrijpt dat je te maken hebt met een groot kind met een aandachtsprobleem.' Ze glimlachte en schudde haar hoofd. 'Toen ik net voor hem werkte, liet hij me weleens rondleidingen verzorgen voor potentiële investeerders. Destijds hing er in de kantine op de tweede verdieping een reusachtig surrealistisch schilderij van Jimi Hendrix. Jimi stond er naakt op, met een penis die reikt tot aan zijn knieën. Archie wilde altijd dat ik tijdens mijn rondje langs dat schilderij liep. Dan kwam hij plotseling tevoorschijn, grijnsde naar al die mannen en vrouwen in hun dure pakken en zei: "Mooi schilderij, hè? Veel mensen vinden dat ik op Jimi lijk." Vervolgens wachtte hij tot iedereen was uitgelachen en verdween weer.'

'Word je nooit moe van hem?'

'Ik zou best eens wat anders willen, als je dat bedoelt. Mijn hart volgen en een eigen restaurant beginnen bijvoorbeeld. Maar moe? Nee. Elke baan heeft mindere kanten. Ik kan niet zeggen dat twee uur per dag doorbrengen in een magazijn vol pornofilms in de loop der jaren een hobby van me is geworden, maar al met al heb ik weinig te klagen. Ik hoef nooit over te werken en krijg een prima salaris plus ziektenkostenverzekering. Dat is niet voor iedereen in dit land weggelegd. Wat Archie betreft: ik had vanaf het begin door dat hij iemand is bij wie je onmiddellijk je grenzen moet aangeven, en dat heb ik gedaan.'

Er passeerde een auto. Farrell zag haar gezicht oplichten in het schijnsel van de koplampen. Het kostte hem moeite niet naar haar te staren en te vergeten dat hij hier was om Larry Venice en zijn nieuwe vriendin in de gaten te houden.

Ze zei: 'En hoe zit het met jou? Hou je gewoon van alleen zijn of is er iets anders gebeurd waardoor je het prettig vindt hele dagen in je auto door te brengen, met als enige gezelschap een blikje Liptonice?'

Farrell vertelde het haar. Dat hij vastbesloten was geweest nooit van zijn leven het gewicht van de wereld op zijn schouders te nemen en het leven te nemen zoals het kwam. Hoe aan zijn geestelijke evenwicht op 11 september 2001 abrupt een einde was gekomen. Hij vertelde haar over zijn baantje achter de bar, zijn aanvaring met de NRA-waanzinnige, de korte gevangenisstraf die daarop was gevolgd, en uiteindelijk over zijn kennismaking met Luther Okry, de zakkenroller, die hem op het idee had gebracht aan de slag te gaan als privédetective. Hij overwoog haar te vertellen over Elaine, maar bij de gedachte aan zijn ex kreeg hij onmiddellijk een zwaar gevoel en dus besloot hij die periode uit zijn leven achterwege te laten.

De meeste mensen aan wie hij zijn levensgeschiedenis vertelde, reageerden in de trant van: 'Dat moet heel erg zijn geweest, je vader verliezen', of: 'Shit, je hebt in de *gevangenis* gezeten?'

Dana Evans zei: 'Dus wat je écht leuk vindt, is achter de bar staan?'

Farrell haalde zijn schouders op. 'Ik hou ervan naar verhalen te luisteren. Maar eerlijk is eerlijk: wat ik nu doe, betaalt beter en ik ben te allen tijde verzekerd van werk.'

'Je bedoelt dat mensen elkaar toch wel tot in de lengte der dagen zullen blijven bedriegen?'

Farrell knikte. Dacht weer aan Elaine en nam een slok van zijn ijsthee.

Dana zei: 'Ik heb je gisteren gegoogeld en vroeg me af waarom je geen website hebt. Heb je die niet nodig om klanten te werven?'

'Nee,' zei Farrell. 'Ik heb een doorlopende advertentie in de Gouden Gids en ga inmiddels lang genoeg mee om via mond-tot-mondreclame aan mijn clientèle te komen. Ik ben blij toe. Zo'n website is niets voor mij.'

'Waarom niet?'

'Dat heeft te maken met het soort teksten waarmee de grote bureaus potentiële cliënten over de streep proberen te trekken. Moet je je voorstellen: je hebt het vermoeden dat je vriend vreemdgaat. Je bent er emotioneel niet al te best aan toe en besluit ten einde raad zo'n bureau in te huren. Je gaat het internet op en komt terecht op een website waar met koeienletters staat: "Laat ons een einde maken aan uw pijn." Wat denk je dan?'

'Tja,' zei Dana. 'Ik neem aan dat je niets liever wilt.'

'Precies. Maar in de praktijk werkt het niet zo. Je moet begrijpen dat de meeste mensen die besluiten iemand als ik in te huren nog midden in de ontkenningsfase zitten. Diep in hun hart kennen ze de waarheid, maar door iemand in te huren, hopen ze te bewijzen dat hun intuïtie hen voor het eerst van hun leven op een grandioze manier in de steek heeft gelaten en dat het allemaal níét zo is. Snap je?'

'Je bedoelt dat ze je op pad sturen in de hoop dat je na een week bij ze terugkomt en vertelt dat er niets mis is met hun relatie.'

'Juist. Ze proberen het vertrouwen in hun eigen partner terug te kopen. In wezen hopen ze op een wonder. Ze hopen dat ik niets vind en ze verder kunnen met hun leven zoals het was. Maar dat wonder komt niet, want ik vind wel iets. En dus is het moment waarop ik klaar ben met mijn werk niet het moment waarop er een eind komt aan de pijn. Het is het moment waarop de pijn pas echt begint.'

'Oké. Je hebt dus geen website omdat je dan moet concurreren met die grote bureaus en op de proppen moet komen met zo'n gelikte slogan en beloften die je niet waar kunt maken. Maar wat heb je dan in de Gouden Gids laten zetten? Alleen je naam en telefoonnummer?'

'Daar komt het wel op neer. Dat plus een korte tekst.'

'En die luidt?'

'"Bedrogen? Wilt u het zeker weten? Jack Farrell helpt u op weg naar de waarheid." Ik weet het, dat klinkt ook enigszins pretentieus, maar als ik alleen maar mijn naam en telefoonnummer erin zou zetten, zouden ze allemáál voor zo'n "Morgen begint uw nieuwe leven"-bureau kiezen.'

'Ik vind het niet pretentieus klinken. Ze willen de waarheid en die krijgen ze. Toch? Je belooft ze niet dat alles daarna beter wordt.'

'Dat is waar.'

Ze glimlachte, nam een slok van haar ijsthee en zei: 'Privédetective op aanraden van een herhaaldelijk veroordeelde zakkenroller. Is het niet geweldig, de manier waarop we aan ons werk komen?'

'Receptioniste bij een pornoproducent lijkt me ook niet het soort baantje dat je aantreft tussen de personeelsadvertenties in *The New York Times.* Je beloofde me vanmiddag dat je me zou vertellen hoe je daar terecht bent gekomen…'

'Ja, ja,' zei Dana. 'De onverkorte versie. Ik weet het nog. Maar beloof me dat je niet zult lachen. Oké?'

28

Archie Venice voelde zich geweldig toen hij om tien over elf in 22nd Street uit zijn limousine stapte. De steengrillavond had zijn stoutste verwachtingen overtroffen. Zelfs Rhonda en Leslie, normaal gesproken bijzonder kritisch wanneer het op eten aankwam, hadden er met volle teugen van genoten.

'Ik heb nooit geweten dat je bij steengrillen helemaal geen olie of boter nodig hebt,' zei Rhonda, terwijl ze naar het Venice Pictures-pand liepen. 'Kunnen we dit niet vaker doen, Arch?'

Leslie, die vlak achter hen liep, zei: 'Ja, laten we voortaan *altijd* gaan steengrillen. Het is hartstikke gezond. En ik vind het ook wel iets primitiefs hebben, al die vis en groente op zo'n gloeiend hete steen.'

'Het ís primitief,' zei Archie. 'Het gaat helemaal terug naar de oertijd, toen de dagindeling van de mensen nog niet werd bepaald door het gerinkel van hun mobiele telefoons, maar door de meest primaire levensdriften.'

Ter hoogte van het geveltrapje namen ze afscheid van het handjevol acteurs en actrices dat niet direct vanaf het restaurant naar huis was gegaan. Vervolgens haakte Archie zijn sleutelhanger los van zijn broekrits.

Ze gingen naar binnen.

Rhonda en Leslie eerst, op de voet gevolgd door Archie, die op een prettige manier licht in zijn hoofd was van de smakelijke mojito's die hij de hele avond had gedronken.

Misschien was dat de reden waarom hij nauwelijks aandacht besteedde aan hetgeen hij vanuit zijn ooghoek zag toen hij even later achter Rhonda en Leslie aan de trap naar zijn appartement op liep: de deur van zijn kantoor, die op een kiertje stond, terwijl hij zo goed als zeker wist dat hij hem eerder die avond – zoals altijd – achter zich dicht had gedaan.

Of had hij hem toch open laten staan?

Nee, want dat deed hij nooit.

Nou ja. Waarschijnlijk was Dana, nadat ze hen eerder die avond had uitgezwaaid, nog even terug naar binnen geglipt om een of andere spoedklus af te handelen. Hij zou haar er morgenochtend voor alle zekerheid nog even naar vragen.

Farrell vroeg zich af wat het was dat ze bij hem losmaakte, dit meisje met haar laconieke groene ogen; waarom hij zich meer dan anders bewust leek van zichzelf en de dingen die hij zei. Op het vage schijnsel van de straatlantaarns na was het donker in de auto, en dus keek hij naar de lichtjes in haar ogen terwijl ze hem vertelde dat ze bij Archie Venice terecht was gekomen via een studievriendin die Susan Carney heette. 'Ik was twintig en wilde een paar maanden door het land gaan reizen, op zoek naar mezelf, of gewoon om even weg te zijn uit mijn vaste omgeving en een beetje lol te maken. Ik weet het niet meer. Het ontbrak me in ieder geval aan geld en op een dag biechtte Susan op dat ze een groot deel van haar studie bekostigde met het inspreken van pikante verhaaltjes voor sekslijnen. Ze beweerde dat die lui altijd op zoek waren naar nieuwe meiden, omdat geen van de vaste medewerkers lang in dienst bleef. In eerste instantie verklaarde ik haar voor gek, maar toen vertelde ze me wat het betaalde en ik dacht: waarom ook niet? Als ik straks met ondergaande zon uitkijk over de Grand Canyon, wat doet het er dan nog toe hoe ik er ben gekomen? Een week later nam Susan me mee naar het appartement van een kerel die Zack Brown heette en daar stond ik dan, met mijn tekst. Het kostte me een halve dag om een verhaaltje van tien minuten op de band te krijgen. Het eerste uur ging verloren omdat ik iedere keer bij de zin "Kom hier jij, geile treuzelaar" in de lach schoot. En toen ik dat gedeelte er eindelijk zonder haperen uitkreeg, begon Zack – hij was ook een echte zak, maar dat terzijde – te zeuren dat ik niet sexy genoeg praatte. Ik zie hem nog staan, met zijn zwarte Iron Maiden T-shirt en zijn spillebeentjes. "Zwoel praten, Dana. Zwóél praten..." Hij zei tegen me dat ik voor even de collegebanken moest vergeten en me moest voorstellen dat ik echt die slet uit dat verhaaltje was.'

Farrell schudde zijn hoofd. 'Jezus...'

'Zeg dat wel. Maar goed, uiteindelijk was Zack tevreden. Ik sprak drie weken lang verhaaltjes in, incasseerde mijn geld en stapte op de Greyhound.'

'Wacht even. Je gaat me toch niet vertellen dat je Archie in de bus hebt ontmoet?'

'Nee, dat gebeurde pas toen ik twee maanden later thuiskwam. Mijn hele antwoordapparaat stond vol met berichten van Zack, die me eerst beleefd en toen steeds dringender vroeg of ik hem wilde terugbellen. Iemand had herhaaldelijk om mijn gegevens gevraagd en hij wist niet of ik het goed vond dat hij ze doorgaf. Die iemand was Archie.'

'Zack en Archie kenden elkaar?'

'Nee, ze kenden elkaar niet. Archie nam contact op met Zack omdat hij me een baan wilde aanbieden als receptioniste.'

'Hij bood je een baan aan zonder je ooit te hebben ontmoet?'

'Ja en nee,' zei Dana. 'Waar het op neerkomt, is dat Archie – terwijl ik stinkend als een bunzing met de bus door Amerika reed – die sekslijn belde en verliefd werd op mijn stem.'

Farrell schoot in de lach, hij kon het niet helpen. Hij zei: 'Een pornoproducent die een sekslijn belt? Waarom zet hij niet gewoon een van zijn eigen films op als hij zich eenzaam voelt?'

'Dat vroeg ik me natuurlijk ook af, maar het zat iets anders. Toen ik een week later bij hem op gesprek ging, legde Archie uit dat hij het stimulerend vindt om, wanneer hij sollicitanten over de vloer heeft, via de speakerfunctie van zijn telefoon naar die verhaaltjes te luisteren. Hij noemde het "spannend en inspirerend" en beweerde zelfs dat hij op die manier op ideeën kwam voor nieuwe films.'

'Je zou hem om royalty's moeten vragen. Misschien kun je dan je droom realiseren en dat restaurant beginnen.'

Ze glimlachte. 'Op de een of andere manier denk ik niet dat Archie daarmee zal instemmen. Hoe dan ook, in eerste instantie nam ik zijn aanbod niet serieus. Maar toen hoorde ik wat ik kon gaan verdienen en sloeg de twijfel toe. Ik had al een tijdje het gevoel dat ik mijn studie meer voor mijn ouders deed dan voor mezelf en had geen idee wat ik wilde met mijn leven...'

'Wat studeerde je?'

'Politicologie. Dodelijk saai.'

'Porno en politiek. Waarom klinkt die combinatie me bekend in de oren?'

'Je had beloofd dat je me niet zou uitlachen.'

'Dat doe ik ook niet,' zei Farrell. 'Ik meen het serieus. Ik las een paar maanden geleden iets in de *Post* over een pornoactrice in Louisiana die politieke ambities heeft. Ik geloof dat ze Stormy Daniels heet. Volgens dat artikel had ze al heel wat aanhang.'

'O, Stormy. Ja, dat heb ik ook gelezen. De Republikeinse senator tegen wie ze het moet opnemen, blaast hoog van de toren wanneer het gaat om het gezin als de hoeksteen van de samenleving, maar werd niet zo lang geleden in een hotelkamer betrapt met een prostituee.'

Farrell grijnsde. 'Waarop Stormy zei: "Stem op mij. Ik naai de mensen tenminste op een eerlijke manier."'

'Ja, dat was een goeie. Maar het lijkt erop dat ze inmiddels haar eigen glazen heeft ingegooid. Vorige week mishandelde ze haar echtgenoot nadat hij het wasgoed niet op de juiste manier had opgevouwen. Ze gooide een verzameling aardewerken potten door het huis, verscheurde het trouwalbum en werd gearresteerd. De pers dook erop en... Wacht even, hoe kwamen we ook alweer op dit onderwerp?'

'We hadden het over je studie,' zei Farrell. 'En over hoe je bij Archie terecht bent gekomen. Het lijkt erop dat je geen spijt hebt gehad van je keuze. Je was twintig toen je begon en bent nu...'

'Zesentwintig. Nee, spijt heb ik nooit gehad. Wat niet wil zeggen dat ik hier gelúkkig ben.'

'En? Probeerde Archie je te versieren tijdens dat eerste gesprek?'

'Natuurlijk probeerde hij dat. Maar ik zette hem op zijn plek en ik geloof dat hij dat wel waardeerde: een meisje dat "nee" tegen hem zei. Sindsdien noemt hij me gekscherend "Dana de Onbereikbare" of

"Dana Lisa", om aan te geven dat ik er wel ben, maar dat hij weet dat hij me niet mag aanraken, net als dat beroemde schilderij in Parijs.'

Farrell keek naar haar terwijl ze glimlachte bij de herinnering. Vervolgens wierp hij een blik op het pizzatentje aan de overkant en zei: 'Luister, ik weet niet hoe lang dit nog gaat duren, maar als je naar huis wilt, kan ik een taxi voor je bellen.'

'Een taxi? Ben je gek? Ik vind het veel te spannend, dit hele detectivegedoe. Ik wil weten wat er gaat gebeuren.'

29

Terwijl Tiffany zich opfriste in het toilet van de pizzeria, tuurde Larry naar het lege bord voor zijn neus.

Wat kon het leven toch vreemd in elkaar zitten. Toen zijn kersverse nieuwe vriendin daarnet over de tatoeage op zijn arm was begonnen, had hij heel even zeker geweten dat alle moeite die hij die dag had gedaan om zich van zijn beste kant te laten zien voor niets was geweest. Hoe kon hij haar immers laten inzien dat Amanda echt niets meer voor hem betekende?

Bij wijze van afleidingsmanoeuvre was hij over zijn film begonnen. Hoewel Tiffany in eerste instantie sceptisch had gereageerd, was alles veranderd toen Larry zijn moment van verlichting had beleefd en haar de hoofdrol had aangeboden. Plotseling realiseerde hij zich wat er mis was met het einde. Hij herinnerde hoe hij zich eerder die dag, zittend op het geveltrapje bij Venice Pictures, had afgevraagd waarom de scène waarin Lydia met de zeis werd onthoofd almaar bij hem terugkwam.

Nu wist hij het.

De onthoofdingsscène kwam almaar bij hem terug omdat hij diep vanbinnen *helemaal niet wilde dat Lydia doodging*.

De reden dat hij er niet eerder was achter gekomen, was dat hij geen gezicht bij haar personage had gehad en daardoor niets bij de onthoofding had gevoeld.

Door zich Tiffany voor te stellen in de rol van Lydia, zag hij alles ineens glashelder. Tiffany die werd onthoofd met een zeis?

No way, José.

The Cock Robbers zou een happy end krijgen. Een einde waarin Lydia/Tiffany op de een of andere manier in leven bleef. En daarmee won het grote publiek, want dat hield van happy ends. Een prettige bijkomstigheid van het feit dat Tiffany direct 'ja' had gezegd op zijn aanbod, was dat ze met geen woord meer had gerept over de tatoeage op zijn arm. In plaats daarvan had ze hem de oren van het hoofd gevraagd over Lydia. Wat was ze voor iemand? Had ze hobby's? Waren er dingen waar ze juist niet van hield?

Larry kon zijn geluk niet op. Deze dag, die zo verdomd slecht was begonnen door toedoen van Stanley en zijn vader, had een ommekeer gekregen waarvan hij alleen maar had kunnen dromen.

Toen ze even later terugkwam van het toilet, vroeg Larry haar of ze genoeg had gegeten en of ze misschien zin had om bij hem te blijven slapen. Tiffany zei dat ze daar wel zin in had, maar dat ze morgen moest werken en dus niet kon uitslapen. Larry zei dat hij het geen probleem vond om vroeg op te staan.

Tiffany fronste haar wenkbrauwen en zei: 'Wacht eens even. Ik heb me vergist. Ik ben wél een keer in het buitenland geweest. Dat was toen ik probeerde voet aan de grond te krijgen in LA.' Ze schudde haar hoofd, alsof ze zich iets vervelends herinnerde. 'Ik was ingeschreven bij een *talent agent* en werd geselecteerd door een kleine productiemaatschappij. Het zou een medium-budgetfilm worden op een exotische locatie. We vlogen met een hele crew naar Panama, maar werden op de eerste draaidag gearresteerd en belandden in de gevangenis. Daar zat ik dan in mijn lieslaarzen en mijn hoerenhakken, opgesloten in een vreemd land. Het duurde drie weken voordat we werden vrijgelaten. Misschien ben ik het daarom vergeten. Omdat ik alleen het vliegveld, een filmset en de gevangenis heb gezien.'

Larry zei: 'Drie weken in een Panamese gevangenis? Dat lijkt me geen kattenpis.'

Tiffany schudde haar hoofd. 'Er waren twee Franse actrices bij, die voortdurend midden in die cel met elkaar aan de slag gingen. En dat terwijl er toch al weinig zuurstof was en er allemaal insecten over de vloer kropen. Nee, vergeleken daarmee is werken bij Wal-Mart zo slecht nog niet.'

'Insecten?' zei Larry. 'Brrrr. Ik háát insecten.'

'Ik vind lieveheersbeestjes en sprinkhanen wel leuk. Maar niet als ze in je slaap over je heen kruipen.'

'Er is maar één iemand die in míjn slaap over me heen mag kruipen,' zei Larry. 'En dat is een verdomd talentvolle actrice die op het punt staat haar grote doorbraak te beleven.'

Tiffany fronste haar wenkbrauwen. 'Was dat een hint?'

Dana zei: 'Daar heb je ze.'

Farrell keek op en zag dat ze gelijk had. Larry en zijn nieuwe vriendin hadden de pizzeria verlaten en liepen hand in hand naar het witte busje aan de overkant van de straat. Ze stapten in en reden rechtstreeks terug naar Venice Pictures. Om tien over een zag Farrell de lichten in Larry's appartement op de derde verdieping aangaan. De locatiescout verscheen voor het raam en schoof de gordijnen dicht. Vijf minuten later gingen de lichten in het appartement weer uit.

Dana keek hem aan. 'En nu?'

'Nu is het kwart over een,' zei Farrell. 'Mijn werkdag zit erop. Wil je nog ergens iets gaan drinken of zal ik je thuisbrengen?'

Ze glimlachte. 'Zullen we bij mij een kopje thee drinken?'

'Zolang het maar geen ijsthee is.'

'Maak je geen zorgen. Dat heb ik niet eens in huis.'

Ze gaf hem het adres van haar appartement op Roosevelt Island en even later reden ze over de 59th Street Bridge. Onder hen, in het donker, glinsterde het water van de East Channel. Farrell tuurde naar het wegdek en vroeg zich af waarom het hem voor het eerst die avond moeite kostte om een gespreksonderwerp te vinden. Hij deed zijn uiterste best, maar in plaats van dat er iets in hem opkwam, zag hij plotseling het verongelijkte gezicht van Elaine voor zich. *Is dat wat je wilt, Jack? Voor tien dollar per uur proberen de beste cocktail van de stad te maken?* Hij drukte zijn ex-vriendin weg uit zijn bewustzijn, vastbesloten aan iets positiefs te denken, maar nu verscheen zijn moeder voor zijn geestesoog. *Zie je wel, Jack? Het is dat werk van je. Daardoor heb je het gevoel dat iedere relatie bij voorbaat gedoemd is te mislukken.*

Had ze misschien gelijk? Was hij werkelijk zo cynisch?

Nee, dat was hij niet. Toch?

Maar als zijn moeder ernaast zat, waarom wist hij dan op dit moment niets te zeggen en dacht hij in plaats daarvan aan zijn overspelige ex-vriendin?

Dana zei: 'De volgende rechts.'

'Deze?'

'Ja. Deze.'

Stilte.

'Hier naar links.'

'Oké.'

'Daar is het. Nummer 34.'

'Bij die bruine deur?'

'Roodbruin. Inderdaad.' Ze keek hem aan. 'Jack?'

'Ja?'

'Als je liever direct naar huis gaat, dan –'

Hij zette de Cadillac langs de stoeprand, boog zich naar haar toe en zoende haar. Voelde hoe ze op zijn aanraking reageerde en zoende haar opnieuw, langer ditmaal. Ze rook naar lentebloemen.

Hij zei: 'Weet je dat ik dit al wilde doen vanaf het moment dat je me drie dagen geleden vroeg of ik *Breast Seller 2* had gezien?'

'Zo lang al? Waarom heb je me dan niet meteen mee uit gevraagd? Ik had zeker "ja" gezegd.'

'Dat is een goede vraag. Ik geloof dat het me niet erg professioneel leek.'

'Niet professioneel? Volgens mij ben je diep vanbinnen gewoon verlegen.'

Hij glimlachte. 'Misschien heb je gelijk. Maar nu ben ik eroverheen en snak ik naar een kop thee.'

Haar appartement was klein maar comfortabel. Veel ramen. Houten vloeren. Een verzameling exotische stenen op de schoorsteenmantel. Farrell stond midden in de woonkamer en keek naar haar terwijl ze de gordijnen sloot.

Nu kwam ze op hem af, pakte hem bij de hand en leidde hem naar de divan in de hoek van het vertrek. Ze sloeg haar armen om zijn nek en keek hem aan. 'Vind je het goed als we de thee voor straks bewaren?'

Hij knikte.
Dacht allang niet meer aan thee.

30

DR. BAZUKI: GEEN LEVEN ZONDER PROBLEEM. GEEN PROBLEEM ZONDER OPLOSSING, stond er op het briefje dat Farrell met enige moeite onder zijn ruitenwisser vandaan wist te peuteren. En: HULP BIJ AL UW PROBLEMEN. ZAKELIJK, HET LATEN TERUGKOMEN VAN UW GELIEFDE, IMPOTENTIE, GELDZORGEN. ALTIJD RESULTAAT, ZELFS IN HOPELOZE GEVALLEN!!

Dana, die over zijn schouder meelas, zei: 'Zo'n figuur hadden wij ook in het dorp waar ik ben opgegroeid. Hij heette alleen anders. Professor Moloka, als ik het me goed herinner. Hij had nooit erg veel klandizie, maar deed verder niemand kwaad.'

Het was donderdagochtend, halfacht. Ze hadden net ontbeten in een bomvolle Griekse *diner* en stonden op het punt richting Venice Pictures te rijden. Ondanks de korte nachtrust voelde Farrell zich uitstekend. Het was prettig geweest om naast haar wakker te worden, zijn lichaam en geest vol energie. Hij maakte een propje van Dr. Bazuki, opende het portier van de Cadillac en zei: 'Kom je uit een dorp? Dat had je nog niet verteld. Waar ben je opgegroeid?'

'Ooit gehoord van Pound Ridge?'

Hij schudde zijn hoofd.

Ze stapten in en Farrell startte de auto.

Dana zei: 'Ik geloof dat het officieel geen dorp is, maar een stadje. Er wonen nog geen vijfduizend mensen en het spannendste dat er ieder jaar gebeurt is de jaarlijkse ingevette-watermeloenwedstrijd in het plaatselijke zwembad.'

'De wát?'

'De ingevette-watermeloenwedstrijd. In mijn jeugd was er een zwembad dat werd onderhouden door mensen uit de buurt. Het was een enorme betonnen bak, midden in een tarweveld. Als je erin lag, zag je vlakbij de koeien grazen. Je kon ze ook ruiken. Hoe dan ook, ieder jaar in de zomer werd die wedstrijd georganiseerd. Twee teams en een watermeloen die werd ingesmeerd met vaseline. De winnaar was het team dat er als eerste in slaagde dat glibberige ding naar de andere kant van het zwembad te krijgen.'

Farrell glimlachte, zette zijn richtingaanwijzer aan en voegde in. 'En? Zat je vaak bij het winnende team?'

'Nee,' zei Dana. 'Meestal dreven er na een minuut of tien overal stukken meloen rond. Dan was het afgelopen en ging iedereen barbecuen.'

'Deed professor Moloka ook mee?'

'Ik heb hem nooit in het zwembad gezien. Volgens mij was het niet echt een sportief type...'

Om vijf voor halfnegen arriveerden ze bij Venice Pictures.

'Het ziet ernaar uit dat je geluk hebt,' zei Dana, terwijl ze uit de auto stapte. 'Larry's gordijnen zijn nog dicht.'

'Als hij net zo'n korte nacht heeft gehad als wij zal dat nog wel even zo blijven.'

Ze glimlachte en kuste hem op zijn voorhoofd. 'Bel je me?'

Farrell beloofde dat hij dat zou doen.

Hij zag haar in het vroege ochtendlicht de straat oversteken. Een ogenblik later verdween ze naar binnen.

Gedurende haar zesjarige dienstverband bij Venice Pictures was Dana Evans eraan gewend geraakt dat werken voor een pornoproducent met zich meebracht dat ze af en toe dingen zag die ze liever niet wilde zien.

Al op haar tweede werkdag was ze nietsvermoedend een van de studioruimten op de tweede verdieping binnengestapt, om daar een fors geschapen albino aan te treffen met een zes centimeter lange injectienaald in zijn penis. Terwijl Dana uit alle macht probeerde zich een nonchalante houding aan te meten, had de albino licht verstoord naar haar opgekeken en haar gevraagd of ze voortaan even wilde kloppen voordat ze binnenkwam, zodat hij niet het risico liep uit te schieten terwijl hij zich voorbereidde op een scène. Later was haar verteld dat de man – een veteraanacteur die Johnny Inches heette – bezig was geweest viagra in zijn penis te injecteren. Het was een minder prettige manier om de prestaties te optimaliseren dan pillen, maar werkte des te sneller. Dana had de uitleg ter kennisgeving aangenomen en zich heilig voorgenomen op haar werk nooit meer ergens binnen te lopen zonder eerst te kloppen.

Ondanks dit goede voornemen was ze ook in de jaren daarna met regelmaat geconfronteerd met zaken die haar in meer of mindere mate uit haar evenwicht hadden gebracht: een actrice die zich had opgesloten in het toilet en dreigde haar polsen door te snijden nadat Archie haar had verteld dat ze te oud was en geen nieuw contract zou krijgen, een woedende echtgenoot die met een vleesmes op de stoep had gestaan toen hij erachter was gekomen dat zijn vrouw, een parttime cocktailserveerster, al vijf jaar lang in het geniep bijkluste als pornoactrice. Een cameraman die Archie na een conflict over secundaire arbeidsvoorwaarden had bedreigd met een honkbalknuppel...

Hoewel ze er inmiddels tamelijk bedreven in was geraakt adequaat te reageren op allerhande crisissituaties, wist ze onmiddellijk dat niets haar had kunnen voorbereiden op wat ze die ochtend aantrof toen ze om halfnegen op kantoor kwam.

In eerste instantie had ze niets opgemerkt.

Ze was zoals altijd als eerste binnen en klikte staand achter haar bureau door haar nieuwe e-mailberichten, onderwijl nadromend over gisteravond. Toen zag ze dat er iets niet klopte. De deur van Archies kantoor stond open.

Vreemd.

Archie was een gewoontedier en normaal gesproken was zijn deur altijd dicht wanneer ze 's ochtends op haar werk verscheen. Achter de open deur, zo constateerde ze toen ze wat beter keek, lag iets wat er niet hoorde. Iets wat eruitzag als...

Shit.

Ze deed een stap in de richting van de deur en voelde dat de haren in haar nek overeind gingen staan. Wat ze zag, was een hand. De hand bewoog niet en zat vast aan een arm, maar het lichaam dat bij de arm hoorde was niet zichtbaar vanaf de plek waar ze stond.

Ze duwde de deur verder open.

Daar, midden in Archies kantoor, lag Werner Brünst. Bij de slaap van de Duitser zat een gapend gat. De vloerbedekking waarop hij lag was doorweekt met bloed. Op enkele centimeters afstand van de rechterhand van de Duitser lag een pistool. Daarnaast stond Archies doodskist, die niet langer uit één stuk bestond, maar uit twee. In de natte troep van blikjes frisdrank en gesmolten ijs bij de kist zag ze een oranje kettingzaag.

Heel even dacht Dana dat ze van haar stokje zou gaan.

Toen vermande ze zich, snelde terug naar haar bureau en belde het alarmnummer.

31

De ware reden waarom Archie Venice een privédetective had ingehuurd om Larry in de gaten te houden, was niet dat hij de gedachte aan een mogelijke gevangenisstraf voor zijn zoon als ondraaglijk ervoer. Integendeel. Misschien zou het Larry zelfs wel goed doen een poosje te worden blootgesteld aan het strakke regime van het gevangenisleven. Misschien zou hij op die manier tot de ontdekking komen dat er een wereld om hem heen bestond. Een wereld waarin bepaalde regels golden, regels waaraan je je diende te houden omdat je anders vroeg of laat in de problemen kwam.

Maar helaas, de situatie waarin Archie zich bevond, maakte dat hij alle zeilen moest bijzetten om Larry zo ver mogelijk bij nieuwe moeilijkheden en het onvermijdelijk daarmee samenhangende contact met de politie vandaan te houden. Het was in zekere zin een zaak van leven en dood. Een die alles te maken had met zijn toonaangevende positie in de porno-industrie en een aantal nietsontziende types wier pad hij op weg naar de top had gekruist.

Dit was er gebeurd: behalve een succesvol filmmaker was Archie ook de trotse eigenaar van een aantal van de drukstbezochte pornowebsites van de vs. Zijn succesnummers – gelikte sites met namen als Geile huisvrouwen, Zaadslikkers, xxx-Fuckaholic, Tropische verrassingen, Sex-O-Maniac – en ook de individuele sites van de verschillende Venice-meisjes trokken jaarlijks miljoenen bezoekers. Het succes van de websites was niet onopgemerkt gebleven en de adverteerders stonden in de rij.

Drie jaar geleden – Archie herinnerde het zich nog als de dag van gisteren – was hij benaderd door Marco Moretti, een man die zich via de telefoon kortweg had voorgesteld als 'een zelfstandig ondernemer met een zwak voor de filmindustrie' en hem vervolgens had uitgenodigd voor een onderhoud in het Waldorf Astoria. Moretti zei dat hij wilde praten over advertentiemogelijkheden.

Archie had nog nooit van Marco Moretti gehoord en zijn eerste indruk was geen beste. Ondanks zijn splinternieuwe Ermenegildo Zegna-pak en de dure champagne die hij voor de gelegenheid had laten aanrukken, maakte de man een onbehouwen indruk. Hij praatte in korte, botte zinnetjes en vroeg meteen hoeveel geld het moest kosten om de meest in het oog springende advertentieruimtes op Archies websites op te kopen. Archie legde de man beleefd uit dat hij tevreden was met zijn huidige pakket van adverteerders en dat er op dat moment geen ruimte was voor meer.

Moretti zei: 'Je begrijpt me geloof ik niet goed. Ik vroeg niet of je tevreden bent met je huidige adverteerders. Ik zei dat ik wil adverteren op je websites en vroeg je een prijs te noemen.'

Het had Archie grote moeite gekost beleefd te blijven en de kale man met zijn dure pak niet in zijn gezicht uit te lachen. Godzijdank had hij zich weten te beheersen, want het volgende dat Moretti hem vertelde, was dat hij naar het Waldorf Astoria was gekomen in opdracht van Salvatore Neri, een maffiabaas die dat zo nu en dan – door middel van aanzienlijke investeringen – geld witwaste via Venice Pictures.

Archie besefte onmiddellijk dat hij geen kant op kon.

Hij had geen idee waarom Neri en co hun oog op zijn websites hadden laten vallen, maar hij vermoedde dat ze een of ander smerig plan hadden bedacht om op slinkse wijze bakken met geld te verdienen.

Al snel werd hem duidelijk dat dit inderdaad het geval was.

Het smerige plan werkte als volgt: Neri liet de advertentieruimte vullen met aanlokkelijke teasers voor gratis seksfilmpjes, plaatjes van schaars geklede dames met over hun borsten de tekst: 'Gratis meegenieten? Klik hier'.

Wanneer de nietsvermoedende bezoeker doorklikte, verscheen er een zwart scherm waarop dezelfde vrouw te zien was, nu met een glazen dildo in haar hand. In een vakje boven haar hoofd – dat deed denken aan een tekstwolkje in een stripboek – stond: 'Wil je meer van me zien? Klik dan *hier* en vul je naam, geboortejaar en creditcardgegevens in, zodat ik zeker weet dat je achttien jaar bent.'

Iedereen die dat deed, was het haasje.

De truc was dat de bezoeker op zijn volgende creditcardafschrift tussen de vijftien en twintig dollar in rekening werd gebracht, maar op een dusdanige manier dat niets erop wees dat de gemaakte kosten verband hielden met een bezoek aan een pornowebsite. De bedragen werden gekoppeld aan nooit verleende diensten van niet-bestaande bedrijven, waarvan de namen – net als de nummers van de bankrekeningen waar het illegaal verkregen geld naartoe werd gesluisd – constant werden veranderd om de autoriteiten een stap voor te blijven.

Neri betaalde Archie – eveneens via een niet-bestaand bedrijf – het gangbare tarief voor de advertenties. Mochten er ooit problemen komen, dan kon Archie daarnaar verwijzen en volhouden dat hij de advertenties volledig te goeder trouw had geplaatst.

Als dank voor de moeite stuurde Neri iedere maand zijn mannetje Moretti langs met een koffer met in eerste instantie driehonderdvijftig- en later vierhonderdduizend dollar erin, Archies aandeel in de zwendel en tevens om hem eraan te helpen herinneren nooit ofte nimmer de fout te maken zijn mond voorbij te praten.

De zwendel verliep vlotjes en Archie, die zich gezien de hoogte van zijn maandelijkse beloning vaak had afgevraagd hoeveel er jaarlijks met de illegale onderneming werd verdiend, had nooit een wanklank van Neri en/of Moretti gehoord.

Tot enkele dagen geleden, toen hij na zijn gebruikelijke uurtje in de sportschool was teruggekomen op kantoor en Dana hem vertelde dat ze zojuist een telefoontje had gekregen van de secretaresse van een van zijn adverteerders, met het verzoek of hij die middag even zijn gezicht wilde laten zien op een bedrijfsfeestje. Archie vroeg Dana om welke adverteerder het ging. Dana haalde haar schouders op. 'Dat zei ze niet. Die vrouw zei alleen dat ze de club waren van de gratis seksfilmpjes en dat je het dan wel zou weten. Het gaat ze kennelijk voor de wind, ze sturen een limousine om je op te halen.'

Tien minuten later stond de limousine voor de deur. Archie stapte in, maakte het zich gemakkelijk op de achterbank en vroeg de keurig geklede chauffeur of hij wist wat meneer Neri precies te vieren had. De chauffeur zei niets. Blijkbaar had de man een slechte bui. Archie haalde zijn schouders op en besloot verder zijn mond te houden.

Pas drie kwartier later, toen de chauffeur de limousine in een verlaten deel van Staten Island tot stilstand liet komen bij een stoplicht, deed Archie zijn mond weer open.

Hij vroeg de man waarom hij stopte terwijl het licht op groen stond.

De chauffeur zei niets.

Archie stond op het punt zijn vraag te herhalen, toen hij links van hem op het trottoir een breedgeschouderde man zag staan. De man droeg een blauw nylon jack, leunde ontspannen tegen een straatlantaarn en keek hem aan.

Toen de man in het blauwe jack weigerde zijn blik af te wenden, zei Archie tegen de chauffeur: 'Hé? Doe me een lol en rij even door. Die kerel staat me zo raar aan te kijken...'

De chauffeur zei niets.

Archie vroeg de chauffeur of hij iets aan zijn oren mankeerde. En schrok zich een ogenblik later kapot toen hij zag hoe de man bij de straatlantaarn iets vanonder zijn jack tevoorschijn haalde en op het achterportier van de limousine af liep.

'Shit,' zei Archie. '*Rijden!* Die idioot heeft een pistool.'

Toen de chauffeur nog altijd geen aanstalten maakte door te rijden, kwam Archie in actie. Zo snel als zijn oude lichaam het toeliet, schoof hij over de met leer beklede achterbank naar de andere kant van de wagen, reikte met zijn hand naar het portier, en tastte vervolgens in het niets omdat het portier dat hij wilde openen vanzelf opengіng en er een tweede man in zijn blikveld verscheen, iets kleiner dan de man met het pistool, maar minstens zo angstaanjagend. De tweede man, die een gemillimeterd kapsel had en de kille ogen van een roofdier, duwde Archie terug de limousine in en schoof zonder iets te zeggen naast hem op de achterbank. In zijn hand had hij iets wat eruitzag als een elektrisch scheerapparaat. Vervolgens stapte ook de man met het pistool in, zodat Archie klem kwam te zitten op de achterbank.

De limousine kwam weer in beweging.

Archie, die doodsbang was, zei: 'Wat heeft dit te betekenen? Ik zou worden opgehaald voor een feestje van meneer Neri –'

De man met het pistool sloeg Archie met de kolf van het wapen in zijn gezicht. 'Spreek die naam nooit in het openbaar uit, ouwe klootzak.'

'Maar...'

'Waarom praat je zoon met de politie?'

Archie proefde bloed en merkte dat hij beefde. 'Mijn zoon?'

'Ja, Archie, je zoon. Larry. Waarom?'

Archie zei: 'Luister, ik weet niet wat jullie denken, maar...' Vanuit zijn ooghoek zag hij de man met het pistool knikken naar de kleinere man naast hem. De man wurmde het ding dat eruitzag als een scheerapparaat op hardhandige wijze tussen Archies benen. Het volgende ogenblik werd hij getroffen door een elektrische schok en vloog tegen het dak van de auto.

De man met het pistool zei: 'Volgens onze informatie heeft je zoon vorige week twee dagen op het politiebureau van het zesde district gezeten. Waar of niet?'

Archie wist dat hij rustig moest blijven – hij had immers niets verkeerds gedaan – maar dat viel niet mee, want het angstaanjagende apparaat bevond zich nog altijd tussen zijn benen. Starend naar het achterhoofd van de chauffeur zei hij: 'Ik... Ja... mijn zoon is vorige week gearresteerd, als je dat bedoelt. Hij had een politieman geslagen. Ze hebben hem een nacht vastgehouden.'

'Een politieman geslagen?' De man met het pistool wisselde een blik met de kleinere man en Archie zette zich schrap voor een nieuwe schok, maar die bleef uit.

Archie, die nu begon te begrijpen wat er aan de hand was, zei: 'Hij was gefrustreerd omdat zijn vriendin hem had gedumpt. Ik zweer het. Waarom zou ik mijn zoon naar de politie sturen om ze dingen over meneer Ne... om ze dingen over jullie te vertellen? Denk je dat ik geen zin meer heb in het leven?'

'Ik denk helemaal niets,' zei de man met het pistool. 'Ik word alleen maar gestuurd om erachter te komen of het terecht is dat mijn baas en een groot aantal mensen om hem heen zich zorgen over je maken.'

'Nou, vertel ze dan maar dat dat niet terecht is,' zei Archie, die over de ergste schrik heen was en zich ondanks de penibele situatie waarin hij zich bevond een beetje boos begon te maken. 'Mijn zoon weet niets van jullie praktijken af. Laat staan dat hij er iemand iets over zou kunnen vertellen.'

De man met het pistool zei: 'Is dat zo? Marco wordt anders knap zenuwachtig van hem.'

'Waarom?'

'Hij zegt dat Larry iedere keer met een stompzinnige blik naar hem staat te grijnzen. Dat hij op de een of andere manier altijd net in de buurt is wanneer hij langskomt met een betaling.'

'Hij staat te grijnzen? Godallemachtig. Dat doet hij voortdurend. Waarschijnlijk grijnst hij omdat hij een nieuw idee heeft bedacht voor een film.'

De man met het pistool keek hem met samengeknepen oogleden aan. 'Dus hij weet niets?'

'Niemand weet iets. Ik zweer het. Zeg maar tegen meneer, eh, tegen je baas dat hij zich nergens zorgen over hoeft te maken. En zou je in godsnaam dat ding bij mijn ballen willen weghalen. Die moeten nog een tijdje mee.'

Ze hadden hem teruggereden naar Venice Pictures en daar hadden ze hem laten gaan, maar niet voordat ze hem te verstaan hadden gegeven dat Neri en Moretti de verzekering wilden dat ze in de toekomst geen berichten meer zouden ontvangen over Archies zoon – of welke medewerker van zijn bedrijf dan ook – die om onduidelijke redenen contact had met de politie, FBI of andere wetshandhavers.

Met de schrik nog in zijn lijf had Archie plechtig beloofd dat hij daarvoor zou zorgen. Het was zijn bijna-doodervaring in de limousine geweest die hem had doen besluiten Jack Farrell in te huren om zich ervan te verzekeren dat Larry de komende drie weken – tot het moment dat hij bij zijn moeder op Hawaï terechtkon – geen verhaal zou gaan halen bij Amanda en opnieuw werd gearresteerd. En het was dezelfde bijna-doodervaring die ervoor zorgde dat hij tien minuten geleden – toen hij was wakker gebeld door Dana Evans met het bericht dat Werner Brünst zelfmoord had gepleegd en de politie met hem wilde praten – de neiging had moeten onderdrukken de hoorn erop te gooien, Avis te bellen, een auto te huren en samen met Rhonda, Leslie en al het geld dat hij bezat naar Mexico te rijden.

Maar vluchten was natuurlijk geen optie. Dat was iets wat jonge mensen in films altijd deden. Hij was een oude man. Waar hij ook met zijn meiden heen ging, hij zou worden opgemerkt. Ze zouden hem vinden. Bovendien: de politie was al beneden. Hij zou er eenvoudigweg aan moeten geloven.

En dus had hij tegen Dana gezegd dat hij eraan kwam en hees hij zich op dit moment in zijn zwartleren pak. Ondertussen schoten dezelfde gedachten door hem heen die hij had gehad toen Dana hem daarnet het tragische nieuws vertelde.

Werner Brünst?

Zelfmoord?

Waarom?

Dana had iets gezegd over zijn doodskist, die was bewerkt met een kettingzaag.

Maar hoe wist de Duitser van het geld?

Archie liep terug naar de slaapkamer, zag dat Rhonda en Leslie nog altijd sliepen en deed zijn best aan iets positiefs te denken: het feit dat hij de doodskist alleen maar gebruikte als tijdelijke bergplaats voor het Neri-geld. Dat het altijd op vrijdagavond veilig meeging naar zijn huis in Long Island, waar hij een geavanceerd alarmsysteem had en een goed verstopte muurkluis. Dat hij daarom in wezen niets verloren had.

Ja, dat was positief. En toch lukte het hem niet het goede gevoel vast te houden, want daar doken de twee mannen en de limousine weer op voor zijn geestesoog. Dat smerige apparaat op zijn ballen...

Archie wist niet of het doodsangst was wat hij voelde, maar bang was hij in ieder geval. Zo bang dat hij nauwelijks helder kon nadenken. Wat hem nog het meest beangstigde – meer nog dan de gedachte aan een nieuw samenzijn met de handlangers van Salvatore Neri – was het feit dat Werners zelfmoord op de een of andere manier geen incident leek te zijn. Er gebeurden de laatste tijd *alleen maar* dingen waardoor hij in de problemen kwam. Larry en zijn vriendin. Bud Raven en zijn geld. Kevin die volkomen terecht werd ontslagen en vervolgens zei dat hij 'dit niet over zijn kant zou laten gaan'. Gistermiddag wéér Larry, en vervolgens die woedende actrice die hem een smerig oud fossiel had genoemd en zomaar haar contract in zijn vruchtenyoghurt had gesmeten.

Het leek wel alsof iemand hem wilde waarschuwen dat zijn geluk bijna op was en hij maar beter eieren voor zijn geld kon kiezen, voordat hij helemaal niets meer te kiezen hád.

Archie begon weer aan Avis en Mexico te denken, maar toen – ijsberend door het appartement – viel zijn blik op de *Roomservice*-poster boven de open haard.

Roomservice, zijn doorbraakfilm uit de jaren tachtig, de film waarmee hij de harten van vele Amerikanen had veroverd en die hem had gemaakt tot wat hij was: de grootste pornoproducent van New York.

Voor het eerst sinds Dana's telefoontje stond hij langer dan een paar seconden stil.

Hij staarde naar de poster, een afbeelding van de in nylonkousen gehulde benen van Julia Bangs, met ernaast een roomservicekarretje en een half geopende deur van een hotelkamer, en riep zichzelf tot de orde. Het was tijd om op te houden zich te gedragen als een bang klein kind. Hij was Archie Venice, een man met een missie, en niet zomaar een of andere loser. Iemand, daarboven of hierbeneden, had op zeker moment besloten dat hij zou worden wat hij was geworden. Misschien moest hij de problemen van de laatste tijd daarom zien als een soort beproeving; iets schijnbaar onoverkomelijks waarmee zijn ruggengraat werd getest. Iets wat hem, als hij zich niet liet kennen en kalm bleef, tot een nóg sterkere persoon zou maken.

Zijn hele leven was hij erin geslaagd hoofdzaken te scheiden van bijzaken, waarheden van geruchten, een topactrice van een middelmatige. Eigenlijk was deze situatie niet anders.

De feiten.

Daar moest hij zich op richten. Hij liep naar de keuken, pakte pen en papier en schreef:

1. Ik heb niets verkeerds gedaan
2. Een van mijn regisseurs heeft zelfmoord gepleegd
3. Ik moet met de politie praten
4. Daarna Marco bellen en alles uitleggen

Hij las alles wat hij had geschreven tweemaal na, merkte dat hij nog steeds bang was en voegde eraan toe:

5. Niemand gaat mij pijn doen

Hij stopte het briefje in zijn zak en liep naar de badkamer, waar hij zijn tanden poetste en koud water in zijn gezicht plensde. Vervolgens nam hij een flinke dosis valium, haalde diep adem en begaf zich naar beneden om de politie te woord te staan.

32

Farrell had zich voorbereid op opnieuw een dag zonder veel verrassingen, maar dat scenario kon al om tien over halfnegen de prullenmand in. Op dat moment arriveerde de eerste politieauto. Twee agenten stapten uit, belden aan en werden binnengelaten door Dana. Al snel kwam er nog een politieauto aan, kort daarop gevolgd door een ambulance.

Farrell tuurde tegen de zon in naar boven, naar het appartement van Larry Venice. De gordijnen waren nog altijd dicht en hij voelde een zweem van ongerustheid. Wat als Larry zijn nieuwe vriendin dezelfde behandeling had gegeven die zijn ex een week eerder had ontvangen? Had hij dan zijn werk niet goed gedaan? Jawel, want hij had zich keurig aan zijn opdracht gehouden. Archie Venice had niets gezegd over de mogelijkheid dat Larry op korte termijn een nieuwe liefde zou vinden en wat dat betekende voor Farrells taakomschrijving.

Ondanks die wetenschap kon hij om negen uur zijn nieuwsgierigheid niet langer de baas en belde Dana.

Misschien zou hij haar vragen over drie weken met hem mee te gaan naar Miami. Een weekje samen op het strand. Eten in de vele Cubaanse restaurantjes. Een uitstapje maken naar de Keys...

'Jack?' Hij hoorde onmiddellijk aan haar stem dat er iets helemaal mis was.

'Dana? Gaat alles goed?'

Ze slikte hoorbaar. 'Jack, ik kan niet lang praten. Er is iets verschrikkelijks gebeurd. Een van Archies regisseurs heeft vannacht zelfmoord gepleegd.'

'Een van zijn regisseurs?'

'Ja. De oudste van het stel. Werner Brünst. Ik trof hem vanochtend aan in Archies kantoor.'

'Jezus,' zei Farrell. Hij probeerde iets te bedenken om te zeggen, iets waarmee hij haar op haar gemak kon stellen, maar er kwam niets in hem op. 'Hoe heeft hij het gedaan?'

'Hij heeft zichzelf door het hoofd geschoten. Het was afschuwelijk, Jack. Zoveel bloed...'

Farrell keek naar de passagiersstoel van de Cadillac. Nog geen uur geleden hadden ze hier samen zitten lachen.

'Weet iemand waarom hij het heeft gedaan?'

'Nee. Maar de politie heeft een briefje gevonden waarin hij zegt dat het hem spijt. Ze gaan zo meteen met Archie praten.'

'Dat wát hem spijt?'

'Geen idee. Dat stond er niet bij. Maar ik neem aan dat het gaat om wat hij met Archies doodskist heeft gedaan.'

'En dat is?'

'Hij heeft hem doormidden gezaagd,' zei Dana. 'Met een kettingzaag. Volgens de politie moet hij hebben gedacht dat er naast ijsblokjes en blikjes frisdrank nog iets anders in die kist zat wat de moeite waard was om mee te nemen.'

Bud werd wakker met een stekende hoofdpijn ter hoogte van zijn slapen. Zijn wangen gloeiden alsof hij hoge koorts had. Het gevoel deed hem denken aan tien jaar geleden, toen hij – een dag na het auto-ongeluk – wakker was geworden in het ziekenhuis. Hij herinnerde het zich nog goed. Het was juli geweest, net als nu, en hij had het gevoel gehad dat zijn gezicht in brand stond.

Ondanks de helse pijn aan zijn gezicht bracht hij zijn handen eerst naar beneden om erachter te komen wat de schade daar was. Pas toen hij zich ervan had verzekerd dat alles nog op zijn plek zat, riep hij een verpleegster om te vragen wat er was gebeurd. De verpleegster, een jong meisje met een wipneus dat zich voorstelde als Betsy Bowen, vertelde hem dat hij met zijn auto van de weg was geraakt en tegen een boom was gereden. Hij mocht van geluk spreken dat hij nog leefde.

Bud zei: 'En Chasey?'
'Wie?'
'Mijn auto? Hoe is het daarmee?'
'Ik ben bang dat je auto total loss is. Maar nogmaals, wees nou maar blij dat je er zelf nog bent.'
Bud zei dat het voelde alsof zijn gezicht in brand stond.
'Dat geloof ik graag,' zei verpleegster Betsy. 'En dat gevoel zal nog wel even blijven.'
Toen de verpleegster weg was, zei de roodharige man in het bed naast hem: 'Jij bent Bud Raven, hè? Die pornoacteur?'
'Ja,' zei Bud.
'Ik voel met je mee, jongen.'
'Hoe bedoel je?'
'Je had een hele grote kunnen worden.'
Het viel Bud op dat de man hem niet recht aankeek. Hij staarde een beetje langs hem heen, alsof hij moeite had met focussen. Of hem niet *wilde* aankijken, zoals zijn vader nadat hij hem op een avond over zijn tot dan toe geheime carrière had verteld.
Bud zei: 'Maak je maar geen zorgen, hoor. Als je een fan bent, bedoel ik. Zodra ik hier weg mag, ga ik exclusief werken voor Venice Pictures in New York. Je zult nog genoeg van me horen.'
De man met het rode haar schudde zijn hoofd. 'Jouw carrière is voorbij, jongen. Ze kunnen tegenwoordig een hoop op het gebied van plastische chirurgie, maar jóúw gezicht... shit, je ziet eruit als die kerel in *The Singing Detective*, maar dan nog een graadje erger.'
'Wie?'
'Ken je die serie niet?'
'Nee,' zei Bud, terwijl zijn ogen de ruimte begonnen af te zoeken naar een spiegel.
'Nou ja,' zei de man. 'Het doet er eigenlijk ook niet toe. Neem maar van mij aan dat die kerel over wie ik het heb er verdomd beroerd uitzag.'
Bud riep verpleegster Betsy en vroeg om een spiegel.
Verpleegster Betsy zei: 'Een spiegel? Vanwaar die haast? We kunnen toch best een paar dagen wachten?'
Toen Bud de uitdrukking op het gezicht van de verpleegster zag

– een uitdrukking die het midden hield tussen professioneel medelijden en nauwelijks verholen afschuw – registreerde hij voor het eerst in zijn leven een emotie waarvan hij tot die dag niet had geweten dat hij voorkwam in zijn systeem.

Hij was bang.

En terecht. Want wat hij die dag in de spiegel zag, was het begin van het einde van zijn leven.

Vandaag had het begin moeten zijn van een níéuw leven. Maar dat was het niet, want de klus was uitgelopen op een fiasco. Bud draaide zich om en sloot zijn ogen; was er nog niet klaar voor om wakker te zijn. Hij probeerde zijn hoofdpijn te negeren en weer te gaan slapen. Besefte plotseling dat hij al sinds maandag zijn pillen niet meer had genomen. En schrok zich vervolgens te pletter omdat er iemand tegen hem begon te praten.

Nora. Ze zei iets over wafels.

Hij opende zijn ogen, zag het sproetige gezicht van zijn vriendin naar hem glimlachen en deed zijn best niet al te chagrijnig te kijken.

'Kom op, slaapkop,' zei Nora. 'Uit de veren. Het is bijna halftien. De hoogste tijd om naar het winkelcentrum te gaan.' Ze stond half over hem heen gebogen, haar haren nog nat van het douchen.

Bud zei: 'Het winkelcentrum?'

'Ja, lieverd, het winkelcentrum. We zouden naar Pete's wafelhuis gaan om je comeback te vieren. Met z'n drietjes. Je hebt het gisterochtend beloofd, weet je nog? Mama staat beneden op ons te wachten.'

Ze zouden wafels gaan eten. Shit. Dat had hij inderdaad beloofd. Hij had het beloofd omdat hij ervan uit was gegaan dat hij die ochtend wakker zou worden in een roes. Hij was ervan uitgegaan dat er een tas met minstens vierhonderdduizend dollar onder zijn bed zou staan. Maar er stond geen tas met vierhonderdduizend dollar onder zijn bed. Er stond helemaal niets.

Het enige verschil met gisteren was dat hij een inbraak had gepleegd en iemand had vermoord, twee misdaden die hem, als hij werd gepakt, zonder enige twijfel voor de tweede keer in zijn leven een geheel verzorgde busreis naar de Fairton Federal Correctional Institution in New Jersey zou opleveren.

Alleen zou het deze keer geen retourtje zijn.

Verdomme.

Alles was probleemloos verlopen, totdat die kist in tweeën was gespleten en er in plaats van stapeltjes bankbiljetten een enorme massa ijsblokjes en frisdrank naar buiten was gekomen. En toen – vervelende dingen kwamen altijd tegelijk – was de Duitser op het toneel verschenen, Werner Brünst, met die belachelijke kandelaar in zijn hand, die hem grijnzend had gevraagd of hij iets zocht. In een poging redelijk te zijn had Bud geprobeerd het met de Duitser op een akkoordje te gooien. Maar de Duitser, stug als altijd, had zijn smeekbeden genegeerd omdat hij zo nodig de held wilde uithangen. Op dat moment had Bud beseft dat hij geen kant op kon. Hij zou het weer moeten doen, iemand vermoorden. Het alternatief was zich zonder slag of stoot overgeven en zich willoos terug laten voeren naar de gevangenis. Het was een makkelijke keuze geweest, en de koelbloedigheid waarmee hij zijn probleempje had opgelost was een van de weinige dingen waar hij vanochtend met tevredenheid op terugkeek. Mede daarom stonden er op dit moment niet een heleboel auto's met zwaailichten op de oprit. Maar de afwezigheid van politieauto's betekende niet dat hij het een goed idee vond om in zijn huidige gemoedstoestand met Nora en haar moeder naar Pete's wafelhuis te gaan. Hij had geen honger en moest er niet aan denken daar in dat felle tl-licht te zitten en net te doen alsof hij luisterde terwijl Ruby-Beth de loftrompet stak over de Here Jezus en haar nieuwe stofzuiger. Nee, hij bleef liever thuis. Zodat hij privacy had en zich kon richten op dat andere positieve puntje dat het fiasco van gisteravond hem had gebracht: de wetenschap dat Larry Venice niet had gelogen, een conclusie die Bud wrang genoeg pas had kunnen trekken na de plotselinge verschijning van Werner Brünst en het extra werk waarmee hij daardoor was opgezadeld. Hij wist immers zeker dat hij, wanneer de Duitser er niet was geweest, zo snel mogelijk na het zien van al die ijsblokjes en frisdrank zou hebben gemaakt dat hij wegkwam.

Maar de Duitser was er wél geweest en dus had hij moeten improviseren.

En toen, terwijl hij de doodskist gebruikte als schrijftafel voor Werners afscheidsbrief – kort en krachtig, met als handschriftreferentie een door de Duitser ondertekend contract – had hij, half verscholen achter een stel ijsblokjes en een blikje sinaasappelsap, de twee bundeltjes bankbiljetten gezien.

Onmiddellijk had hij zich gerealiseerd dat hij het geld niet zou kunnen meenemen zonder dat zijn plan aan geloofwaardigheid inboette, maar toch had de aanblik ervan zijn gevoelens van razernij jegens Larry enigszins getemperd.

De locatiescout was nog steeds een idioot, maar de bankbiljetten – ongebruikt en keurig bij elkaar gehouden door een wit geldbandje – lieten Bud weten dat Larry wel de waarheid had gesproken. Het zag er alleen naar uit dat iemand hem voor was geweest of – nog waarschijnlijker – dat de rest van het geld naar een andere plek was overgebracht.

Dat betekende dat er nog altijd perspectief was: de mogelijkheid tot een noodplan, mits hij opschoot en geen tijd verloor met kletsen over wafels.

'Bud?' zei Nora. 'Gaat het? Je kijkt zo raar...'

'Wat? O sorry, lieverd, ik dwaalde even af. Ik voel me knap beroerd.'

'Is er iets niet goed gegaan met je bespreking?'

'Nee, lieverd, de bespreking ging prima. Het moet het eten zijn geweest. Ik heb de hele nacht overgegeven.'

'Echt waar? Ik heb je helemaal niet gehoord.'

'Dat komt omdat ik het heel zachtjes deed. Ik wilde je niet wakker maken.'

'O, schatje. Had me maar wel wakker gemaakt. Dan had ik je kunnen helpen. Heb je koorts?'

'Nee,' zei Bud. 'Maar trek in wafels heb ik ook niet.'

Ze knikte en keek hem bezorgd aan. 'Zal ik dan maar alleen met mijn moeder gaan? Of heb je liever dat ik thuisblijf?'

'Nee, ik red me wel. Ga maar samen met je moeder. Ze heeft zich er vast op verheugd.'

Nora zei tegen hem dat ze dat zou doen, maar dat ze niet lang weg zou blijven omdat ze zich dan zorgen over hem zou gaan maken en er toch niet van zou kunnen genieten. Bud zei tegen haar dat ze een engel was, sloot zijn ogen en wachtte tot hij het geluid van de voordeur hoorde.

Toen stond hij op en belde Larry.

'Bud? Ben jij dat? Je belt me wakker... Hoe laat is het?'

'Halftien. We moeten praten, Larry.'

'Waarover?'

'Over je film. Ik heb een verrassing voor je.'

'Een verrassing? Dat is toevallig, Bud. Want ik heb ook een verrassing voor jou.'

'Kun je om twaalf uur in de Subway in 50th Street zijn, die tussen 8th Avenue en Broadway? Dan eten we een broodje en vertel ik je erover.'

'Ik wil het einde veranderen.'

'Wat?'

'Het einde van *The Cock Robbers*. Ik wil het veranderen.'

Jezus christus.

'Wanneer heb je dit besloten, Larry?'

'Gisteren. Maar dat is niet het enige, Bud. Ik heb nóg een verrassing voor je.'

Bud vroeg zich af waarom Larry niets zei over de zelfmoord van Werner Brünst in zijn vaders kantoor. Maar toen realiseerde hij zich dat de locatiescout had gezegd dat Bud hem had wakker gebeld. Misschien was hij nog niet op de hoogte.

Hij zei: 'Waarom wil je het einde veranderen? We waren het er toch over eens dat het huidige einde duidelijk genoeg is?'

'Ja, maar ik wil geen duidelijk einde, Bud. Ik wil een *goed* einde. Iets waar de mensen blij van worden. Het einde zoals het nu is, met die onthoofding van Lydia, dat is het gewoon niet. Steeds als ik die laatste scène lees, vraag ik me af waarom ze niet gewoon kan blijven leven.'

'Het is je eigen scenario, Larry.'

'Ja, dat weet ik. Ik stel die vraag ook aan *mezelf*.'

'Maar?'

'Ik krijg geen antwoord, Bud. Althans: tot gisteren. Toen viel ineens alles op zijn plek. Er is namelijk iets gebeurd in mijn privéleven, iets heel moois, en –'

'Larry?' zei Bud. 'Ik ben erg benieuwd naar wat er is gebeurd in je privéleven. Maar vind je het goed om de rest van je verhaal te bewaren voor in de Subway? Zoals ik al zei: ik heb ook een verrassing voor jou. Een heel grote. Zo groot dat ik bijna niet kan wachten het je te vertellen.'

'Dan vertel je het toch gewoon nu?'

'Nee, dit is iets wat ik niet via de telefoon wil doen. Zorg gewoon dat je om twaalf uur in de Subway bent. Ik beloof je dat je blij zult zijn met wat ik je te zeggen heb.'

33

Larry kon bijna niet wachten om het fijne te horen over Buds verrassing. Wat zou het zijn? Het was in ieder geval iets wat te groot was om door de telefoon te vertellen. Dat beloofde wat. Larry zou afwachten wat Bud te zeggen had en hem vervolgens zijn eigen tweede verrassing vertellen: dat ze zich niet langer zorgen hoefden te maken over wie de vrouwelijke hoofdrol zou spelen.

God, wat zou het mooi geweest zijn als Tiffany die ochtend om zeven uur niet halsoverkop had moeten vertrekken. Dan had ze meteen mee kunnen gaan om Bud te ontmoeten. Maar helaas: de paniek over Leo en Clyde, de twee goudvissen die ze door haar plotselinge verliefdheid helemaal was vergeten te voeren, was zo groot geweest dat ze geen seconde langer had willen blijven.

Larry was zo benieuwd naar wat Bud te vertellen had, dat hij zich pas om tien over elf, toen hij de deur van zijn appartement achter zich dichttrok, realiseerde dat hij met Tiffany had afgesproken dat ze zou terugkomen zodra ze haar goudvissen had gevoerd. Dat kon nu natuurlijk niet, want als ze terugkwam wanneer hij er niet was, dan kon ze er niet in.

Terwijl hij over de gang in de richting van de trap liep, pakte hij zijn mobiel en toetste Tiffany's nummer in, hopend dat ze zou opnemen en niet al onderweg hierheen was.

'Larry?'

'Ja, ik ben het, lieverd. Ben je nog thuis?'

'Ik sta op het punt de deur uit te gaan en naar je toe te komen.'

'Gaat alles goed met je goudvissen?'

'Met Leo wel. Maar Clyde weigert te eten. Ik denk dat hij boos is omdat ik zo lang ben weggebleven.'

'Nou,' zei Larry. 'Blijf dan nog maar even thuis om hem een beetje extra aandacht te geven. Ik werd net gebeld door Bud. Hij heeft een verrassing voor me en wil me spreken. Het gaat over onze film.'

Tiffany zei: 'Een verrassing? Dat klinkt spannend. En hoe reageerde Edward?'

'Edward?'

'Mijn baas? Je hebt hem toch wel gebeld?'

Shit. Helemaal vergeten. Hij had haar vanochtend overgehaald om een dagje vrij te nemen en direct na het voeren van haar goudvissen terug te komen naar zijn appartement, maar Tiffany had haar baas niet durven bellen. Pas na lang aandringen van zijn kant was ze akkoord gegaan, op voorwaarde dat híj het telefoontje naar Wal-Mart voor zijn rekening zou nemen. Volgens Tiffany was de interim-manager uit op haar ontslag omdat ze weigerde in te gaan op zijn avances en stond hij dagenlang naast haar kassa in de hoop dat ze een artikel verkeerd zou aanslaan. Larry zei: 'Ja, natuurlijk, meis. Ik heb hem gebeld. Hij vond het geen enkel probleem dat je een dagje vrij neemt. Eens even kijken, waar hadden we het ook alweer over? O ja: ik bel je zodra ik Bud heb gesproken. Oké?'

Twee minuten later liep Larry de trap af naar de begane grond. Hij zocht in zijn broekzak naar het briefje waarop Tiffany het telefoonnummer had geschreven van het Wal-Mart-filiaal waar ze werkte. Nu maar hopen dat die eikel het inderdaad geen probleem vond dat zijn favoriete caissière een dagje verstek liet gaan. Maar op het moment dat zijn vingertoppen het verfrommelde stukje papier beroerden, kwam hij beneden aan en zag de enorme chaos achter de glazen deur die toegang gaf tot de bedrijfsruimte.

Wat was hier aan de hand?

Achter de glazen deur wemelde het van de politiemensen. Een handjevol regisseurs, acteurs en actrices stond ter hoogte van de waterkoeler druk gebarend met elkaar te praten. Achter de receptiebalie zat Dana Evans bedrukt voor zich uit te staren.

Larry duwde de deur open en ging naar binnen.

Nu zag hij ook zijn vader. Archie zag er bloednerveus uit en was in gesprek met een politieman met een dikke zwarte snor.

Archie zei tegen de rechercheur met de zwarte snor dat hij geen idee had waarom een van zijn regisseurs zijn doodskist te lijf was gegaan met een kettingzaag en zichzelf vervolgens van het leven had beroofd. Hij stond voor een raadsel, net als de politie, maar wilde natuurlijk meewerken voor zover hij dat kon. Hij deed zijn best ontspannen te glimlachen terwijl hij de rechercheur aankeek en probeerde niet te denken aan zijn limousine-avontuur met de benenbrekers van Marco Moretti en Salvatore Neri.

De rechercheur, die minstens zoveel interesse aan de dag legde voor de hen omringende filmposters als voor Archie, zei: 'Helemaal voor een raadsel staan we niet. Er zijn twee stapeltjes bankbiljetten tussen al die blikjes gevonden. Het ligt dus voor de hand dat uw regisseur op de een of andere manier dacht dat er méér te halen was en zich daarin heeft vergist. Hij heeft zich goed voorbereid. Die kettingzaag is geen half werk.'

Dat kon Archie niet ontkennen.

Vanuit zijn ooghoek zag hij Larry binnenkomen. Zijn zoon keek een beetje verdwaasd om zich heen, liep naar de receptiebalie en vroeg iets aan Dana.

De rechercheur zei: 'Meneer Venice?'

Archie richtte zich weer tot de rechercheur, die een vel papier uit zijn binnenzak tevoorschijn haalde.

'Is dit het handschrift van de heer Brünst?'

Archie pakte het vel papier aan, zag de blik van de rechercheur afdwalen naar de filmposter van *Roomservice 5*, en las:

BESTE ARCHIE, HET SPIJT ME – WB

Turend naar de zwierige letters herinnerde hij zich hoe boos Werner altijd was geworden wanneer je tegen hem zei dat hij het handschrift van een vrouw had.

'Ja. Dit ziet eruit als Werners handschrift...'

'Oké,' zei de rechercheur, terwijl hij zijn blik losmaakte van het achterwerk van Julia Bangs op de poster en het vel papier met Werners laatste woorden weer in zijn binnenzak liet verdwijnen. 'Van uw receptioniste hoorden we dat u gisteren een teambuildingsuitje had. Ze vertelde dat de heer Brünst zich persoonlijk bij u heeft afgemeld. Hoe laat was dat?'

'Zo'n tien minuten voordat we vertrokken,' zei Archie. 'Hij zei dat hij griep had.'

'En dat geloofde u?'

Archie haalde zijn schouders op. 'Ik dacht er pas vanochtend aan dat Werner zich nooit eerder ergens voor heeft afgemeld wegens ziekte. Maar ik moet bekennen dat ik er gisteravond niet bij heb stilgestaan.'

'Gedroeg de heer Brünst zich de laatste tijd anders dan anders?'

'Niet echt,' zei Archie. 'Hij mopperde weleens, maar dat lag in zijn aard. Werner leefde een beetje in het verleden. Volgens mij is hij altijd blijven terugverlangen naar Oost-Berlijn. Daar kwam hij vandaan. Aan de andere kant: ik loop lang genoeg mee in deze branche om te weten dat achteraf praten in een geval als dit weinig zin heeft. Feit is dat we de mensen om ons heen vaak niet zo goed kennen als we denken.'

De rechercheur knikte, staarde een paar seconden met een glazige blik naar de posters naast de receptiebalie en zei: 'Maar wat vindt u van mijn theorie? Zou het kunnen dat uw regisseur op de een of andere manier dacht dat er meer geld in die kist lag, erachter kwam dat dit niet zo was en vervolgens uit wanhoop en schaamte de hand aan zichzelf heeft geslagen?'

Archie haalde zijn schouders op. 'Ik heb geen idee wat hij heeft gedacht, rechercheur. Echt niet. Maar veel positiefs zal het niet zijn geweest.'

De rechercheur keek op zijn horloge. Vervolgens wierp hij een blik op de brancard met de lijkenzak erop die hen rakelings passeerde, en zei: 'Nou ja, wat hij ook heeft gedacht, u hoeft in ieder geval niet bang te zijn dat hij zijn actie in de toekomst nog eens zal herhalen.'

'Nee,' zei Archie. 'Dat lijkt me niet erg waarschijnlijk, hè?'

Vanuit de Cadillac keek Farrell naar de drukte aan de overkant bij Venice Pictures. Politiemensen liepen nog altijd af en aan, zij het met minder haast dan enkele minuten geleden. Ook het ambulancepersoneel, dat een grijze lijkenzak op een brancard de geveltrap af tilde, deed het rustig aan.

Het was vandaag licht bewolkt; de temperatuur in de auto was heel wat draaglijker dan de vorige dag. Om kwart voor twaalf, net toen Farrell op het punt stond Dana te bellen om te vragen hoe het met haar ging, kwam Larry naar buiten.

De locatiescout was alleen. Blijkbaar was de blonde actrice al eerder vertrokken. Of misschien was ze helemaal niet vertrokken en sliep ze nog, dat kon natuurlijk ook.

Farrell zag Larry in de garage verdwijnen.

Twee minuten later kwam hij weer naar buiten, zittend achter het stuur van zijn witte busje. Farrell wachtte tot hij het busje linksaf zag slaan op 8th Avenue, startte de Cadillac en zette de achtervolging in.

34

Bud zei: 'Zelfmoord? Werner Brünst? Jezus, dat is zo ongeveer de laatste van wie ik zoiets had verwacht. Hoe heeft hij het gedaan?'

Larry nam een hap van zijn sandwich en veegde een lik saus van zijn wang. 'Hij heeft zich een kogel door zijn kop gejaagd in Archies kantoor. Het was één grote bende.'

'Dat geloof ik graag,' zei Bud. 'Als mensen tot zo'n beslissing komen, staan ze er zelden bij stil wat een troep ze achterlaten voor anderen. Daarom vind ik zelfmoordenaars per definitie egoïsten. Weten ze al waarom hij het heeft gedaan?'

'Nee,' zei Larry. 'Volgens Dana heeft hij een briefje achtergelaten waarin staat dat het hem spijt. De politie weet het ook niet. Ze vermoeden dat Werner heeft gedacht dat er veel meer geld in Archies kist zou zitten dan de vijftienduizend dollar die ze er vanochtend aantroffen. Ik heb er natuurlijk tegen niemand iets over gezegd, maar ik denk dat ze gelijk hebben. Blijkbaar ben ik niet de enige die wist van Archies geld en was Werner ook op de hoogte.'

'Hmm,' zei Bud. 'Ja, dat zou best eens kunnen.'

Ze zaten in de Subway in 50th Street, aan een naar schoonmaakmiddel geurend tafeltje bij het raam. Larry had een Spicy Italian voor zich en een kop koffie. Bud nipte van een of ander vruchtendrankje en leek eindelijk een beetje te zijn gekalmeerd. Een paar minuten eerder, toen Larry was binnengekomen, had hij helemaal opgefokt gedaan. Hij had er niet uitgezien als iemand die op het punt stond een verrassing te onthullen, maar meer als Archie of Stanley op het moment dat ze hem ergens de les over gingen lezen. Waarom was

Larry ruim een halfuur te laat? Waarom had hij niet even gebeld? Dacht hij soms dat Bud alle tijd van de wereld had?

Larry had gezegd dat hij niet dacht dat Bud alle tijd van de wereld had – dat had immers niemand – maar dat hij er niets aan kon doen dat hij te laat was omdat het niet zíjn schuld was dat Werner vannacht zelfmoord had gepleegd. Larry was niet Werners beste vriend geweest, maar wat had hij moeten doen? Zomaar de deur uit lopen terwijl het hele bedrijf in rep en roer was en zijn vader werd verhoord door de politie?

Pas toen Bud had ingezien dat er sprake was van overmacht, was hij weer een beetje aardig gaan doen, maar over zijn verrassing had hij nog altijd niets losgelaten.

Net toen Larry zijn nieuwsgierigheid niet langer de baas kon en ernaar wilde vragen, keek Bud hem aan en vroeg of hij het ermee eens was dat ze de ellende rondom Werner voor even van zich af zouden zetten en zich in plaats daarvan zouden richten op het goede nieuws van deze dag.

'Ja,' zei Larry. 'Laten we dat doen.' Het kon niet anders of Bud had het over zijn verrassing.

'Waar het om gaat,' zei Bud, 'is dat ik gisteren nog eens heb nagedacht over onze film. En toen ben ik erachter gekomen dat ik een grote fout heb gemaakt.'

Misschien had Bud het nog niet over zijn verrassing en wilde hij eerst iets anders bespreken.

'Een fout?'

'Ja,' zei Bud. 'We kunnen op deze manier niet doorgaan met je film.'

Larry verslikte zich in zijn sandwich. 'We kunnen niet doorgaan? Wacht even, Bud. Je had het daarnet toch over góéd nieuws?'

'De fout ligt helemaal bij mij. Jij kunt er niets aan doen...'

Larry zei: 'Bud? Ik begrijp geen reet van wat je zegt. En als je er niet snel voor zorgt dat ik het wel begrijp, dan ontplof ik.'

'Ik heb het over de setting voor je film, Larry. Over het feit dat ik erop heb aangedrongen je verhaal naar Amerika te verplaatsen.'

'Ja?'

'Dat was een grote vergissing. Jij wilde naar Congo en ik had je nooit mogen overhalen je verhaal in New Orleans te laten afspelen. Dat is mijn verrassing, Larry: ik ben erachter gekomen dat je gelijk had. We gaan naar Congo. Het is de enige plek waar *The Cock Robbers* volledig tot zijn recht zal komen.'

'Is dat de verrassing? Dat we toch naar Congo gaan? Maar daar hebben we toch geen geld voor?'

'Het geld hebben we nog niet. Dat is waar.'

Larry kneep zijn oogleden samen tot spleetjes. 'Wacht eens even. Ik geloof dat ik het al begrijp. Jij hebt een financier gevonden.'

'Nee, Larry. Dat heb jij voor me gedaan.'

Larry begreep er niets meer van. Hij nam zijn bril af, begon driftig de glazen te poetsen met een papieren servet en zei: 'Ik?'

Bud knikte. 'Heb jij dat ook weleens? Dat je een probleem hebt en naar allerlei ingewikkelde oplossingen zoekt terwijl de echte oplossing heel eenvoudig is en als het ware pal voor je neus ligt?'

'Dat heb ik voortdurend, Bud. Maar wat die financier betreft moet ik je teleurstellen. Ik heb niemand gevonden.'

'Welke dag is het morgen, Larry?'

'Vrijdag?'

'Juist,' zei Bud. 'Vrijdag de negenentwintigste. De laatste vrijdag van de maand. Wie komt er op de laatste vrijdag van de maand altijd bij je vader langs met een koffer vol geld?'

Larry zei: 'Heb je het over Marco?' Hij schudde zijn hoofd. 'O, nee, Bud. Vergeet het maar. Ik heb je toch verteld dat die eikel me altijd belachelijk maakt? Die is echt niet van plan ook maar een dollar te investeren in mijn film.'

'Tenzij hij geen keus heeft.'

'Wát?'

'Tenzij hij geen keus heeft, Larry.'

'Geen keus? Wat bedoel je daar nou weer mee? Hij kan toch gewoon "nee" zeggen?'

'Niet als we een pistool tegen zijn hoofd zetten en zeggen: "Je geld of je leven".'

Larry dacht dat hij het niet goed had verstaan. 'Een pistool? Je geld of je leven? Wacht even, Bud. Heb je het nu over een *beroving*?'

Bud schudde zijn hoofd. 'Ik heb het over gerechtigheid, Larry.

Over een manier om je dromen in vervulling te laten gaan en tegelijkertijd die klootzak betaald te zetten voor alle keren dat hij je Larry de Loser heeft genoemd.'

Larry kreeg het benauwd. 'Mijn dromen in vervulling laten gaan? Ja, dat wil ik heel graag. Maar een beroving? O, nee, daar heb ik helemaal geen zin in. Ik weet nu al wat er zal gebeuren...'

'O ja? Wat dan?'

'We worden gepakt en ze sturen ons naar de gevangenis.'

'Waarom zouden we worden gepakt?'

'Waarom? Nou, om te beginnen kent die eikel van een Marco mij. Hij heeft me heel vaak gezien, dus als ik hem beroof, dan ziet hij natuurlijk meteen dat ik het ben.'

'Niet als we maskers dragen.'

'Maskers? Alsof we een stel criminelen zijn? Verdomme, Bud, heb je soms te lang in de zon gelegen?'

'Helemaal niet. Ik wil gewoon graag naar Congo.'

'Ja, dat wil ik ook. Maar een beroving? Uh-uh. Mij niet gezien.'

Aangezien hij Ruby-Beths Beretta noodgedwongen had moeten achterlaten bij het lichaam van Werner Brünst, was Bud die ochtend langs een van zijn oude gevangenismaatjes in New Jersey gereden om een nieuw, schoon en ongeregistreerd exemplaar aan te schaffen. De nieuwe Beretta zat achter zijn broekband geklemd terwijl hij praatte met Larry. Bud merkte dat hij zich geleidelijk aan begon af te vragen hoe het zou zijn om het wapen tevoorschijn te halen, het op de bril van de locatiescout te richten en hem te vragen wanneer hij klaar was met zijn gejammer en gewoon zou instemmen met wat Bud had voorgesteld.

Maar dat was uiteraard geen goed idee.

Larry zou hem meteen niet meer aardig vinden en het Subwaypersoneel zou de politie bellen, met alle gevolgen van dien.

Dus beet Bud op zijn tong, wendde zijn blik af en tuurde net zo lang naar de zilverkleurige trofee die op het espressoapparaat achter de sandwichbalie stond tot hij zijn gedachten had geordend en zeker wist dat hij kalm genoeg was om de alles-of-niets-fase van zijn noodplan in te laten gaan. Toen het eenmaal zover was, stond hij op en zei:

'Je wilt niet meedoen? Oké, dan moeten we die film verder maar vergeten. Jammer. Ik had er veel zin in.'

Larry zei: 'Bud?'

Bud stak een duim op. 'Het ga je goed, Larry.' Hij draaide zich om en begon in de richting van de deur te lopen.

Achter hem zei Larry met overslaande stem: 'Wácht!'

Bud bleef staan en wierp een quasiverbaasde blik over zijn schouder.

'Niet weggaan, Bud. Alsjeblieft. Waarom doe je nou ineens zo raar?'

Bud liep terug naar het tafeltje. Hij zei: 'Raar? Ik doe helemaal niet raar. Ik ga naar mijn volgende afspraak. Jij bent niet de enige die geïnteresseerd is in mijn diensten. Als ik in de loop der jaren één ding heb geleerd over de filmwereld is het dit: het heeft geen zin je tijd te verdoen met mensen die wel dromen hebben, maar niet de ballen om ze ook werkelijk te verwezenlijken.'

Bud zag dat Larry hevig transpireerde. De mafkees zette zijn bril af, wreef in zijn ogen en zei: 'Ik heb wél ballen, Bud. Echt waar. Maar waarom moeten we nou ineens Marco beroven? We waren het er toch over eens dat New Orleans ook een goede optie is?'

'"Een goede optie",' zei Bud. 'Jezus, Larry, je zou jezelf moeten horen. Je praat alsof je je droom al hebt opgegeven en accepteert dat er niet meer inzit dan middelmaat. Weet je nog, maandagmiddag? Ik had je kunnen doodschieten omdat je vader weigerde over de brug te komen. Maar ik schoot je niet dood. Ik vertrouwde je en geloofde in je idee. En nu? Nu heb ík een idee en wil jij er niet eens over praten. Ik zal er niet omheen draaien, Larry: je stelt me zwaar teleur. Ik dacht dat ik iemand had ontmoet met ambitie. Iemand die niets minder wilde dan *Deep Throat* doen vergeten.'

'Dat wil ik ook, Bud. Ga nou gewoon nog even zitten. Ik heb een idee.'

Bud ging zitten. 'Je hebt twee minuten, Larry. Twee minuten. Als ik dan nog steeds het gevoel heb dat je een loser zonder ballen bent, loop ik deze zaak uit en zie je me nooit meer terug. Vertel op: wat is je idee?'

'Nou... ik dacht... even wachten hoor... o ja... ik dacht: als jij het nou in je eentje doet, Marco beroven? Dan werk ik intussen verder aan mijn script. Op die manier doen we allebei iets constructiefs en –'

'Ik weet niet hoe Marco eruitziet.'

'Dat is niet zo moeilijk. Hij is kaal en lelijk.'

Bud schudde zijn hoofd. 'Er lopen op Manhattan heel veel kale en lelijke mensen met koffertjes rond. Wat als ik de verkeerde eruit pik? Los daarvan: dit gaat alleen maar werken als we het samen doen. Een van ons moet rijden, de ander moet die adverteerder onder schot houden tot hij dat geld afgeeft.'

Larry begon weer in zijn ogen te wrijven.

Bud zei: 'Was dat je idee? Dat ik de beroving alleen doe terwijl jij een beetje uit je neus gaat zitten vreten?'

'Kom op, Bud. Word nou niet meteen weer boos. Ik doe net zo goed mijn best als jij.'

'O ja? Nou, zo voelt het bepaald niet. Ik begin steeds meer het gevoel te krijgen dat alles in onze samenwerking van één kant moet komen. Ik moet mijn geld investeren in jouw film. Ik mag die adverteerder gaan beroven terwijl jij lekker thuisblijft en je handje komt ophouden zodra ik het vuile werk heb gedaan.'

'Ik ben alleen maar bang om naar de gevangenis te gaan. En trouwens, iemand beroven is gewoon... hoe noem je zoiets ook alweer? Het is moreel ver... eh... shit.'

'Moreel *verwerpelijk*? Larry... die Marco is rijk en het is een klootzak. Dat heb je me zelf verteld. Zeg mij nou eens: wat is er mis met het beroven van rijke klootzakken? Robin Hood doet niet anders. Heb je ooit iemand negatief over hem horen praten? Nee, Larry, dat heb je niet, want iedereen houdt van Robin Hood. Weet je waarom? Omdat Robin Hood als geen ander weet dat je soms in het leven iets moet doen waar misschien een paar kleine risico's aan kleven, maar waarmee je wél je doelen bereikt. Hoe denk je dat al die beroemde filmsterren en zakenmensen aan de top zijn gekomen? Door thuis te blijven en aan hun pik te trekken tot iemand ze kwam vragen of ze misschien zin hadden om miljonair te worden?'

'Nee,' zei Larry. 'Dat denk ik niet. Maar ze hebben ook niemand beroofd.'

'O nee? En hoe weet jij dat zo zeker?'

Larry knipperde met zijn ogen.

'Dat bedoel ik. Je hebt er geen idee van, omdat je ze niet kent, al die filmsterren. Geloof me nou maar als ik zeg dat geen van die lui tegen wie jij zo opkijkt de top heeft bereikt zonder op cruciale momenten in hun leven dingen te doen die misschien moreel verwerpelijk zijn, maar die er wel voor hebben gezorgd dat ze nu zijn waar ze zijn.' Hij zweeg even, keek Larry recht in de ogen, en zei: 'Zelfs ík heb weleens iets gedaan waar ik niet trots op ben, Larry. Vlak na mijn ongeluk heb ik een bank beroofd.'

'Dat weet ik,' zei Larry, met een beteuterde blik op het restant van zijn sandwich. 'En toen moest je naar de gevangenis.'

'Ja, maar dat kwam omdat ik een partner had die een idioot was. Nu heb ik jou en staan de zaken er anders voor. Dit is geen bank. Dit is één man met een koffertje. Makkelijker kan niet. De vraag is: wat wíl jij? Wil je de rest van je leven locatieregelaar blijven of wil je doen wat er moet worden gedaan zodat we eindelijk onze film kunnen gaan maken?'

35

Archie Venice was terug in zijn appartement. Hij staarde naar Rhonda en Leslie, die nog altijd lagen te slapen in het kingsize bed in de slaapkamer, onwetend van wat zich twee verdiepingen lager had afgespeeld en van een heleboel andere dingen op de wereld.

Starend naar zijn meiden dacht hij aan zijn gesprek met de politie van daarnet. Ondanks dat hij het er goed had afgebracht en de rechercheur niet al te lang had doorgevraagd over de vijftienduizend dollar in zijn doodskist, voelde Archie zich nog altijd niet op zijn gemak.

Er klopte iets niet aan Werners daad. Sinds Archie hem kende, had de Duitser geen mogelijkheid onbenut gelaten om te laten weten hoezeer hij het Amerikaanse kapitalisme verfoeide. Hij verachtte rijkdom in het algemeen en zwoer bij al die oude troep die rondslingerde in zijn appartement. Als hij niets om geld gaf, waarom dan op zevenenzestigjarige leeftijd ineens deze krankzinnige actie?

Aan de andere kant: misschien had de Duitser hem jarenlang met overtuigend toneelspel zand in de ogen gestrooid, allemaal met het oog op die ene grote klapper.

De kans was groot dat Archie de waarheid nooit zou weten.

Wat hij wel wist, was dat hij zo snel mogelijk contact moest opnemen met Marco Moretti, om uit te leggen wat er zich vannacht in zijn bedrijf had voltrokken. Het alternatief was erop te gokken dat Moretti niets zou meekrijgen van het feit dat hij opnieuw in aanraking was geweest met de politie, maar dat leek hem gezien zijn limousine-uitstapje van vorige week geen goed idee.

Hij liet Rhonda en Leslie achter in de slaapkamer, trok zich terug in de keuken en toetste het nummer in dat Moretti hem had gegeven voor noodgevallen.

Er werd opgenomen door iemand die hij niet kende. Archie vroeg naar Moretti en zei dat het belangrijk was.

Twee minuten later zei de botte stem van Marco Moretti dat hij hoopte dat wat Archie te zeggen had inderdaad dringend was, omdat hij naar een Discovery-documentaire zat te kijken over een gevangenis in Chicago waar zijn achterneef Sandro sinds vorige week dinsdag logeerde.

Archie zei: 'Ik heb vanochtend politie over de vloer gehad.'

Aan de andere kant van de lijn bleef het stil.

'Het is niets om je druk over te maken,' zei Archie. 'Maar ik wilde het je toch even zeggen voordat je er zelf achter komt, de verkeerde dingen denkt en die twee gorilla's weer op me af stuurt.'

'Wat is er gebeurd? Heeft je zoon zijn vriendin weer mishandeld?'

'Nee, Larry heeft hier niets mee te maken. De situatie met Larry heb ik helemaal onder controle. De politie was er omdat een van mijn regisseurs vannacht zelfmoord heeft gepleegd. Mijn secretaresse heeft hem gevonden in mijn kantoor en nog voordat ik op de hoogte was het alarmnummer gebeld.'

'Maar wat is dan het probleem?'

'Er is geen probleem. Daarom bel ik juist.'

Moretti maakte een snuivend geluid. 'Wacht even, Arch, begrijp ik dit goed? Je laat me wegroepen terwijl ik televisie zit te kijken vanwege een probleem dat geen probleem is?'

Archie slikte. 'Nee... ik bedoel: ja. Ik zei toch al... Ik bel omdat ik wil voorkomen dat je de verkeerde conclusies trekt.'

'Denk je dat ik stom ben?'

'Jezus, nee. Maar je had gezegd dat ik geen contact met de politie mocht hebben. En –'

Aan de andere kant van de lijn begon Moretti plotseling te schaterlachen. 'Ho maar, Archie. Ho maar. Ik zit je alleen maar een beetje te stangen. Ik ben helemaal geen televisie aan het kijken en ik weet allang wat er is gebeurd.'

Archie veegde een laagje zweet van zijn voorhoofd. 'Ha ha. Dat is een goeie, Marco.'

'Ja, hè? Je stonk er mooi in. Niettemin: dank voor je telefoontje, ouwe. Het is fijn om te weten dat onze boodschap van vorige week goed is aangekomen. Ik neem aan dat dit verder geen probleem is voor de levering van morgen?'

'De levering? Nee, nee, die kan gewoon doorgaan.'

'Mooi. Dan zie ik je op de gebruikelijke tijd. Was het een beetje een goede acteur, die Duitser?'

'Het was een regisseur,' zei Archie. 'En ja, het was een van mijn betere mensen.'

'Dat is klote voor je. Maar neem van mij aan: niemand in het leven is onmisbaar.'

'Bedankt,' zei Archie. 'Ik zal het in mijn achterhoofd houden.'

Larry begreep niet wat er met Bud aan de hand was. Hij had hem leren kennen als een goeie peer die respect had voor de mening van anderen. Maar vandaag leek Bud ineens nergens meer respect voor te hebben, en zeker niet voor hem. Eerst had de acteur gezegd dat hij vond dat Larry zijn dromen opgaf en bereid was genoegen te nemen met middelmaat. Vervolgens had hij laten weten dat Larry hem zwaar teleurstelde. En ten slotte, het ergste van alles, had hij hem een loser zonder ballen genoemd.

Een loser zonder ballen.

Zoiets had zelfs Stanley of zijn vader nog nooit tegen hem gezegd.

En dan was er de uitdrukking op Buds gezicht. Het leek wel of Bud vandaag boos op hem was. Alsof hij alleen nog maar vrienden wilde zijn als Larry precies deed wat hij wilde. Als hij instemde met Buds dwaze plan: Marco beroven.

Larry had helemaal geen zin om die klote-adverteerder te beroven. Hij wilde niet naar de gevangenis. Maar wat hij nog minder graag wilde, was dat Bud opnieuw zou opstaan en ditmaal echt de deur uit zou lopen. Als dat gebeurde, stond hij er alleen voor en kwam de toekomst van zijn film in gevaar. De gedachte aan de mogelijkheid dat *The Cock Robbers* er niet zou komen, was ondraaglijk. Maar dat was precies wat Bud daarnet had gesuggereerd: 'Wil je de rest van je leven locatieregelaar blijven of wil je doen wat er moet worden gedaan, zodat we eindelijk onze film kunnen gaan maken?'

Alsof hij Larry wilde laten weten dat het vanaf nu alles of niets was.

Larry had geprobeerd tijd te rekken door aan te kondigen dat hij heel nodig naar het toilet moest. Daar had hij vier minuten zijn handen staan wassen, starend naar zijn spiegelbeeld, net zo lang totdat Bud op de deur was komen kloppen en hij niets anders had kunnen doen dan teruggaan naar het tafeltje en zijn probleem.

'En?' zei Bud nu. 'Wat gaat het worden? Voor altijd het slaafje van papa of volle kracht vooruit en samen op weg naar eeuwige roem?'

Larry slikte. 'Ik... eh... Eeuwige roem. Denk ik.'

'Dat klinkt nog steeds als een loser zonder ballen.'

'Eeuwige roem,' zei Larry, harder ditmaal, terwijl hij zijn opkomende hoofdpijn probeerde te negeren en zijn uiterste best deed niet aan die valse kop van Marco of de gevangenis te denken.

Bud grijnsde naar hem, boog zich over het tafeltje heen en gaf hem een klap op zijn schouder. 'Zo ken ik je weer, grote vriend. En maak je geen zorgen, ik heb eerder met dit bijltje gehakt, dus je bent in goede handen.'

'Jack?' zei Dana. 'Ik hoopte al dat je zou bellen.'

Farrell zat achter het stuur van de Cadillac en tuurde naar het Subway-filiaal in 50th Street waar Larry Venice een halfuur geleden naar binnen was gegaan. Hij zei: 'Ja? O, gelukkig. Ik wilde je al eerder bellen, maar wist niet of het gepast was, gezien de hele toestand daar.'

'Alles is alweer rustig. Er zijn alleen nog een paar mensen in van die speciale pakken aan het schoonmaken in Archies kantoor.'

'En hoe is het me jou?'

'Ik kom er wel overheen.'

Aan de overkant zag Farrell de glazen deur van het Subway-filiaal opengaan. Degene die naar buiten kwam, was niet Larry Venice, maar een oude vrouw met een rollator.

Hij zei: 'Heb je zin om vanavond nog eens in mijn vijfsterrenaccommodatie te eten? Of wil je liever in je eentje bijkomen van al deze ellende?'

'In mijn eentje? Nee, dank je. Ik wil deze dag zo snel mogelijk vergeten. Dat lukt denk ik het beste in het gezelschap van iemand die me aan het lachen kan maken.'

36

Bud stelde Larry alle vragen waarop hij antwoord wilde hebben. Vervolgens zei hij tegen de locatiescout dat hij hem de volgende dag om drie uur zou oppikken bij Abingdon Square. 'Zorg dat je op tijd bent. En praat in de tussentijd met niemand over wat we gaan doen.'

Larry, die er sinds hij had ingestemd met Buds plan met de minuut vermoeider begon uit te zien, zei: 'Maak je geen zorgen, Bud. Van mij hoort niemand iets.'

'Zo mag ik het horen.'

'En ik zal tegen Tiffany zeggen dat ze ook haar mond moet houden.'

'Tiffany?'

Larry fronste zijn wenkbrauwen. Glimlachte voor het eerst sinds Bud over het beroven van de adverteerder was begonnen en zei: 'O ja, dat had ik je nog niet verteld. Ik zei toch dat ik niet alleen het einde wil veranderen, maar dat ik nóg een verrassing had? Nou, die tweede verrassing is dat ik iemand heb gevonden voor de rol van Lydia. Ze heet Tiffany en zei meteen "ja" toen ik haar de rol aanbood.'

Bud zei: 'Je hebt... Wacht even, je hebt iemand over onze film verteld?'

'Ze heeft het in zich een tweede Linda Lovelace te worden, Bud. Wacht maar tot je haar ziet.'

Bud beet op zijn tong. 'Hoe lang ken je haar al?'

'Hoe lang? Een dag. Maar het voelt als weken.'

'Larry? We hadden afgesproken dat je met niemand zou praten over onze film...'

O, shit. Nu werd Bud alweer boos. De huid rondom de littekens op zijn gezicht werd helemaal rood, net als even daarvoor, toen Larry had gezegd dat hij niemand wilde beroven. Wat kon hij zeggen om de acteur gerust te stellen? De waarheid was geen optie. Als hij Bud zou vertellen dat hij Tiffany de hoofdrol in *The Cock Robbers* had aangeboden omdat hij in paniek was geraakt na haar opmerking over de tatoeage op zijn arm, dan zou Bud hem niet meer zien als een professional. Maar wat moest hij dan? Eerlijk zijn over zijn gevoelens voor Tiffany en liegen over de rest? Ja, er zat niets anders op. Hij schraapte zijn keel, probeerde niet naar de woedende vonkjes in Buds ogen te kijken en zei: 'Luister, ik weet dat we hadden afgesproken dat ik met niemand over onze film zou praten en dat heb ik ook niet gedaan. Ik bedoel: ik was het niet van plan. Maar... oké, Bud, als je het echt wilt weten: ik kon niet anders. Tiffany is sinds gisteren mijn vriendin. Ik geloof dat ik verliefd op haar ben en zij op mij. Kortom: ik ken haar net en als ik nu al begin met liegen, dan weet ik precies hoe het afloopt.'

'"Als ik nu al begin met liegen"? Waar heb je het over, Larry? Heeft ze je gevráágd of je een film met mij aan het maken bent?'

'Nee, dat heeft ze niet. Maar iets verzwijgen is hetzelfde als liegen, Bud. Vrouwen voelen zoiets aan. Ze kijken dwars door je heen als ze dat willen.'

Bud probeerde uit alle macht rustig te blijven. 'Ik weet alles van vrouwen, Larry. Ik heb er zo'n vierhonderd geneukt in mijn leven. Maar wat ik niet begrijp, is hoe je onze film op het spel kunt zetten door iemand die je één dag kent er alles over te vertellen. Wat als ze het aan je vader vertelt? Ik heb je toch gezegd dat hij me zal willen dwarsbomen vanwege het verleden?'

'Ze vertelt het niet aan mijn vader,' zei Larry. 'Ze is door hem afgewezen en vindt hem een smerig oud fossiel. Maar zelfs als ze hem wel aardig had gevonden, zou ze het niet vertellen. Ze heeft me beloofd haar mond erover te houden en dat zal ze ook doen. Echt waar, Bud. Ze wil deze film net zo graag maken als wij. Zal ik je nu het nieuwe einde vertellen?'

'Wat?'

'Dat hebben we namelijk ook aan Tiffany te danken, het nieuwe einde. Toen ik had besloten dat Tiffany de rol van Lydia zou gaan spelen, viel alles op zijn plek.'

'O ja?'

'Ja, want ineens wist ik dat Lydia moet blijven leven. Ik heb die hele scène met de zeis eruit gegooid. Het wordt een happy end, Bud. Jij en Tiffany boven op een heuvel met op de achtergrond een kudde giraffen. Of misschien een ondergaande zon. Of allebei. Ik ben er nog niet helemaal uit.'

'Je hebt het einde veranderd omdat je niet wilt dat je nieuwe vriendinnetje doodgaat?'

Larry sloeg zijn armen over elkaar en keek stuurs voor zich uit. 'Echt niet alleen daarom.'

'Oké,' zei Bud. 'Misschien maak ik me druk om niets en heb je een gouden zet gedaan door die actrice te regelen. Geef me haar nummer maar.'

'Haar nummer? Waarom?'

'Als ze mijn tegenspeelster wordt, moet ik toch weten of het klikt?'

'O, bedoel je dat. Ja, natuurlijk. Ik geef je haar nummer. Maar wat we ook kunnen doen is haar verrassen en nu meteen bij haar langsgaan. Ik zweer het, Bud: als jij daar ineens onaangekondigd voor de deur staat, wordt ze helemaal gek. Ze is een grote fan van je en kan niet wachten om je te ontmoeten.'

'Dat is goed om te horen. Maar ik wil niet dat jij meegaat als ik haar ga beoordelen.'

'Waarom niet?'

'Lach me gerust uit als je wilt, maar dat heeft te maken met een stukje bijgeloof. Iedere actrice met wie ik ooit heb gewerkt, heb ik ruim voor het draaien van de film leren kennen in een gesprek onder vier ogen. Er was nooit iemand anders bij en die benadering heeft me geen windeieren gelegd. Het is mijn overtuiging dat je de beste seks kunt hebben als je eerst doordringt tot iemands ziel en daarna pas tot iemands –'

'Ja, ja, Bud. Stop maar. Ik snap het idee. Bel me maar zodra je haar hebt gesproken. Oké?'

Dana Evans zat achter haar bureau en wachtte op het moment dat haar printer de vliegtickets voor Rhonda en Leslie zou uitspuwen. Archies meiden zouden morgen naar Oostenrijk vliegen voor hun halfjaarlijkse schoonheidsbehandeling, en vanwege de chaos van die ochtend had Dana er niet eerder aan gedacht hen te bellen met het verzoek hun reisbescheiden te komen afhalen.

Het was inmiddels halftwee. Op de drie man sterke schoonmaakploeg in Archies kantoor na was er niets meer dat erop wees dat zich hier enkele uren eerder een groot drama had voltrokken.

Dana vroeg aan de twee blonde vrouwen tegenover haar of ze er een beetje zin in hadden.

Leslie lachte haar tanden bloot en knikte. 'Het is altijd fijn in Oostenrijk. Je zou een keer mee moeten gaan. Dan weet je meteen wat ik bedoel.'

'Dank je,' zei Dana. 'Maar ik denk dat het beter is als ik hier blijf en mijn werk doe. Archie is al eenzaam genoeg als jullie er niet zijn.'

Leslie haalde haar schouders op. 'Je moet het natuurlijk zelf weten. Maar echt waar, als je die bloedzuigers één keer op je huid hebt gevoeld, ben je meteen verslaafd en wil je nooit meer iets anders.'

Dana fronste haar wenkbrauwen. 'Bloedzuigers?'

'Ja,' zei Rhonda. 'Ik weet het, het klinkt eng. Maar het valt allemaal best mee, hoor. Demi Moore doet het ook.'

Ze zei het op een toon alsof het feit dat Demi Moore bloedzuigers op haar huid liet zetten om er jonger uit te zien betekende dat er geen greintje pijn bij kwam kijken.

Dana, die moeite moest doen om haar afkeer te verbergen, zei: 'Heb je haar weleens gesproken?'

'Wie? Demi? Nee...'

Leslie rechtte haar schouders. 'Ik heb haar een keer gedag gezegd toen ze bij die kliniek naar buiten kwam terwijl ik naar binnen liep.'

'En? Zei ze gedag terug?'

'Ze glimlachte naar me,' zei Leslie. 'Ik weet nog dat ze er moe uitzag.'

'Dat kan ik me voorstellen als er net een leger bloedzuigers op je is losgelaten.'

Leslie schudde haar hoofd. 'Daar had het niets mee te maken. Het zijn niet zomaar bloedzuigers uit het moeras. Deze beestjes zijn speciaal getraind om medisch werk te doen.'

'Het doet even pijn als ze bijten,' zei Rhonda. 'Maar daarna voel je je geweldig.'

'Ja,' zei Leslie. 'En Oostenrijk is erg mooi. Overal waar je kijkt, zie je bergen.'

Dana draaide zich om en liep naar de printer, waar de vliegtickets inmiddels gereed lagen.

Achter haar zei Rhonda: 'Erg hè, van Werner? Gisteren zaten we nog samen naar *Avatar* te kijken. En nu is hij er niet meer...'

Bud wachtte tot hij Larry had zien wegrijden in zijn witte busje, inwendig vloekend vanwege de nieuwe complicatie waarmee de mafkees hem had opgezadeld. Toen pakte hij zijn telefoon en toetste het nummer van Tiffany Love in, dat Larry op een servet had geschreven.

'Tiffany? Je spreekt met Bud Raven, de filmpartner van Larry Venice. Wat? O, dank je. Heel erg bedankt. Geloof het of niet, maar ik vind het ook een eer om met jou te praten. Larry heeft me heel veel over je verteld. Ik ben blij dat we eindelijk de geschikte vrouw hebben gevonden voor de rol van Lydia en zou graag vandaag nog een afspraak met je maken voor een kleine auditie. Wat? Nee hoor, maak je geen zorgen. Die rol heb je. Dit is puur een formaliteit.'

37

Larry zat op de bank in zijn appartement. Hij keek naar *Tom & Jerry* op Cartoon Network en deed zijn uiterste best niet aan morgen te denken. Normaal gesproken kon hij het heel goed, televisiekijken en nergens aan denken. Maar vanmiddag lukte het niet. Steeds weer kwam zijn gesprek met Bud bij hem terug. Bud, die had gezegd dat hij een verrassing voor hem had, maar vervolgens op de proppen was gekomen met zijn krankzinnige plan voor de beroving van Archies adverteerder. De acteur had gezegd dat Larry alleen maar de auto hoefde te besturen, maar een beroving was een beroving: als je gepakt werd, ging je naar de gevangenis, ook al was je alleen maar de chauffeur.

Larry had helemaal genoeg van deze dag. Het enige wat hij wilde, was Tiffany zien en misschien even neuken om van de spanning in zijn hoofd af te komen, maar dat kon niet omdat Bud de auditie met alle geweld alleen had willen doen.

Larry zette een andere zender op, luisterde een paar seconden naar Oprah Winfrey die een preek hield over de voordelen van huisdieren en vloekte toen omdat hij zich ineens realiseerde dat hij nog altijd Tiffany's baas bij Wal-Mart niet had gebeld.

Hij toetste het nummer in dat Tiffany hem had gegeven, kreeg een telefoniste aan de lijn die klonk als een kettingroker en vroeg of hij de baas van Tiffany Love kon spreken.

Aan de andere kant van de lijn bleef het even stil. Uiteindelijk zei de telefoniste: 'Tiffany Love? Die werkt hier niet. Bent u misschien op zoek naar de baas van Tiffany *Sanders*? Dat is Edward Rolston, onze interim-manager.'

'Edward,' zei Larry. 'Ja, dat is de smeerlap die ik moet hebben.'

'Wat zegt u?'

Larry zei: 'Edward is degene die ik moet hebben.' En moest vervolgens vijf minuten wachten voordat hij de interim-manager aan de telefoon kreeg. Toen het eindelijk zover was, zei hij: 'Hallo, Edward. Je zult waarschijnlijk al hebben gemerkt dat ze er niet is, maar ik bel even om te zeggen dat Tiffany vandaag thuisblijft. Ze is ziek.'

Edward Rolston zei: 'O ja? Nou, dan heeft ze een probleem, want ze heeft al haar verlofdagen al opgenomen.'

Larry, die meteen een hekel had aan de interim-manager, zei: 'Helaas pindakaas, vriend: dan neemt ze er vandaag een extra en moet je maar voor een keertje proberen je door een van je andere caissières te laten neuken. Denk je dat dat zal lukken?'

De interim-manager zei dat als Tiffany vandaag niet op haar werk verscheen hij haar helemáál niet meer terug hoefde te zien.

Larry kneep heel hard in zijn telefoon en zei: 'O, maar je zult haar terugzien, jij perverse klootzak, of je het nu wilt of niet. Tiffany gaat namelijk in een film spelen, en –'

Verder kwam hij niet, want de interim-manager had opgehangen.

Larry keek niet-begrijpend naar de telefoon in zijn hand en vervolgens naar de breed glimlachende Oprah op het televisiescherm.

Heel even vroeg hij zich af of hij misschien iets minder direct had moeten zijn, maar toen dacht hij: nee, het was ongetwijfeld allemaal zo voorbestemd. Nu Tiffany was verzekerd van de hoofdrol in *The Cock Robbers* had ze die klotebaan toch niet meer nodig.

Tiffany zei tegen Bud dat ze heel erg opgewonden was vanwege haar auditie. Ze zei dat ze nog altijd niet kon geloven dat haar grote droom op het punt stond in vervulling te gaan. Vervolgens keek ze om zich heen en zei: 'Maar waarom moet het speciaal hier in het bos? Als het een formaliteit is, had het dan niet net zo goed bij mij thuis gekund?'

Bud zei: 'Misschien wel. Maar ik hou er nu eenmaal van mijn tegenspeelsters te beoordelen op een plek waar ze helemaal zijn geisoleerd van de rest van de wereld. Een plek waar niemand me komt storen en waar totale stilte heerst.'

'Stil is het zeker,' zei Tiffany. 'Het enige wat ik hoor, is het geluid van de vogels...'

Bud keek naar haar terwijl ze een beetje onhandig aan een van de schouderbandjes van haar zwarte jurkje frunnikte. Achter haar, tussen de bomen, zag hij het glinsterende water van Lake Carmel.

Toen Bud haar een uur eerder had opgehaald bij haar appartement in Brooklyn had ze in eerste instantie verbaasd gereageerd. Ze wilde weten waar ze naartoe gingen. Bud zei dat hij dat niet kon vertellen omdat het een verrassing was. Ze vroeg waarom Larry er niet bij mocht zijn. Bud antwoordde dat Larry een aardige jongen was, maar dat hij soms nog moest leren zijn mond te houden. Door Larry thuis te laten wilde Bud ervoor zorgen dat de auditie niet langer duurde dan strikt noodzakelijk. Tiffany zei dat Larry inderdaad van praten hield, maar dat ze dat juist fijn vond, omdat zijzelf vaak niets te zeggen had.

Bud dacht: Jezus christus, wat een stel.

Blijkbaar beschikte de actrice over weinig zelfkennis, want gedurende de rit naar Carmel had ze hem de oren van het hoofd gevraagd over zijn carrière. Ze wilde alles weten over de films waarin hij had gespeeld, de meisjes met wie hij het had gedaan. En – hoe kon het ook anders – over zijn verblijf in de gevangenis.

Bud gaf geduldig antwoord en nu waren ze hier, in dit afgelegen stuk bos, twee kilometer verwijderd van het huis van Nora en Ruby-Beth Quattlander. Een nagenoeg perfecte plek voor hetgeen hij in gedachten had.

Tiffany vroeg hem of ze konden beginnen. De hakken van haar zwarte pumps zakten weg in de zachte bosgrond, waardoor de indruk ontstond dat ze ieder moment achterover kon vallen.

'Ja,' zei Bud. 'Maar eerst wil ik je iets vragen. Het is heel belangrijk dat je eerlijk antwoord geeft.'

Tiffany fronste haar wenkbrauwen. 'Oké...'

'Hoeveel mensen heb je verteld dat je de hoofdrol gaat spelen in onze film?'

'Ik heb het aan niemand verteld.'

'Aan niemand? Zelfs niet aan je moeder?'

'Nee,' zei Tiffany. 'Larry zei dat het geheim moest blijven. Hij zei dat als ik er toch over praatte onze film misschien niet door zou gaan.'

'O ja? Heeft hij ook gezegd waarom?'

'Nee,' zei Tiffany. 'Hij zei alleen dat jij dat tegen hem had gezegd.' Ze trok een moeilijk gezicht. 'En trouwens, als ik het al aan iemand zou vertellen, dan zou dat aan een goede vriendin zijn en niet aan mijn moeder. Die vindt dat ik me onvoldoende heb ontwikkeld als mens en wil alleen nog met me praten als ik besluit ergens voor te gaan studeren.'

Larry had een kleine opleving gehad nadat hij die Wal-Mart-loser de waarheid had gezegd, maar een paar minuten later begon hij zich alweer zorgen te maken. Steeds weer zag hij die gemene kop van Marco voor zich. Hij slaagde er niet in zich te concentreren op de televisie en bleef piekeren over de manier waarop Bud eerder die dag tegen hem had gesproken. Het was alsof er iets was veranderd, alleen had hij geen idee wát.

Tiffany had nog steeds niet gebeld om te zeggen dat haar auditie met Bud erop zat en nadat Larry voor de derde keer in tien minuten langs alle televisiekanalen was gezapt, besloot hij dat het tijd was om iets creatiefs te doen en zich tot het moment dat zijn vriendin zich zou melden op het nieuwe einde van zijn film te richten.

Hij zette de televisie uit, ging aan de keukentafel zitten en pakte een pen.

Dacht een paar seconde na en schreef:

INT. PLAGGENHUT – DAG

LYDIA en MANDY zitten op de kleigrond in de hut. Ze zien er bang uit. Dan komt RINALDO binnen. Hij is naakt.

LYDIA

Wat gaat er met ons gebeuren?

RINALDO

Ik weet het niet. Obutu is de baas.

LYDIA

Waarom is Obutu eigenlijk de baas? Jij bent veel groter...

RINALDO (werpt een blik op zijn geslacht)

Negatief praten over Obutu is geen goed idee. Ik moet gaan.

MANDY

Jammer. Lydia en ik vervelen ons.

RINALDO

Hmm. Is dat zo?

Larry schudde zijn hoofd, pakte een rode viltstift en streepte alles door wat na 'Obutu is de baas' kwam. Vervolgens herinnerde hij zich dat Bud had gezegd dat hij Obutu een naam vond voor een oude muts en de voorkeur had gegeven aan Zed. Larry streepte de naam Obutu door. Maakte er Zed van en streepte vervolgens ook die naam weer door, omdat hij de naam Zed niet geschikt vond voor een penisdief uit Congo.

Misschien kon hij zich beter eerst richten op de grote lijnen en de namenkwestie voor later bewaren.

Ja, dat zou hij doen.

Of niet?

Shit.

Hij stond op, pakte zijn mobiele telefoon en belde Tiffany. Het was inmiddels tien over vier.

Die auditie zou er nu toch wel op zitten?

'Waarom doe je nou handschoenen aan?' zei Tiffany. 'Het is toch helemaal niet koud?'

Bud schudde zijn hoofd. 'Dat hoort bij de scène. Ik wil graag het einde met je doornemen. Gewoon om te kijken of er een klik is tussen ons.'

Vanuit het handtasje van de actrice, dat naast Bud op de grond lag, klonk voor de tweede keer binnen vijf minuten het riedeltje van 'The Final Countdown'.

Tiffany zei: 'Zal ik echt niet even opnemen voordat we beginnen? Misschien is het belangrijk.'

'Het is vast niet belangrijker dan deze auditie,' zei Bud, precies op het moment waarop het riedeltje van Tiffany's telefoon ophield.

Daar moest de actrice om lachen. 'Nee, dat is waar. God, wat is dit spannend allemaal...'

Nu begon Buds telefoon te rinkelen.

'Dat is toevallig,' zei Tiffany. 'Nu word jij ook al gebeld. Neem maar op hoor, als het dringend is. Ik wacht wel.'

Bud haalde zijn telefoon tevoorschijn en keek op het display.

Larry.

Tiffany zei: 'En?'

'Het is niet dringend,' zei Bud. Hij stopte zijn telefoon weg, keek even om zich heen en haalde toen vanachter zijn broekband zijn nieuwe Beretta tevoorschijn.

Tiffany keek hem niet-begrijpend aan. 'Wat doe je nou?'

'Je weet toch wat er met Lydia gebeurt aan het eind van de film? Ze gaat dood.'

Tiffany schudde zelfverzekerd haar hoofd. 'Nee hoor, Lydia blijft leven. Larry heeft speciaal voor mij het einde veranderd. Bovendien: in Larry's eerste versie werd ze niet doodgeschoten. Ze werd onthoofd met een zeis.'

'Ik weet het,' zei Bud, terwijl hij zijn arm omhoog bracht en het pistool op de actrice richtte. 'Maar een zeis... nou ja, dat wilde ik je gewoon niet aandoen. Jij kunt het immers ook niet helpen dat die idioot zijn bek niet kan houden.'

38

'Ik moest een paar uur geleden nog denken aan een vraag die je me gisteren stelde,' zei Dana tegen Farrell. 'Je weet wel: of ik een reden kon bedenken waarom Archie met alle geweld de politie buiten de deur zou willen houden. Ik heb geen idee waarom hij dat zou willen, maar de manier waarop hij vanochtend reageerde toen ik hem het nieuws over Werners zelfmoord vertelde, doet me geloven dat je gelijk hebt. Het eerste dat hij wilde weten was of ik al iemand had ingelicht. Toen ik zei dat de politie al voor de deur stond, leek hij in paniek te raken. Hij herstelde zich snel, maar ook de rest van de dag was hij zichzelf niet, en volgens mij had dat weinig te maken met de dood van Werner.'

Farrell knikte. 'Ik denk dat hij in een of ander duister zaakje is verwikkeld, maar ik heb me lang geleden voorgenomen me strikt te houden aan de opdrachten waarvoor ik word ingehuurd en me niet te verdiepen in de rest van de problemen van mijn werkgevers. Zonder dat principe had ik dit werk allang niet meer gedaan...'

Het was halftien. Ze zaten in Farrells Cadillac, op dezelfde plek in 22nd Street waar Farrell sinds vanmiddag al stond omdat Larry zich na zijn bezoek aan de Subway had opgesloten in zijn appartement en de hele dag niet meer naar buiten was gekomen. Op het dashboard stonden de restanten van twee porties kip met broccoli, hun maaltijd van die avond. Ernaast vier Liptonice-blikjes, waarvan twee nog halfvol.

Met een blik op de ingang van Venice Pictures, schuin aan de overkant, zei Dana: 'Ik wilde je nog bedanken voor je telefoontje van vanmiddag. Dat was lief van je. Ik moet zeggen dat ik er redelijk doorheen ben gekomen, maar dit was met afstand de meest surrealistische dag van mijn leven.'

'Dat geloof ik graag,' zei Farrell. 'Maar wat dat telefoontje betreft, het leek me niet meer dan normaal om nog even te informeren hoe je eraan toe was.'

'Geloof me: het is niet normaal. Je dacht aan me en dat is fijn om te weten. Tim, mijn ex, weigerde categorisch me te bellen op mijn werk omdat hij, ik citeer: "niets met die kant van mijn leven te maken wilde hebben". Ik weet zeker dat hij zich zelfs op een dag als vandaag zou hebben gehouden aan zijn eigen regel.'

'Hij weigerde je te bellen op je werk, maar wilde wel een relatie met je?'

'Ja. Totdat ik genoeg had van zijn maniertjes en hem vroeg wat hij nou eigenlijk in me zag. Niets, zo bleek. Hij raakte helemaal in paniek. Dacht dat ik zat te wachten op een verlovingsring, terwijl ik hem juist wilde laten weten dat ik genoeg van hem had. Hij zei: "Lieverd, ik weet niet wat je bedoelt, maar ik zal het maar meteen zeggen: ik ga niet met je trouwen. Je werkt in de porno-industrie. Mijn vader zou het nooit goedvinden." Ik stond versteld. Op het moment dat hij liet weten wat hij werkelijk van me vond, verschool hij zich achter zijn vader.'

'Hoe lang waren jullie toen al samen?'

Ze keek de andere kant op. 'Anderhalf jaar. Vraag me nu alsjeblieft niet waarom ik zo lang bij hem ben gebleven. Ik heb geen idee. Hij had een leuke glimlach. Misschien dacht ik dat hij zou veranderen.'

Farrell dacht aan Elaine, van wie hij hetzelfde had gedacht wanneer ze hem weer eens de les las over een of andere onbenulligheid. Misschien verandert ze. Veroordeel haar niet te snel...

Hij zei: 'Maar dat gebeurde niet.'

Ze schudde haar hoofd. 'De dag dat ik bij hem wegging, voelde als een bevrijding. Ik zei tegen hem dat ik nooit van mijn leven met hem zou trouwen, zelfs niet als ik een miljoen toe kreeg. Ik vroeg hem ook hoe het toch kwam dat zijn ouders, die zoveel problemen hadden met mijn werk, nooit met een woord hadden gerept over het feit dat ik anderhalf jaar lang in mijn eentje de huur betaalde terwijl meneer bezig was voor advocaat te studeren. Hij kijkt me aan met een blik vol onbegrip en zegt: "Lieverd, doe nou niet zo kinderachtig. We hebben het toch leuk gehad samen?" Op dat moment dacht ik: godzijdank dat ik ooit die seksverhaaltjes ben gaan inspreken. Anders had ik deze baan niet gehad en was ik er misschien nooit achter gekomen wat een bekrompen klootzak hij eigenlijk was.'

'Bij mijn ex-vriendin was het precies het tegenovergestelde. Die wilde maar al te graag dat ik dit werk bleef doen. Ze hield zelf niet erg van werken en vond het salaris van een barkeeper niet hoog genoeg. De enigen die problemen hebben met mijn werk, zijn mijn moeder en mijn zus. Die vinden het ranzig en zijn bang dat ik op een dag word vermoord door een van de mensen van wie ik foto's maak terwijl ze vreemdgaan.'

'Dat wilde ik je nog vragen. Kom je nooit in hachelijke situaties terecht?'

Farrell nipte van zijn Liptonice en haalde zijn schouders op. 'Ik heb een keer meegemaakt dat een cliënt zijn vrouw wilde aanvliegen met een slagersmes. Dat voorkwam ik door ertussen te springen en die kerel ervan te overtuigen dat hij beter even tot tien kon tellen. Het stond in alle kranten omdat die vrouw later alles aandikte en mij tot een soort held bombardeerde, maar in werkelijkheid stelde het weinig voor.'

'En die ex-vriendin? Hoe lang is dat geleden?'

Nu was het Farrells beurt om de andere kant op te kijken. 'Twee maanden.'

'Gevoelig onderwerp?'

'Nee hoor. Ze heette Elaine. We hebben een halfjaar wat met elkaar gehad. Op een avond kwam ik thuis en trof haar personal trainer aan in de inloopkast. Dat was het einde van onze relatie.'

'De inloopkast? Dat klinkt bijna als een scène uit een film.'

'Misschien wordt het dat ook. Archie vroeg me maandag of ik een idee had voor een pornofilm met een privédetective in de hoofdrol. Ik heb hem aangeraden iets te doen met een hoofdpersoon die mensen bespiedt terwijl ze vreemdgaan en op een dag thuiskomt en zijn eigen vriendin op de keukentafel aantreft met haar personal trainer.'

'De keukentafel?'

Hij glimlachte zuinigjes. 'Ik heb het een beetje aangepast. Op die manier is het niet autobiografisch.'

'Ik kan me voorstellen dat gezien je werk je kijk op relaties in het algemeen weinig rooskleurig is.'

'Nu klink je precies als mijn moeder. Die is er heilig van overtuigd dat mijn werk ervoor heeft gezorgd dat mijn kijk op vrouwen en relaties voorgoed is verziekt.'

'En? Is dat zo?'

Hij haalde zijn schouders op. 'Ik geloof dat ik nog altijd uitga van het goede in de mens.'

'Dat doe ik ook,' zei Dana. Ze zweeg en wierp een blik op Larry's appartement. 'Over het goede in de mens gesproken: heeft hij zich vandaag een beetje gedragen?'

'Hij is zo mak als een lammetje.'

'Heeft de zelfmoord van Werner hem erg van zijn stuk gebracht?'

'In eerste instantie niet. Pas vanmiddag, na een bezoek aan een Subway in 50th Street, had ik het idee dat er een en ander tot hem begon door te dringen. Toen hij naar buiten kwam, zag hij lijkbleek. Hij reed terug naar zijn appartement en is sindsdien niet meer naar buiten gekomen.'

Ze glimlachte en veegde een lok haar uit haar gezicht. 'Dit moet zo langzamerhand aanvoelen als de makkelijkste klus in je leven.'

'Dat kun je wel zeggen. Als jij er niet was geweest...'

'Ja? Wat dan?'

'Ik zat te denken... zodra deze klus erop zit, wil ik er even tussenuit. Een weekje op het strand liggen in Miami. Zou je er iets voor voelen om met me mee te gaan?'

39

Larry dacht dat hij gek zou worden als Tiffany niet snel opnam. Het was inmiddels elf uur en vrijwel helemaal donker buiten. Vanaf kwart over vier had hij haar ieder halfuur gebeld. Hij had meer dan tien berichten achtergelaten op haar voicemail en evenzoveel sms'jes gestuurd, maar nog steeds had Tiffany niet teruggebeld. Ook Bud nam al de hele dag zijn telefoon niet op.

In eerste instantie had Larry zich geen zorgen gemaakt. Hij werd te zeer in beslag genomen door zijn angst voor de dag van morgen om zich serieus op te winden over het feit dat de auditie blijkbaar een beetje uitliep. Maar toen hij om zes uur nog altijd niet was teruggebeld, begon hij zich wél zorgen te maken. Hij moest denken aan wat Bud tegen hem had gezegd in de Subway, vlak nadat Larry hem had verklapt dat Tiffany een grote fan was van zijn oude werk.

Bud had gezegd: 'Als ze mijn tegenspeelster wordt, moet ik toch weten of het klikt? En, vlak daarna: 'Maar ik wil niet dat je meegaat als ik haar ga beoordelen.'

Ik wil niet dat je meegaat.

Larry begon te zweten. Het zou toch niet zo zijn dat Tiffany en Bud tijdens die auditie…

Nee, dat was onmogelijk.

Maar vervolgens zag hij hen voor zich, samen pratend en lachend op een terrasje in de Village.

Heel even wilde hij het uitschreeuwen, gewoon hier, midden in de kamer. Maar nee, heel hard schreeuwen als hij zich ergens druk over maakte, dat hielp nooit erg lang. Dus riep hij zichzelf tot de orde. Er moest iets anders aan de hand zijn, een of ander misverstand waar niemand iets aan kon doen. Hij liep naar het medicijnkastje, nam een paar aspirientjes en ging terug naar de woonkamer, waar hij zich weer op het scenario voor zijn film richtte. Het nieuwe einde wilde maar niet uit de verf komen en hij moest iets op papier krijgen, want anders was er straks geen film en zou Bud wéér een reden hebben om boos op hem te worden. In ruim zes uur tijd had hij slechts twee zinnen bedacht waar hij tevreden over was. Overal om hem heen lagen proppen papier met mislukte dialogen.

Maar hoe hij ook zijn best deed zich te concentreren op zijn film, zijn gedachten bleven afdwalen naar Tiffany en Bud.

Het had geen zin het nog langer tegenover zichzelf te ontkennen. Het kon niet anders of die gladde pornoacteur had achter zijn rug om –

Zijn telefoon ging.

Larry snelde op het toestel af en keek op het display.

Bud. Eindelijk. Larry nam op. 'Bud? Wat is er godverdomme gebeurd? Ik heb de hele dag geprobeerd jullie te bereiken.'

'Dat weet ik, Larry. Het spijt me dat ik je niet eerder heb teruggebeld. Ik kon me er niet toe zetten...'

'Wat is er gebeurd, Bud?'

'Iets heel ergs.'

Larry kreeg het koud vanbinnen. Zie je wel. Die vuile smeerlap...

'Tiffany heeft besloten af te zien van de hoofdrol in *The Cock Robbers.*'

'Wát?'

'Ze heeft besloten ervan af te zien, Larry.'

Dit kon niet waar zijn. Bud moest zich vergissen.

'*Waarom*?'

Aan de andere kant van de lijn bleef het even stil. Toen zei Bud: 'Vraag me niet hoe de vork precies in de steel zit, Larry. Maar waar het op neerkomt, is dat ze vanmiddag, tijdens onze auditie, een soort spirituele ervaring had. Op de een of andere manier kwam het verleden bij haar terug. Ze vertelde me dat ze oorspronkelijk uit Salt Lake City komt. Haar ouders zijn mormonen. Op haar achttiende is ze weggelopen van huis. Ze maakte zichzelf wijs dat ze het zou gaan maken in de porno-industrie, maar vanmiddag zag ze plotseling in dat ze zichzelf in werkelijkheid al jaren voor de gek houdt. Ze heeft ter plekke besloten terug te gaan naar Salt Lake en haar ouders om vergiffenis te vragen.'

'Ze houdt zichzelf voor de gék? Waar heb je het in hemelsnaam over?'

'Ik snap dat dit hard aankomt, Larry. Ze vertelde me dat jullie gisteren een heel bijzondere dag hebben gehad.'

Een heel bijzonder dag? Het kostte Larry steeds meer moeite helder te denken. Uiteindelijk zei hij: 'Ik ga ophangen, Bud. Ik kan dit niet geloven, maar als het echt waar is, dan wil ik het uit haar eigen mond horen.'

'Het heeft geen zin om haar te bellen, Larry. Ze heeft haar telefoon weggegooid. Ze noemde het een symbolische daad, iets om haar besluit om terug te keren naar haar oude leven kracht bij te zetten.'

'Ze heeft haar telefoon weggegooid?'

'Ja,' zei Bud. 'In de Hudson. Ik stond ernaast toen ze het deed.'

'Waarom heb je haar godverdomme niet tegengehouden?'

'Geloof me, Larry, dat heb ik geprobeerd. Maar op een bepaald moment zag ik in dat het geen nut had nog langer aan te dringen. In plaats daarvan heb ik haar naar Penn Station gebracht en haar op de bus gezet.'

Larry dacht dat hij flauw ging vallen. 'Dus ze is weg?'

'Ik heb gedaan wat ik kon.'

Dit kon niet waar zijn. Het mócht niet waar zijn. 'Maar, maar... als dit haar beslissing is, dan had ze dat toch ook gewoon zelf tegen me kunnen zeggen.'

'Nee, Larry. Dat kon ze dus niet. Ze zei tegen me dat ze nog nooit zo verliefd is geweest. Ze was bang dat als ze je persoonlijk van haar besluit op de hoogte zou stellen en je in de ogen zou kijken, ze weer zou gaan twijfelen. Vandaar dat ze vroeg of ik de boodschap wilde overbrengen.'

Larry keek met een vertwijfelde blik naar de cd van Michael Bolton, die als een kwellende herinnering aan de mooie momenten van gisteren naast de cd-speler lag.

Bud zei: 'Luister, Larry. Ik ben hier net zo kapot van als jij. We zullen nu immers een nieuwe hoofdrolspeelster moeten vinden.'

'Een nieuwe hoofdrolspeelster? Tiffany was mijn vriendín, Bud. Ik kan niet geloven dat ze me dit aandoet...'

Aan de andere kant van de lijn bleef het even stil. Toen zei Bud: 'Ik kan het ook niet geloven, Larry, en op dit moment is het misschien moeilijk te accepteren, maar geloof me: iedere tegenslag maakt je uiteindelijk sterker.'

'Ja,' zei Larry. 'Behalve als heel je leven één grote tegenslag is. Dan word je niet sterker.' Hij keek naar de proppen papier met mislukte dialogen om hem heen. 'Nee, Bud, ik ben er helemaal klaar mee. Zonder Tiffany zal *The Cock Robbers* nooit worden wat het had kunnen worden, zelfs niet als we naar Congo gaan. Als jij nog steeds Marco wilt beroven en zelf die film wilt maken, ga dan vooral je gang. Maar je zult het zonder mij moeten doen, want ik hou ermee op.'

Het was kwart over elf en nog altijd was er geen beweging waarneembaar in Larry's appartement op de derde verdieping.

Dana vertelde Farrell dat het haar grote droom was een restaurant te beginnen, ergens in het zuiden, waar de zon altijd scheen en je de palmbomen hoorde ruisen. Ze zweeg even, glimlachte toen en zei: 'Apart, hè? Hoe we fantaseren over dingen waarvan we diep in ons hart weten dat ze nooit zullen gebeuren?'

Farrell keek haar aan. Ze had gezegd dat ze met hem mee wilde naar Miami, heel graag zelfs, mits Archie er geen problemen mee had dat ze een weekje vrij nam. Farrell kon niet wachten tot deze klus erop zat en het zover was.

Hij zei: 'Waarom weet je het zo zeker?'

'Dat ik nooit een eigen restaurant zal beginnen? Geen idee. Het is een gevoel. Er is moed voor nodig om een goedbetaalde baan op te geven voor de onzekerheid van een vage droom.'

'Ik begrijp wat je bedoelt,' zei Farrell. 'Maar zo vaag is het toch niet?'

Ze haalde haar schouders op en nipte van haar Liptonice. 'Oké, misschien niet. Maar zoals ik gisteren al zei: zonder een flinke lening ben je nergens, en iedere lening moet een keer worden terugbetaald. Dus als dat restaurant een flop wordt...'

'Met jou als eigenaar?'

Ze glimlachte.

Farrell zei: 'Dana's Place.'

'Wat?'

'Die naam schoot me zomaar te binnen. Dana's Place. Als je ooit zou besluiten een lening te nemen en het te doen, waar in het zuiden zou je dan heen gaan?'

'Dana's Place. Hmm. Dat klinkt niet slecht. Waar ik heen zou gaan? Daar heb ik nooit over nagedacht. Mijn dromen stoppen altijd als ik begin na te denken over de financiering ervan. Maar als ik het zou doen, dan zou het op een rustige plaats zijn. Niet in een van de grote steden.'

'Een rustige plaats. Dan heb je voldoende keus in dit land.'

Ze glimlachte weer. Zweeg een poosje en zei toen: 'Dat is waar. Maar als jij het allemaal zo goed weet, waarom doe je dan zelf niet wat je het leukst vindt en ga je niet ergens achter de bar staan?'

'Je hebt gelijk,' zei Farrell. 'Dat had ik waarschijnlijk allang moeten doen. Maar iets weerhield me ervan en op de een of andere manier ben ik daar niet echt rouwig om.'

Bud kon het nog steeds niet geloven. De hele middag was hij hard aan het werk geweest om de stommiteiten van de locatiescout ongedaan te maken en nu zei het kereltje doodleuk dat hij ermee kapte.

Als jij nog steeds Marco wilt beroven en zelf die film wilt maken, ga dan vooral je gang. Maar je zult het zonder mij moeten doen, want ik hou ermee op.

Godallemachtig.

Kon het werkelijk zo zijn dat de man in één dag zo gefocust was geraakt op die derderangs actrice dat hij zonder haar geen enkele interesse meer had in zijn eigen toekomst?

Daar leek het wel op, want vlak nadat hij had gezegd dat hij ermee ophield – alsof ze een stel kinderen in een speeltuin waren – had hij zomaar opgehangen.

Laat hem maar even, had Bud gedacht. Zodra hij weer aan zijn film gaat denken, belt hij vanzelf terug. Maar inmiddels was het half-een en nog altijd had Larry niets van zich laten horen.

Bud zat in het schemerdonker op de groene bank in de huiskamer, starend in het niets en luisterend naar het monotone gezoem van Nora's laptop. Zou hij de klus alleen afkunnen? Nee. Zelfs als hij geluk had en zich niet vergiste in de man met het koffertje, dan nog had hij iemand nodig om de auto te besturen. Hij zou iets moeten bedenken om die mafkees over te halen. De actrice door een wonder laten terugkeren, zodat Larry weer perspectief zag in het leven.

Hij pakte zijn telefoon en liep naar buiten. Trok een van de plastic tuinstoelen naar zich toe en belde Larry.

De mafkees nam meteen op. 'Bud? Ben jij dat?'

'Ja, ik ben het, Larry. Ik heb goed nieuws.'

'Ik heb ook goed nieuws, Bud. Morgen ga ik naar Salt Lake City. Ik ga haar zoeken en als ik haar vind, dan ga ik op mijn knieën voor haar zitten en smeek ik haar om –'

'Dat hoeft niet meer, Larry. Ze komt terug.'

Aan de andere kant van de lijn bleef Larry even stil. 'Is dit een grap?'

'Nee, het is echt waar. Ze heeft me twee minuten geleden gebeld. Ze zei – wacht even, het was zo mooi dat ik het heb opgeschreven – o, ja, hier komt-ie: ze zei dat ze er in de bus achter kwam dat haar liefde voor jou groter is dan haar wens zich te verzoenen met haar ouders.'

'O, meisje toch...'

'Geweldig, hè?'

'Meisjemeisjemeisje...'

'Ze zei dat ze vanavond in een motel overnacht en morgen de eerste bus terug neemt naar New York. O ja, dat zou ik bijna vergeten: ze vroeg ook nog hoe het ervoor staat met onze film.'

'O, meisje, wat ben ik blij dat je terugkomt...'

'Larry?'

'Huh? O ja, onze film. Sorry... wat heb je tegen haar gezegd?'

'Maak je geen zorgen, ik heb niets verteld over ons gesprek van daarnet. Ik heb haar gezegd dat alles goed komt en dat ze geen spijt zal krijgen van haar beslissing om terug te komen, omdat jij een man van je woord bent en er persoonlijk voor zult zorgen dat ze een grote ster wordt.'

'Heel goed, Bud. Ik had het zelf niet beter kunnen verwoorden. Maar nu moet je me het nummer van dat motel geven. Ik kan niet wachten om met haar te praten.'

Bud ging verzitten in de tuinstoel. 'Dat gesprek zal nog even moeten wachten, Larry, want de naam van haar motel heeft ze me niet gegeven. Je moet begrijpen dat Tiffany nog altijd in een draaikolk van emoties zit. Ze schaamt zich vreselijk omdat ze je bijna in de steek heeft gelaten. Ze zei dat ze morgen contact met je zal opnemen, zodra ze is gearriveerd in New York.'

'Een draaikolk van emoties? Maar waarom heeft ze jóú dan wel gebeld?'

'Geen idee, Larry. Het blijft natuurlijk een vrouw. Maar waarschijnlijk heeft het te maken met het feit dat ik alleen een professionele band met haar heb en geen liefdesrelatie. Ik ben niet degene die ze het ergst heeft gekwetst. Ik denk dat ze pas weer met je wil praten als ze teruggekomen is. Als ze je kan zien en aanraken...'

'Ja, hou maar op, Bud, straks bezorg je me nog een stijve. Denk je dat er een kans is dat ze nog een keer belt?'

Bud dacht aan Tiffany, levenloos liggend in een kuil onder twee meter aarde aan de oever van Lake Carmel, en zei: 'Nee, ik denk dat dit telefoontje eenmalig was.'

'O,' zei Larry. 'Nou ja, mocht het toch gebeuren, zeg dan maar tegen haar dat ik niet boos ben en dat ik niet kan wachten tot ze terug is. Oké? O ja: en dat ze nooit meer terug hoeft naar Wal-Mart. Dat heb ik vanmiddag voor haar geregeld in een persoonlijk gesprek met haar baas.'

'Is dat alles?'

'Eh, nee... er is ook nog iets wat je absoluut níét tegen haar moet zeggen. Je moet hier niet van schrikken, Bud, want ik weet zeker dat het weer over gaat, maar ik geloof dat ik sinds vanochtend een writer's block heb.'

40

Ondanks de hitte – volgens de radio zou het vandaag de warmste dag van de zomer tot nu toe worden – voelde Farrell zich uitstekend. Gisteren, nadat ze waren aangekomen in Dana's appartement, hadden ze opnieuw gevreeën. Langer dan de dag ervoor, met een soort ingetogen passie die hem het gevoel had gegeven dat hij zweefde. Dana was als eerste in slaap gevallen en Farrell had minutenlang naar haar liggen staren. Zelfs in complete rust had ze een vage glimlach op haar gezicht. Dezelfde glimlach waarop ze hem eerder die avond had getrakteerd nadat hij haar had gezegd dat hij ook niet wist waarom hij dit werk nog deed, maar er niet rouwig om was omdat het uitgerekend zijn werk was geweest dat hen bij elkaar had gebracht. Farrell kon niet anders dan concluderen dat het leven een merkwaardig, grillig spel was. Soms wreed, soms mooi, maar bovenal zonder enige logica.

Het was vrijdagochtend, kwart over zeven. Ze hadden zojuist ontbeten – in dezelfde Griekse *diner* als de dag ervoor – en lieten zich nu met de drukke verkeersstroom meevoeren, op weg naar de 59th Street Bridge en Manhattan. Dana zat met gesloten ogen naast hem terwijl Tom Petty 'Here Comes My Girl' speelde.

Als vanzelf dwaalden Farrells gedachten af naar Miami. Hij hoopte dat ze toestemming zou krijgen om een week vrij te nemen. Zo niet, dan zou hij misschien nog persoonlijk wat kunnen aandringen bij Archie. Hem eraan herinneren hoe graag de producent hem afgelopen maandag had willen inhuren om op zijn zoon te passen. Zolang Larry zich bleef gedragen zoals hij tot nu toe had gedaan, en Farrell ervoor zorgde dat hij niet in de buurt kwam van zijn ex-vriendin, zou Archie wellicht van zins zijn hem een kleine gunst te verlenen.

Drie kwartier later arriveerden ze bij Venice Pictures.

Dana drukte een kus op zijn lippen en wierp een bezorgde blik op de thermometer van de Cadillac. 'Tot vanavond, Jack. Ik hoop dat je het een beetje uithoudt vandaag.'

Hij glimlachte. 'Maak je geen zorgen. Zolang de hitte mijn grootste zorg is, heb ik niets te klagen.'

Bud stond op het punt in de Subaru te stappen, toen hij vanuit het huis een doffe klap hoorde, gevolgd door een langgerekte schreeuw. Heel even dacht hij dat er iets met Nora was gebeurd, maar het geschreeuw hield aan en na enkele seconden besefte hij dat het niet afkomstig was uit de mond van zijn vriendin, maar uit die van haar moeder, Ruby-Beth.

Een ogenblik later hoorde hij ook Nora gillen. 'Bud, waar ben je? O, god. Kom alsjeblieft gauw hier...'

Bud keek naar de plastic tas van Blockbuster in zijn hand. In de tas zaten twee oude-mannenmaskers met een enorme grijze haardos erboven – gisteren aangeschaft bij de plaatselijke feestwinkel. De verkoopster had hem samenzweerderig aangekeken en gezegd dat ze zelf ook fan was van *The Lord of The Rings*. Bud had geknikt zonder een idee te hebben waar ze het over had. Boven op de maskers lag de Beretta die Tiffany Love haar reis naar het hiernamaals had bezorgd.

Nora bleef zijn naam roepen.

Hij zuchtte.

Keek op zijn horloge. Vijf voor twee. Over een uur en vijf minuten zou hij Larry oppikken bij Abingdon Square. Een halfuur later, om halfvier, zou de adverteerder met zijn koffertje in 22nd Street arriveren. Wat er binnen ook aan de hand was, hij had er geen tijd voor.

Aan de andere kant: net doen alsof hij niets had gehoord en gewoon wegrijden was ook geen optie. En dus opende hij de kofferbak, legde de plastic tas met de maskers en de Beretta erin en beende met grote passen terug naar het huis.

Hij was halverwege de oprit toen de voordeur openzwaaide en

Nora naar buiten stormde. 'O, Bud, o jeetje. Mama is van de trap gevallen. Ik denk dat ze haar arm heeft gebroken. We moeten onmiddellijk met haar naar het ziekenhuis.'

Bud beet op zijn tong. Hij besefte dat hij nu iets moest zeggen, iets waarmee hij medeleven toonde. Maar hij baalde er zo van dat dit uitgerekend nu moest gebeuren dat hij uiteindelijk niets anders kon uitbrengen dan: 'Naar het ziekenhuis?'

'Ja,' zei Nora. 'O, Bud. Ze verloor haar evenwicht toen ze met de stofzuiger naar beneden liep. Ze wilde hem niet loslaten omdat hij net nieuw is en dus kon ze haar armen niet gebruiken om haar val te breken. Ga alsjeblieft snel de auto halen. Ik heb haar nog nooit zo tekeer horen gaan. Ze vergaat van de pijn.'

Bud aarzelde.

Gedurende een krankzinnig moment overwoog hij Nora alles uit te leggen. Haar te vertellen dat ze op dit moment niet naar het ziekenhuis konden gaan omdat hij de auto nodig had voor iets anders. Iets belangrijks, waar iedereen in huis beter van zou worden, niet in de laatste plaats haar van de pijn creperende moeder...

Maar dat kon natuurlijk niet.

Na zijn vrijlating had hij Nora plechtig beloofd dat banken beroven en alles wat daarop leek iets was wat voorgoed tot zijn verleden behoorde. En zelfs als ze het er wél mee eens was, zou ze waarschijnlijk van mening zijn dat het probleem van Ruby-Beth voorrang verdiende.

Het was alsof het ongeluk hem als een klein, grijnzend duiveltje achtervolgde.

Eerst die kist waar niets inzat, vervolgens Larry en zijn gejank om de blonde actrice en nu dit.

Bud keek naar het huis.

Het geschreeuw van Ruby-Beth Quattlander was verstomd tot een zacht gejammer.

Nora zei: 'Bud?'

Hij zuchtte, keek nog eens op zijn horloge en nam een beslissing. 'Oké. Breng haar maar naar buiten. Ik rij de auto wel voor.'

41

'Meneer? Zou u zo vriendelijk willen zijn van mijn stoep af te gaan?'

Farrell keek om en zag een oude vrouw met een geblokt keukenschort op hem neerkijken. Ze had een theedoek in de ene hand en een wc-ontstopper in de andere. Hij zei: 'Stoor ik u?'

'Nee, dat doet u niet. Maar dit is mijn stoep en ik wil gewoon dat u weggaat.'

Even dacht hij erover de vrouw de situatie uit te leggen. Als ze zou horen dat hij een privédetective was en een pand aan de overkant van de straat in de gaten moest houden, zou ze vast wel begrijpen dat het vandaag veel te heet was om dat vanuit een in de zon geparkeerde auto te doen. Misschien moest hij haar een compliment maken voor de treurwilg die half over haar geveltrapje hing en hem perfect aan het zich onttrok van degenen die bij Venice Pictures naar buiten kwamen. Maar toen keek hij nog eens goed naar de vrouw en dacht: nee, het zou niet uitmaken. Ze zag eruit als zo'n type dat permanent boos was op de wereld en geen kans onbenut liet om daar uiting aan te geven. Ze zou het waarschijnlijk zelfs fijn vinden als hij een beetje tegenstribbelde, zodat ze hem nog wat langer vanuit de deuropening van haar wettelijk eigendom de les kon lezen. Om haar in ieder geval dat pleziertje te onthouden, stond hij op en zei: 'Oké, mevrouw. Het spijt me vreselijk dat ik hier ben gaan zitten. Ik dacht er niet bij na.'

'Dat zal best,' zei de vrouw. 'Nadenken is iets wat jonge mensen zoals u niet meer doen tegenwoordig.'

'U hebt gelijk,' zei Farrell, op een perverse manier tevreden met het feit dat het chagrijnige oude mens hem onder de noemer 'jonge mensen' had geschaard. Hij stond op, liep de straat weer op en tuurde met zijn hand boven zijn ogen de huizen langs om te zien of er een andere schaduwrijke plek was waarvandaan hij de ingang van het filmbedrijf in de gaten kon houden.

Teruggaan naar de auto was geen optie. Het was inmiddels tien over twee en de nieuwslezer op de radio had gelijk gekregen: het was vandaag met afstand de warmste dag van de zomer. Al om elf uur had de thermometer in de Cadillac zevenendertig graden aangegeven, en –

Shit.

Aan de overkant van de straat ging de voordeur van Venice Pictures open en even later kwam Larry naar buiten. Farrell zocht dekking achter een rode Toyota Corolla en gluurde door het raampje aan de passagierskant naar de ingang van het filmbedrijf, waar Larry – gekleed in een rood trainingspak van Puma – het geveltrapje af liep.

Farrell verwachtte min of meer dat Larry gewoontegetrouw in de garage onder het pand zou verdwijnen om zijn busje te halen, maar dat deed hij vandaag niet. In plaats daarvan keek hij een paar keer om zich heen, alsof hij bang was dat iemand hem in de gaten hield. Toen liep hij weg in de richting van 10th Avenue.

Farrell vroeg zich af wat hij moest doen. De locatiescout had tot nu toe steeds zijn busje genomen, wat het makkelijk maakte hem te volgen. Iemand schaduwen die te voet was, bracht meer risico's met zich mee. Aan de andere kant: een kleine wandeling – en wellicht de verkoeling van een verdwaald briesje op zijn gezicht – leek hem bepaald geen slecht vooruizicht.

'Bud?' zei Nora. 'Wat doe je nou? Het Putnam-ziekenhuis is rechtsaf. Niet links.'

'Ik weet het, lieverd, maar we gaan niet naar het Putnam.'

'Niet? Waar gaan we dan heen? Het Putnam is het meest dichtbij.'

'Het Putnam zit vol met kwakzalvers, lieverd. We gaan naar Manhattan. Daar zijn de beste ziekenhuizen.'

'Kwakzalvers? Het Putnam is een prima ziekenhuis. Mama gaat er altijd heen voor haar gal. Ik heb haar nooit horen klagen.'

Bud keek in het achteruitkijkspiegeltje. 'Dat doet ze nu ook niet, dus ze is het vast met me eens.'

'Ze klaagt niet omdat ze al vijf minuten bewusteloos is, Bud.'

'Des te beter. Dan merkt ze ook niet dat we er wat langer over doen.'

Nora drukte een vinger tegen haar onderlip. 'Dit heeft niets te maken met het Putnam, hè? Jij wilt naar Manhattan omdat je anders te laat bent voor je bespreking.'

'Lieverd...'

'Heb ik gelijk of niet?'

Bud zuchtte. 'Oké, je hebt inderdaad een beetje gelijk. Maar ik wil het óók vanwege de kwaliteit van de zorg en omdat ik het beste voor heb met je moeder.'

Larry kon zich niet herinneren wanneer hij voor het laatst zo beroerd had geslapen. Hij was vannacht in een roes naar bed gegaan, dolblij vanwege het feit dat zijn vriendin op weg terug was naar New York. Haar liefde voor hem was sterker dan haar wens zich te verzoenen met haar ouders, en dat was cool, maar via het goede nieuws over Tiffany dwaalden zijn gedachten als vanzelf af naar zijn film, en van zijn film naar de dag van morgen: de dag van Buds alles-of-niets-plan.

Hij wist dat hij moest slapen, maar ondanks een aanzienlijk aantal aspirientjes was hij zowat ieder halfuur wakker geworden, badend in het zweet en nabibberend van de meest verschrikkelijke nachtmerries. Hij droomde van Stanley, die hem met opgeheven vinger de les las over een locatie. Van zijn vader, die in een kantoor vol met pijnboompitten stond en hem zonder iets te zeggen hoofdschuddend aankeek. Vervolgens was er Bud, die tegen hem zei dat hij een loser zonder ballen was en daarna ineens weer heel aardig deed. En ten slotte, het ergste van allemaal: Tiffany, die hem belde en liet weten dat ze opnieuw van gedachten was veranderd en alsnog naar Salt Lake City was gegaan. Larry zag haar voor zich, zonder decolleté en zingend in een mormonenkoor.

Hij werd gillend wakker.

Uiteindelijk viel hij weer in slaap, maar niet voor lang, want daar was Marco, met zijn valse tronie en zijn koffertje. Marco, die boosaardig naar hem grijnsde en zei dat hij het maar beter uit zijn hoofd kon laten hem te beroven omdat er anders wat zwaaide.

Telkens wanneer Larry wakker werd uit een volgende nachtmerrie, smeekte hij in gedachten dat het zo snel mogelijk ochtend zou worden. Maar toen het eenmaal zover was en hij in het felle zonlicht op de bank zat met een kop kruidenthee, voelde hij zich nog steeds beroerd. Hij had hoofdpijn en rook zijn eigen angst: een misselijkmakende geur die hem deed denken aan het hyenaverblijf in de dierentuin.

Nog meer Advils innemen om zijn zenuwen in bedwang te houden durfde hij niet, want straks zou hij scherp moeten zijn, maar om twee uur – na drieënhalf uur onafgebroken naar Cartoon Network te hebben gekeken – merkte hij dat hij niet langer stil kon zitten. Hij trok een oud rood Puma-trainingspak aan, een waarvan hij zeker wist dat Marco het nog nooit had gezien, en ging naar buiten.

Inmiddels was het tien over halfdrie.

Larry was via 10th Avenue en 14th Street naar Hudson Street gelopen. De wandeling had hem goed gedaan, maar de hitte was een verschrikking. Zijn keel voelde droog aan, zijn ogen prikten en zijn hoofdpijn wilde maar niet weggaan.

In de verte zag hij Abingdon Square opdoemen.

De bomen op het plein en de belofte van schaduw maakten dat hij zijn pas versnelde. Maar onmiddellijk ging hij weer langzamer lopen. Hoe sneller het plein dichterbij kwam, hoe eerder hij in de auto zou zitten bij Bud. En zodra hij in de Subaru zat, was er geen weg terug meer.

Drie uur.

Op dat tijdstip zou Bud hem oppikken bij het plein.

Om halfvier zou Marco het koffertje afleveren bij Venice Pictures.

Hij moest die verdomde angst opzijzetten.

Denken aan hoe goed hij zich vannacht had gevoeld na het telefoontje van Bud. Aan Tiffany, die op weg terug was naar New York en op hem rekende...

42

Toen Dana om kwart voor drie Archie Venice zag binnenkomen, herinnerde ze zich dat ze hem nog moest vragen of ze over twee weken een weekje vrij kon nemen om met Jack naar Miami te gaan. Ze stond op het punt haar baas aan te schieten, maar aarzelde toen ze de treurige uitdrukking op zijn gezicht zag. Een ogenblik later besefte ze dat hij net terugkwam van het vliegveld, waar hij Rhonda en Leslie op het vliegtuig naar Oostenrijk had gezet. Wanneer zijn meiden er niet waren, gedroeg Archie zich doorgaans als een kind dat zijn speeltje kwijt was. Nee, dit was niet het goede moment om te hengelen naar een paar extra vrije dagen.

Dus hield ze haar mond, keek zwijgend toe hoe haar werkgever met veel gevoel voor drama langs haar heen schreed en richtte zich – nadat hij de deur van zijn kantoor achter zich had gesloten – weer op haar werk.

Om elf minuten voor drie parkeerde Bud de Subaru voor de ingang van het St. Vincent's Hospital in 12th Street. Hij stapte uit, liep om de auto heen en tilde Ruby-Beth Quattlander naar buiten. De oude vrouw was nog altijd buiten bewustzijn, hoewel ze tijdens de rit een paar keer haar ogen had geopend en kreunend om de steun van de Heer had gevraagd. Met een snotterende Nora in zijn kielzog en haar bewusteloze moeder in zijn armen haastte Bud zich naar de afdeling spoedeisende hulp. Daar aangekomen knikte hij beleefd naar de bedrukt kijkende mensen in de wachtkamer, zette Ruby-Beth op een lege stoel en wachtte tot Nora in de stoel ernaast was gaan zitten, zodat ze haar moeder kon ondersteunen en het oude mens niet met haar gezicht plat op de grijze linoleumvloer zou vallen.

Bud wenste Nora succes en zei dat hij direct na zijn bespreking naar het ziekenhuis zou komen. 'Dat zal waarschijnlijk rond vieren zijn. Zullen we afspreken in het restaurant?'

Nora veegde een traan weg en keek met een bezorgde blik naar haar bewusteloze moeder. 'Ik zou het fijn vinden als je bij ons bleef, Bud. Kun je die bespreking niet afzeggen?'

Bud schudde zijn hoofd. 'Geloof me, lieverd, als dat had gekund, dan had ik het allang gedaan. Maar het is eenvoudigweg geen goed idee. De filmwereld zit vol grote ego's. Als ik een van die ego's vandaag op zijn pik trap door er niet te zijn, betaal ik daar morgen de rekening voor. Begrijp je wat ik bedoel? Het is echt beter dat ik gewoon ga. Als ik vandaag spijkers met koppen sla, plukken we daar straks met z'n drietjes de vruchten van. Jij, je moeder en ik.'

Nora wendde haar blik af.

'Lieverd, ik had je er eigenlijk mee willen verrassen, maar als die film er komt, dan koop ik een nieuwe laptop voor je, en zo'n speciale aansluiting met nog sneller internet.'

Nora zei dat ze niet geïnteresseerd was in sneller internet, maar dat ze hoopte dat zijn bespreking goed zou verlopen.

Bud zuchtte, negeerde de berispende blikken van de overige mensen in de wachtkamer en zei tegen zijn vriendin dat hij terug zou zijn voor ze er erg in had. Hij drukte een kus op haar voorhoofd, draaide zich om en ging op weg naar de uitgang.

Vijf voor drie.

Als het verkeer meezat, zou hij net op tijd op Abingdon Square kunnen zijn om Larry Venice op te pikken.

Zelfs in de schaduw was het vandaag niet om uit te houden, dacht Farrell. Hij zat op de onderste sport van een bouwsteiger en vervloekte zichzelf voor de derde keer in tien minuten vanwege het feit dat hij er niet aan had gedacht een blikje Liptonice uit de Cadillac te pakken voor hij de achtervolging op Larry inzette.

Nu zat hij hier zonder drinken en mocht hij blij zijn dat de locatiescout had besloten zich na een wandeling van bijna een halfuur een pauze te gunnen en op een bankje op het dertig meter verderop gelegen Abingdon Square te gaan zitten.

Of was het geen pauze?

Nee. Aan de nerveuze manier waarop Larry om de haverklap opstond van het bankje en op zijn horloge keek, leidde Farrell af dat hij op iemand wachtte.

Larry wist dat Bud er nu ieder moment kon zijn. Hij probeerde de hitte te negeren en niet te denken aan Marco of grof geschapen mannen in de gevangenis die wilden dat je hun bezit werd. Hij probeerde zich ook niet af te vragen waarom Tiffany nog altijd niets van zich had laten horen. Ze had er ongetwijfeld haar redenen voor en misschien was het ook maar beter zo. Wanneer ze uitgerekend op dit moment zou bellen, bestond de kans dat hij zou worden overmand door emoties en hij had er juist dringend behoefte aan om rustig te blijven.

Zich te concentreren op zijn onderneming met Bud.

Om niet te hoeven denken aan wat er met hem zou gebeuren wanneer alles zo dadelijk misging, richtte hij zich op twee magere spreeuwen, die bij een volgend bankje het restant van een kalkoensandwich te lijf gingen. Het kijken naar de pikkende snaveltjes maakte hem slaperig. Zijn oogleden werden zwaar en hij schrok zich kapot toen hij een paar seconden later een auto hoorde toeteren.

Onmiddellijk was de angst weer terug.

Hij keek op en daar was Bud, die vanachter het stuur van de Subaru naar hem grijnsde.

Larry wierp nog een laatste blik op de twee spreeuwen, probeerde heel hard aan Tiffany te denken en stond op van het bankje. Hij liep naar de Subaru toe, deed zijn best Bud te groeten zonder te laten merken dat hij zowat in zijn broek scheet van angst en opende het portier aan de passagierskant.

Bud vroeg of hij er klaar voor was.

Larry zei dat hij geloofde van wel en vroeg of Bud wilde dat hij meteen achter het stuur zou gaan zitten.

Bud schudde zijn hoofd. 'Laten we eerst maar zorgen dat we niet te laat komen op ons eigen feestje.'

'Waar is mijn masker?'

'Dat ligt in de kofferbak. Stap nou maar gewoon in en ontspan je, oké? Alles komt goed.'

43

Farrell wist dat hij geen tijd te verliezen had. Hij rende de straat op en zocht in het drukke verkeer naar een onbezette taxi. Het duurde even, maar uiteindelijk kreeg hij er een in het vizier. Enkele ogenblikken later nam hij plaats op de achterbank, wees de Arabische chauffeur op de Subaru die twee blokken verderop voor een stoplicht stond en droeg de man op het oude wrak te volgen.

De taxichauffeur zag kennelijk in dat er een extraatje inzat als hij de Subaru niet uit het oog verloor, want hij zette er goed de vaart in, zodat Farrell op de achterbank zich al snel ontspande en zich toestond te genieten van de koele bries van de airco op zijn gezicht.

Dat had niet veel gescheeld.

Toen hij Larry even daarvoor naar de Subaru had zien lopen, had Farrell aangenomen dat de bestuurder van de auto hem de weg wilde vragen. Hij was er totaal niet op bedacht geweest dat Larry zou instappen en de auto er vervolgens vandoor zou gaan.

Toch was dat precies wat er was gebeurd.

De Subaru had een U-bocht gemaakt, was de bouwsteiger waarop Farrell zat op nog geen vijf meter afstand gepasseerd en had vervolgens koers gezet in de richting van 8th Avenue. Terwijl Farrell vanaf de achterbank van de taxi de Subaru in de gaten hield, vroeg hij zich af of hij het daarnet goed had gezien en de man die Larry had opgepikt inderdaad dezelfde was met wie de locatiescout twee dagen geleden had gegeten in de Tribeca Grill. Het kon bijna niet missen. De littekens op zijn gezicht waren bepaald niet alledaags en Larry's tafelgenoot van woensdag had ook in een oude Subaru gereden.

Tot Farrells verbazing reed de Subaru rechtstreeks terug naar Venice Pictures.

Hij gaf de taxichauffeur opdracht aan het begin van 22nd Street te stoppen en wachtte vervolgens totdat de man met het verminkte gezicht het oude wrak ergens halverwege de straat had geparkeerd alvorens hij de rekening betaalde en uitstapte.

Al vanaf hier kon hij zien dat zijn eigen auto nog vol in de zon stond. Desondanks liep hij ernaartoe en stapte in. Hij draaide zowel het raampje aan de bestuurderskant als dat aan de passagierskant helemaal open en griste een kokend heet blikje Liptonice van de achterbank. Nauwelijks had hij het blikje aan zijn lippen gezet of hij zag hoe Larry uit de Subaru stapte, gevolgd door de man met het verminkte gezicht.

Hoewel de Subaru schuin aan de overkant stond, op ruim dertig meter afstand van zijn eigen auto, liet Farrell zich enkele centimeters onderuitzakken op zijn stoel. Hij verwachtte dat Larry en zijn metgezel in de richting van Venice Pictures zouden lopen, maar dat gebeurde niet.

De man met het verminkte gezicht – vandaag niet gekleed in een duur pak, maar in een afgeknipte spijkerbroek, T-shirt en badslippers – liep om de Subaru heen, pakte een plastic tas van Blockbuster uit de kofferbak en nam vervolgens plaats op de achterbank, terwijl Larry eveneens om de auto heen liep en achter het stuur ging zitten.

Wilde Larry de auto kopen en ging hij een proefritje maken?

Nee, want de Subaru kwam niet in beweging. Ook de twee inzittenden verroerden zich niet. Voor zover Farrell kon beoordelen zaten ze zwijgend in de auto.

Vreemd.

Welk normaal denkend mens – die geen baan had als privédetective – bleef met dit soort temperaturen vrijwillig in een stilstaande auto zitten?

Ze hadden van plek gewisseld. Larry zat nu achter het stuur. Hij zweette zo erg dat hij om de haverklap zijn bril moest poetsen om er iets door te kunnen zien. De stof van zijn trainingspak kleefde tegen zijn huid en hij had het gevoel dat hij ieder ogenblik kon gaan overgeven. Bud zat op de achterbank, ogenschijnlijk op zijn gemak. Larry wierp een vluchtige blik op de maskers, die naast Bud op de achterbank lagen. Wat had de acteur in hemelsnaam bezield om geen gewone vermomming aan te schaffen, maar Gandalf-maskers?

Gepakt worden en naar de gevangenis worden gestuurd, was één ding, maar tegen de lamp lopen met *zoiets* op je hoofd...

Nou ja, voorlopig zou hij dat ding gelukkig niet op hoeven zetten, want Bud had gezegd dat ze hun masker pas zouden opzetten zodra ze Marco in het vizier hadden, omdat ze niet de aandacht wilden trekken van nietsvermoedende voorbijgangers.

Hij keek naar de ouderwetse klok op het dashboard.

Drie minuten voor halfvier.

Jezus, wat had hij het warm.

Misschien hielp het als hij dat zweterige trainingsjack uittrok. Ja, dat was beter. Het T-shirt dat hij eronder droeg was eveneens nat van het zweet, maar op deze manier konden zijn armen tenminste een beetje ademen.

'Volgens mij zie ik hem,' zei Bud.

Larry verstijfde.

'Daar,' zei Bud. 'Vijftig meter verderop, ter hoogte van die blauwe Mazda. Kaal, lelijk...'

Larry dwong zichzelf op te kijken. Het volgende ogenblik voelde hij zijn maag op pijnlijke wijze samentrekken en merkte hij dat hij zijn adem inhield. 'Ja, Bud. Dat is 'm. Dat is Marco. O, shit, geef me alsjeblieft snel dat masker...'

Farrell had nog altijd geen idee waar Larry en de man met het verminkte gezicht mee bezig waren. Ze zaten daar nu al ruim zes minuten, zonder zich te verroeren, ongetwijfeld net als hijzelf murw gebeukt door de hitte. Maar wacht even, nu boog de man met het verminkte gezicht zich voorover en haalde iets tevoorschijn van de achterbank. Iets harigs...

Larry zette het masker op. 'Zit-ie zo goed, Bud? Zie je niets meer van mijn eigen haar?'

Bud zag de paniekerige ogen achter het masker, de lange grijze haren die tot halverwege Larry's T-shirt reikten. Hij grinnikte en zei: 'Ik zie er niets meer van, Larry. Als je vanaf nu je mond houdt, voor je blijft kijken en mij het woord laat doen, is er niets aan de hand. Denk je dat je dat kunt? Een tijdje je mond houden?'

'Mijn mond houden? Ik doe niet anders. Jíj bent de enige die praat.'

Bud negeerde Larry en richtte zijn blik op de adverteerder.

De man was nog hooguit dertig meter van de Subaru verwijderd. Zijn kale hoofd glom in het zonlicht, net zoals de zilveren ketting die zijn pols met het koffertje in zijn hand verbond. Hij droeg een duur zijden pak en zwarte lakschoenen. Bud zag geen andere voetgangers aan deze kant van de straat, laat staan mensen die de adverteerder op discrete wijze volgden en van een afstandje een oogje in het zeil hielden.

Hij pakte zijn masker, zette het op en haalde vanachter zijn broekband de Beretta tevoorschijn.

De adverteerder kwam nu snel dichterbij.

Twintig meter. Vijftien...

Bud grijnsde.

Eigenlijk was het leven net één lange pornofilm: alles draaide erom dat je op de cruciale momenten keihard was.

44

Larry durfde nauwelijks te kijken. Dat klotemasker drukte tegen zijn bril en het zweet bleef van zijn lichaam druipen. Via het zijspiegeltje zag hij het dure blauwe pak van Marco dichterbij komen. Zoals altijd had de adverteerder een zelfvoldane grijns op zijn gezicht. Onderaan in het spiegeltje stond in halfvervaagde zwarte letters iets geschreven. VOORWERPEN IN DE SPIEGEL ZIJN DICHTERBIJ DAN ZE LIJKEN TE ZIJN, las Larry, precies op het moment dat het achterportier van de Subaru openzwaaide en de zelfvoldane grijns op Marco's gezicht plaatsmaakte voor een uitdrukking van verbazing en – toen het portier een fractie van een seconde later in aanraking kwam met zijn bovenbeen – pijn.

De adverteerder begon te vloeken, deed een stap in de richting van de auto, waardoor Larry zijn gezicht niet langer via het zijspiegeltje kon zien, en zei: 'Kun je niet uitkijken, stomme idioot. Ik zal je... Hé, wat doe je nou? Ho ho, doe nou geen gekke dingen...'

De stem van Bud zei: 'Stap in, kale klootzak. Als je problemen maakt, schiet ik.'

Marco: 'Wat heeft dit godverdomme te betekenen?'

Bud: 'Stap in.'

Larry kon het niet laten. Bud had gezegd dat hij voor zich moest kijken, maar via het zijspiegeltje kon hij niets meer zien, en voor zich uit blijven kijken zonder dat hij wist wat er achter hem gebeurde hield hij gewoonweg niet vol. Hij draaide zich half om in zijn stoel en zag Marco, nog altijd foeterend, in de auto stappen. Marco, die Bud aankeek en zei: 'Wie je ook bent, eikel, je maakt een grote fout.'

Zie je wel? Die klote-adverteerder zei het zelf ook: ze maakten een fout. Dat was precies wat Larry Bud had proberen duidelijk te maken tijdens hun gesprek in de Subway, maar Bud wilde alleen zijn eigen zin doen en dus zaten ze hier toch. Shit. Shit. Shit. De druk op Larry's bril werd steeds groter en het haar van dat belachelijke masker kriebelde in zijn nek. Het liefst zou hij het autoportier opengooien, hard wegrennen, de hoek om, dat ding van zijn hoofd rukken...

'De koffer,' zei Bud. 'Maak hem los van je pols en schuif hem naar me toe.'

Marco keek naar het pistool. 'Je hebt geen idee met wie je te maken hebt, eikel. Ik geef je nog één kans. Laat me gewoon uitstappen en ga verder met je leven.'

Bud bracht het pistool omhoog en zette het tegen Marco's voorhoofd.

De adverteerder zei: 'Oké, oké. Duidelijk. Als je met alle geweld dat geld wilt hebben, dan krijg je het. Maar nogmaals: je maakt een grote fout. Ik weet wie jullie zijn en ik laat jullie op een verschrikkelijke manier te grazen nemen.'

O shit, dacht Larry.

Bud zei: 'De koffer.'

De adverteerder schudde zijn hoofd. Staarde een paar tellen met een nietszeggende uitdrukking op zijn gezicht naar de loop van het pistool en haalde vervolgens een minuscuul sleuteltje tevoorschijn.

'Je kunt niet weten wie we zijn,' zei Larry met overslaande stem. 'We dragen maskers.'

Marco negeerde hem. Stak het sleuteltje in het slot op zijn pols, draaide het een kwartslag en liet de ketting in een vloeiende beweging van zijn pols glijden. 'Stelletje idioten. Jullie weten niet wat je doet.'

Bud trok de koffer naar zich toe. 'Oké. En nu uitstappen.'

Farrell zag het gebeuren, maar hij had geen idee wat hij moest doen. Op het moment dat hij zeker wist dat de harige dingen in de Subaru maskers waren, had hij Archie gebeld. Maar de oude man nam niet op en het volgende ogenblik was het achterportier van de Subaru opengevlogen – vol tegen de kale man met het attachékoffertje aan – en was alle twijfel weg.

Hij was getuige van een beroving.

Wat er in het koffertje zat, kon hij met geen mogelijkheid zeggen, maar het was duidelijk dat Larry en de bestuurder van de Subaru hadden geweten dat de kale man eraan kwam. Dat verklaarde waarom ze al die tijd in de bloedhitte in de auto waren blijven zitten. Farrell had gezien hoe de man met het verminkte gezicht vanuit de auto een pistool op de kale man had gericht. Hoe ze op de achterbank enkele woorden hadden gewisseld. Hoe de man met het verminkte gezicht het pistool tegen het *hoofd* van de kale man had gedrukt...

Tot zover zijn makkelijke klus.

Voor de vierde keer sinds Larry en zijn metgezel hun maskers hadden opgezet, belde hij het mobiele nummer dat Archie hem had gegeven voor noodgevallen, maar opnieuw gaf zijn opdrachtgever geen gehoor aan de oproep.

Net toen hij had besloten de merkwaardige angst die de oude man had voor de politie aan zijn laars te lappen en het alarmnummer te bellen, zag hij de man met het kale hoofd uit de Subaru stappen.

Zijn koffertje had hij niet langer bij zich.

Nu werd het portier van de Subaru dichtgetrokken en het volgende ogenblik scheurde de auto ervandoor.

Farrell smeet zijn telefoon op de passagiersstoel, startte de Cadillac en wilde gas geven, toen hij zag dat de kale man een pistool onder zijn jasje vandaan haalde en het op de wegrijdende Subaru richtte.

De man haalde de trekker over.

Miste en loste een tweede schot.

De achterruit van de Subaru explodeerde.

Aan de overkant van de straat zette een vrouw het op een gillen. Iemand anders riep dat de politie moest worden gebeld.

De Subaru bereikte het einde van de straat en verdween om de hoek.

De man met het kale hoofd stopte zijn wapen weg, fatsoeneerde zijn jasje en stapte het trottoir op. Glimlachte naar een angstig kijkende voorbijganger alsof er niets was gebeurd.

Farrell aarzelde niet langer. Hij voegde in, gaf plankgas en zette koers in de richting van 10th Avenue, waar hij de Subaru rechtsaf had zien slaan.

'Hij had een pistool,' zei Larry. 'Hij had een pistool, Bud. Die gestoorde klootzak probeerde ons dood te schieten.'

'Hou je mond en doe dat masker af. Met die kapotte achterruit vallen we al genoeg op.'

Larry trok het masker van zijn gezicht. 'Het doet er niet meer toe of we opvallen, Bud. Je hebt toch gehoord wat Marco zei: hij weet wie we zijn en hij gaat ons te grazen laten nemen.'

'Larry!'

Larry zag de invoegende vrachtwagen, gaf een ruk aan het stuur en slaagde er ternauwernood in de stoeprand te ontwijken en de Subaru terug op 10th Avenue te krijgen.

'Hij blufte,' zei Bud. 'Als je ervoor zorgt dat we niet onder een vrachtwagen terechtkomen, is er niets aan de hand.'

Dat zou wat zijn. De perfecte beroving en vervolgens het loodje leggen omdat de mafkees weigerde zijn ogen op het wegdek te houden.

De perfecte beroving?

Dat viel nog te bezien. Vanwege Larry's roekeloze rijgedrag had hij nog geen kans gehad te controleren of de koffer datgene bevatte wat hij volgens de locatiescout hoorde te bevatten.

Maar wat kon er anders in zitten? Die kale neet met zijn zijden pak en zijn lakschoenen was alles behalve een gewone adverteerder, dat wist hij nu zeker. Een gewone adverteerder zei geen dingen als: 'Je hebt geen idee met wie je te maken hebt' en 'Ik laat je te grazen nemen.' Een gewone adverteerder opende evenmin op klaarlichte dag het vuur op wegrijdende auto's.

Bud trok de koffer naar zich toe.

Deed een schietgebedje.

Klikte hem open.

En slaakte een zucht van opluchting toen hij de keurige stapeltjes honderddollarbiljetten zag liggen. De stapeltjes werden bij elkaar gehouden door hetzelfde type geldbandje dat hij in Archies doodskist had aangetroffen. Alleen waren het er deze keer meer.

Veel meer.

Dana was op weg naar de voordeur om te kijken wat in hemelsnaam de luide knallen betekenden die ze even daarvoor had gehoord. Waren het schoten geweest? Dat kon toch niet? Dit was niet de Bronx, maar 22nd Street in Chelsea. Een rustige buurt waar de mensen elkaar op straat groetten in plaats van doodschoten. Maar wat was het dan geweest?

Ze was bijna bij de voordeur, toen ze de bel hoorde. Even aarzelde ze, maar toen zag ze door het glas het kale hoofd van een van Archies adverteerders. Misschien kon hij haar vertellen wat alle ophef op straat had veroorzaakt.

Ze opende de deur, begon aan een vraag en schrok zich vervolgens kapot toen de adverteerder haar op ruwe wijze opzijduwde, de deur achter zich dichttrok en vervolgens een pistool onder zijn jasje vandaan haalde.

'Vertel op,' snauwde de man. 'Waar is hij?'

Dana keek met open mond naar het pistool.

'Waar is hij, stomme teef? Waar is je baas?'

Dana probeerde de angst, die als een ijzeren vuist haar keel leek dicht te knijpen, te negeren. Ze deed haar best niet naar het pistool te kijken en rustig te blijven ademhalen. 'Archie is in zijn kantoor.' Ze slikte. 'Wat... wat is er gebeurd?'

'Niets waar jij iets mee te maken hebt,' zei de adverteerder, terwijl hij haar hardhandig bij haar bovenarm greep en in de richting van Archies kantoor duwde. 'Schiet op, breng me naar hem toe.'

45

Archie lag op de grootste van zijn twee chesterfieldbanken in zijn kantoor en luisterde via Werners oude iPod naar de soundtrack van *Titanic*. Hij had zijn ogen dicht en dacht aan zijn meiden, Rhonda en Leslie, die ergens in een vliegtuig zaten, ver bij hem vandaan. De filmmuziek bezorgde hem een heerlijk melancholiek gevoel, vooral dat lied van Céline Dion, die zong dat je hart altijd door moest gaan, zelfs als je geliefden er even niet waren...

Iemand greep hem bij de keel.

Naar adem happend opende Archie zijn ogen.

Recht voor hem, op nog geen tien centimeter van het puntje van zijn neus, zag hij de loop van een pistool. Daarachter het bezwete en van woede vertrokken gezicht van Marco Moretti.

O, jezus.

Hij probeerde iets te zeggen, maar kon niets uitbrengen omdat de Italiaan met zijn andere hand nog altijd zijn keel vast had. Nu zag hij vanuit zijn ooghoek Dana, die rechts van de bank stond en er doodsbang uitzag.

Net toen Archie dacht dat hij in paniek zou raken omdat hij geen adem meer kreeg, liet Moretti hem los. In dezelfde beweging rukte de woedende Italiaan de dopjes van de iPod uit zijn oren en drukte het pistool tegen zijn adamsappel.

'Wacht,' zei Archie. 'Vertel me alsjeblieft wat er is gebeurd voordat je domme dingen doet.'

De Italiaan maakte een snuivend geluid. 'Ik ben net beroofd van vierhonderdduizend dollar, Archie. Dat is er gebeurd.'

Archie begreep er niets van.

'Door wie?'

'Door wie? Door je zoon, jij stomme ouwe zak. Je zoon en iemand met een verdomd grote bek op badslippers. Ze droegen Gandalf-maskers.'

'Gandalf-maskers? Maar... maar als ze Gandalf-maskers droegen, hoe weet je dan dat...'

'Dat ik niet te maken had met de echte Gandalf, maar met die geschifte zoon van je? Omdat de echte Gandalf geen tatoeage op zijn onderarm heeft met een rozenkrans en de tekst "AmandaLarry" erop. Of heb ik misschien iets gemist toen ik naar die klotefilm keek?'

Dana was nog nooit zo bang geweest. Daarnet, toen de adverteerder haar met zijn pistool had overrompeld bij de voordeur, had ze zich redelijk groot weten te houden, maar nu, hier in Archies kantoor, merkte ze dat ze begon te beven. De reden voor haar toenemende angstgevoelens was de blik in de ogen van haar baas. Wie deze adverteerder met zijn grote pistool ook was, duidelijk was dat Archie het zowat in zijn broek deed van angst, en als vanzelf kwamen de woorden van Jack bij haar terug. Jack, die het vermoeden had geuit dat Archie in een of ander duister zaakje was verwikkeld en daarom met alle geweld de politie buiten de deur wilde houden. En wat had de adverteerder daarnet gezegd? Dat hij was beroofd door *Larry*?

Ja, want nu gaf de man Archie met de loop van zijn pistool een tik tegen de neus en zei: 'Ik zei toch dat dat kolerejoch van je me niet voor niets altijd zo stompzinnig zit aan te staren als ik hier langskom? Hij moet al die maanden hebben geweten wat hij van plan was.'

'Ik heb hem niets verteld. Dat zweer ik.'

'En hoe is hij er dan wél achter gekomen? Heb je hem voor zijn verjaardag een glazen bol gegeven?'

Dana verzamelde al haar moed. Schraapte haar keel en zei: 'Eh... als jullie mij niet langer nodig hebben, kan ik dan misschien weer aan het werk gaan?'

De adverteerder schudde zijn hoofd. 'Jij gaat nergens heen. Iedereen blijft hier.'

O, god, waar was ze in hemelsnaam in beland?

Vanuit haar ooghoek zag ze Archie in een moedeloos gebaar zijn hoofd schudden. 'Luister, als jij zegt dat het echt Larry was, dan geloof ik je. Maar nogmaals: ik zweer je dat ik hem niets heb verteld. Dit is niet mijn schuld. Sterker nog: sinds dat akkefietje met zijn vriendin van vorige week heb ik er juist alles aan gedaan om ervoor te zorgen dat hij niemand meer in de problemen brengt.'

De adverteerder wierp haar baas een vernietigende blik toe. 'Nou, dat is dan goed gelukt. En nu? Heb je enig idee waar die kuttenkop naartoe is?'

'Nee,' zei Archie. Hij slikte. 'Maar met een beetje geluk kan ik daar wel achter komen.'

Farrell draaide net de West Side Highway op toen zijn telefoon ging. Hij wierp een vluchtige blik op de passagiersstoel, maar kon niet zien van wie het nummer was dat op het display verscheen. Gewoon opnemen was op dit moment ook geen optie, want als hij niet uitkeek, werd hij ingehaald door een bus met toeristen en zou hij het zicht op de Subaru verliezen. Dat wilde hij niet laten gebeuren. Hij was allang blij dat hij de auto na de schietpartij in 22nd Street weer in het vizier had gekregen.

Hij wurmde zich voor de bus langs, griste zijn mobieltje van de passagiersstoel en zag tot zijn opluchting dat de beller Archie Venice was.

'Archie –'

'Jack? Wat is er godverdomme gebeurd? Waarom heb je me niet gebeld?'

'Ik heb je vier kéér gebeld, maar je nam niet op. Je zoon heeft daarnet –'

'Ik weet wat hij heeft gedaan. Zeg me alsjeblieft dat je die auto waarin hij zit niet uit het oog bent verloren.'

'Ik rij op dit moment achter ze,' zei Farrell, terwijl hij zich afvroeg hoe Archie kon weten wat Larry had gedaan zonder dat hij er zelf bij was geweest.

Aan de andere kant van de lijn hoorde hij Archie op gedempte toon zeggen: 'Hij rijdt achter ze.' Blijkbaar was de producent niet alleen.

Nu zei hij: 'Jack? Heb je gezien wie die kerel is die op de achterbank zit? Of draagt hij nog steeds een masker?'

Farrell bracht zijn mobiele telefoon omlaag omdat hij meende in zijn achteruitkijkspiegel een politieauto te zien naderen. Een ogenblik later zag hij dat hij zich vergiste, bracht de telefoon weer naar zijn oor en zei: 'Nee, die maskers hebben ze niet meer op. Het is een tamelijk forse kerel. Zwart haar. Een paar smerig uitziende littekens op zijn gezicht...'

Archie bleef even stil. Toen zei hij: 'Zwart haar en littekens op zijn gezicht?'

'Ja,' zei Farrell. 'Ik heb hem deze week al eens gezien. Woensdagavond heeft hij samen met Larry gegeten in de Tribeca Grill.'

Weer een stilte. Langer ditmaal. Toen: 'Jezus christus, Jack. Waarom heb je dit niet eerder tegen me gezegd?'

'Wat?'

'Dat van die kerel met dat zwarte haar en die littekens. Waarom heb je me niet eerder gezegd dat je Larry in zijn gezelschap hebt gezien?'

'Ja, luister eens even. Je vroeg me maandag ervoor te zorgen dat je zoon uit de buurt zou blijven van zijn ex-vriendin. Niet om een lijstje bij te houden van de mensen met wie hij de dag doorbrengt.'

'Ja, dat weet ik godverdomme ook wel, maar –' De oude man hield abrupt zijn mond en het volgende ogenblik hoorde Farrell op de achtergrond een andere mannenstem. Hij kon niet verstaan wat er werd gezegd, maar enkele seconden later kwam Archie weer aan de lijn en zei: 'Jack? Je hebt gelijk, dit is niet jouw schuld. Kun je me vertellen waar Larry en die zakkenwasser zich op dit moment bevinden?'

'Ze zitten op de West Side Highway en rijden in noordelijke richting.'

'Oké. Blijf gewoon achter ze aan rijden en zorg dat ze je niet in de gaten krijgen. Ik bel je zo terug en kom samen met iemand anders achter je aan om dit af te handelen.'

Het 'samen met iemand anders'-gedeelte beviel Farrell niet. Hij zei: 'Is het niet verstandiger om de politie dit verder te laten regelen?'

'Néé,' zei Archie, op smekende toon. 'Alsjeblieft, Jack. Laat de politie erbuiten. Je doet het prima in je eentje. Ik verdubbel je honorarium. Oké? Blijf gewoon achter die auto aan rijden en wacht tot ik er ben.'

Dana was achter Archies bureau gaan zitten en probeerde haar ademhaling onder controle te houden terwijl Archie telefoneerde met Jack. Toen haar baas ophing, leek hij iets meer op zijn gemak dan even daarvoor.

Zelf voelde ze zich ook beter. Archie had gezegd dat hij samen met iemand anders achter Jack aan zou komen 'om dit af te handelen'. Die iemand anders was de adverteerder met zijn pistool, dat kon niet missen.

Ze wierp een vluchtige blik op de kale man, precies op het moment dat hij zijn wapen wegstopte, Archie aankeek en zei: 'Oké, maat. We gaan dit zo dadelijk gladstrijken, jij en ik. We strijken de boel glad en als dat is gebeurd, praten we nooit meer over wat hier vandaag heeft plaatsgevonden. *Capice*? Tegen niemand. Als Sal –' hij hield abrupt zijn mond en keek even haar kant op, 'als mijn baas hier achter komt... nou ja, het zou bepaald niet goed staan op mijn cv. En zeker niet op het jouwe. Hebben we een deal?'

Archie knikte. 'Ja, we hebben een deal. Maar wat dat gladstrijken betreft: laat dat maar aan mij over.'

Dana had het gevoel dat het ergste achter de rug was. Ze stond op het punt te vragen of ze nu eindelijk kon gaan, toen ze zich kapot schrok omdat de kale engerd met zijn varkensoogjes plotseling háár aankeek en zei: 'Jij. Heb je een rijbewijs?'

Ze slikte. 'Ik? Eh ja, maar ik kan nergens naartoe. Ik heb nog heel veel werk te doen...'

De adverteerder schonk haar een emotieloze glimlach. 'Werk? Dat kan wachten. Nietwaar, Arch?'

46

Bud werd gek van de manier waarop Larry bleef jammeren over het feit dat de adverteerder had gezegd dat hij wist wie ze waren. Steeds als Bud dacht dat het kereltje eindelijk zijn bek hield, begon hij weer. Zoals nu: 'Hij keek me aan, Bud. Hij keek me recht in mijn ogen en ik zag het. Ik zag dat hij me herkende.'

Jezus christus.

Bud had geprobeerd de man tot bedaren te brengen door hem te vertellen dat de adverteerder had gebluft, net zoals mensen in films altijd deden als ze dreigden te worden doodgeschoten door criminelen. Zeggen dat ze belangrijke informatie hadden over de slechteriken en dat ze per se in leven moesten blijven omdat die informatie anders naar buiten zou worden gebracht. Allemaal onzin natuurlijk, maar het werkte altijd, net zoals het had gewerkt bij Larry, die er heilig van overtuigd was dat ze echt waren herkend en daarbij totaal over het hoofd zag dat die kale klootzak Bud helemaal niet kón herkennen, omdat hij hem nog nooit van zijn leven had gezien.

Larry zei: 'Ik weet wat je denkt, Bud. Je denkt dat ik me aanstel en dat jij weer eens gelijk hebt. Maar deze keer heb ík gelijk: ik weet niet wat hij bedoelde toen hij zei dat hij ons op een verschrikkelijke manier te grazen gaat nemen, maar het gaat gebeuren. Ik voel het.' Hij snoof. 'En als we nu niet snel bij dat huis zijn, dan maakt het sowieso niet meer uit, want dan smelt ik. Jij bent de enige persoon die ik ken zonder airconditioning in de auto. Ongelooflijk, wat een hitte.'

In dat laatste moest Bud het kereltje gelijk geven. Het was warm in de auto. Hij was dan ook blij dat ze eindelijk in Carmel waren, op hooguit tien minuten van het huis van de Quattlanders.

Zijn telefoon ging.

Nora. Natuurlijk...

Ze had hem al zes keer gebeld en evenzoveel keer had Bud haar telefoontjes genegeerd. Met al dat glas op de hoedenplank kon hij onmogelijk naar het ziekenhuis gaan. En zeker niet zolang die idioot nog achter het stuur zat. Hij wachtte tot de voicemail werd ingeschakeld en probeerde te bedenken wat hij tegen Nora zou kunnen zeggen, zodat hij de volgende keer dat ze belde wel kon opnemen.

Vanaf de voorstoel vroeg Larry wie er toch de hele tijd belde. Wist Bud zeker dat het niet Tiffany was?

Bud, die zich wilde concentreren op een geloofwaardige smoes voor Nora, zei: 'Ja, Larry, dat weet ik zeker.'

'Ik begrijp er niets van,' zei Larry. 'Mij heeft ze ook nog steeds niet gebeld. Ze had allang terug moeten zijn in New York. Toch? Tenzij de bus onderweg pech heeft gekregen, natuurlijk.'

In de verte zag Bud het huis opdoemen. Het hek stond nog open, door de haast die hij eerder die dag had gehad.

Bud zei: 'Daar is het. De volgende oprit.' God, wat wilde hij graag dat Larry zijn bek hield zodat hij kon nadenken.

'Of denk je dat ze me wil verrassen?' zei Larry, terwijl hij zijn richtingaanwijzer aanzette en de oprit op reed. 'Dat ze vanavond ineens voor de deur staat, helemaal sexy aangekleed, speciaal voor mij? Ja, dat zou best kunnen, hè? Nou, dan hoop ik van harte dat je gelijk hebt en Marco ons inderdaad niet heeft herkend, want anders moet ik onderduiken en kan ik er niet zijn om haar welkom te heten.'

'Ze komt niet terug, Larry.'

'Wat?'

'Tiffany. Ze komt niet terug.'

'Ja maar...'

'Ik heb tegen je gelogen. Behalve over het feit dat ze gisteren naar Salt Lake City is vertrokken. Dat is wel waar. Ze is weg, Larry. Voor altijd.'

'Je hebt tegen me gelogen?'

'Ja, Larry. Ik heb tegen je gelogen. Je kunt de auto daar parkeren, schuin voor de garage. En wil je nu even je mond houden, zodat ik kan nadenken?'

Larry hield zijn mond. Liet de Subaru vlak voor de garage tot stilstand komen en zette de motor af, precies op het moment dat het riedeltje van Buds mobiele telefoon opnieuw door de auto schalde. Voor de zevende keer zag Bud het nummer van Nora op het display verschijnen.

Larry keek om. 'Moet je niet opnemen?'

Bud schudde zijn hoofd. 'Dat is mijn vriendin. Ik bel haar straks wel terug.'

'Je vriendin?'

Bud knikte en zette zijn telefoon uit.

'Je denkt dat ik je niet doorheb, hè?'

'Wat?'

'Ze was alles voor me, Bud. De enige echte liefde die ik ooit heb gekend. En nu heb jij haar van me afgepakt.'

Het kereltje had het weer over de actrice. Wist van geen ophouden.

'Ik heb haar niet van je afgepakt, Larry. Dat was echt mijn vriendin, die net belde. Ze heet Nora. Dit is haar huis.'

'Waarom nam je dan niet op?'

Bud staarde naar een dode vlieg op de hoedenplank. Probeerde zijn kalmte te bewaren door niet meteen te reageren.

'Zie je wel,' zei Larry. 'Ik weet precies wat er is gebeurd. Tijdens die auditie ben je verliefd op haar geworden. Toen heb je haar geneukt en –'

'Larry? Ik heb je vriendin niet geneukt. Ik ben ook niet verliefd op haar geworden. Eerlijk gezegd was ze niet eens mijn type.'

'Wás?'

'Ja. Was. Ze is er toch niet meer?' Bud trok de koffer met geld naar zich toe en pakte zijn Beretta uit de stoelzak.

Larry draaide zich half om op zijn stoel, keek hem aan en zei: 'Oké, Bud. *Whatever.* Als ik vanavond niet word gearresteerd, ga ik mijn best doen om dat writer's block te overwinnen en mijn film af te maken. Maar daarna wil ik dood, want ik heb het helemaal gehad.'

Bud zei: 'O ja?' Bracht de Beretta omhoog en schoot Larry midden in zijn voorhoofd.

Farrell parkeerde de Cadillac in de berm, zo'n honderd meter voorbij het huis. Tom Petty zong 'Mary Jane's Last Dance', maar toen Farrell het contactsleuteltje omdraaide en de muziek samen met de automotor ophield, was het in één klap doodstil in de auto. De laatste paar kilometer hadden hem langs een enorm waterreservoir en door uitgestrekte bossen gevoerd, heel wat anders dan de hoogbouw en verkeerschaos op Manhattan, waar hij zijn achtervolging op de Subaru was begonnen.

Om de tien minuten had hij Archie Venice gebeld om hem het laatste nieuws te brengen over de route die de Subaru nam. Ondertussen probeerde hij niet te denken aan het onprettige gevoel dat hem had bekropen toen Archie had gezegd dat hij niets hoefde te doen omdat de oude man 'samen met iemand anders' achter hem aan kwam om dit af te handelen, en des te meer aan het dubbele honorarium dat zijn discrete optreden hem zou opleveren.

Hij controleerde nog eens of de Cadillac vanaf het huis niet zichtbaar was en begon toen, onder beschutting van het struikgewas, terug te lopen naar de plek waar de Subaru was afgeslagen naar het huis. Onderweg belde hij Archie, die meldde dat hij er binnen een kwartier zou zijn. De oude man klonk nerveus. Van de bravoure waarmee hij vijf dagen geleden had staan pochen over de foto's in zijn kantoor was weinig meer over.

Farrell liep door. Hij was nu bijna ter hoogte van het huis, stapte vanaf de weg het struikgewas in en tuurde in de richting van de oprit.

De Subaru was verdwenen. Blijkbaar hadden Larry en zijn metgezel de auto in de garage gezet.

Farrell duwde een paar takken opzij, probeerde te zien of hij in het huis iemand kon ontdekken, maar besefte toen dat dit vergeefse moeite was. Alle gordijnen waren dicht.

Even overwoog hij door het struikgewas nog wat dichter naar het huis te sluipen, maar vrijwel direct besloot hij dat dat weinig zinvol was, en misschien zelfs gevaarlijk. Hij herinnerde zich maar al te goed hoe opgefokt Archie had gereageerd toen hij de man met het zwarte haar en de littekens had beschreven.

Uiteindelijk stapte hij vanuit het struikgewas terug de weg op en zocht een beschutte plek uit, om daar de komst van zijn opdrachtgever af te wachten.

Larry was nu al vijf minuten stil, maar nog altijd slaagde Bud er niet in een geloofwaardig excuus te bedenken voor wat er met de auto was gebeurd. Een ding dat vaststond, was dat hij – voordat hij klaar was om Nora en haar moeder op te halen – het nodige schoonmaakwerk te doen had. Larry's hersens kleefden tegen de voorruit en het dashboard van de Subaru. Ook de bekleding van de passagiersstoel was op sommige plaatsen besmeurd.

En wat moest er met de rest van Larry gebeuren?

Bud besloot de locatiescout aan de oever van het meer te begraven, vlak bij zijn dode vriendin. Hij trok het nog slappe lichaam uit de Subaru, hees het over zijn schouder en liep via de bijkeuken naar de achtertuin.

Ter hoogte van de schuur aarzelde hij.

Misschien was het beter eerst de Subaru schoon te maken en daarná Larry te begraven. Als hij met schoonmaken wachtte totdat Larry's bloed was opgedroogd, zou het waarschijnlijk onbegonnen werk zijn.

Hij liep naar een van de plastic tuinstoelen en zette Larry erin. De locatiescout had zijn ogen nog open. Zijn bril stond scheef op zijn neus, waardoor hij er extra eigenwijs uitzag, en gedurende een vervreemdend ogenblik was Bud ervan overtuigd dat de locatiescout op het punt stond zijn mond open te doen en iets doms te zeggen.

Dat gebeurde niet.

Bud keek op zijn horloge, liep terug het huis in en pakte een handdoek, waarmee hij Larry's bebloede gezicht bedekte.

De achtertuin was niet te zien vanaf de weg, maar nu hij eenmaal zo ver was gekomen, kon hij beter ook op dit punt het zekere voor het onzekere nemen. Mocht er – terwijl hij in de garage de Subaru aan het schrobben was – onverhoopt een verdwaalde boswandelaar in de tuin belanden, dan zou hij gewoon iemand zien die in het zonnetje een dutje deed en zich stellig had voorgenomen daarbij niet te verbranden.

Vanaf het moment dat ze een uur geleden in Archies Jaguar was gestapt, had Dana zich van alles in het hoofd gehaald. Ze probeerde haar aandacht bij het verkeer te houden, maar steeds weer moest ze denken aan even daarvoor, in Archies kantoor, toen die enge adverteerder met zijn kale hoofd had gesproken over 'dingen gladstrijken'. Ze dacht aan Archie, die tegen Jack had gezegd dat hij samen met iemand achter hem aan zou komen om 'dit af te handelen'. Archie, die Jack had gesmeekt niet de politie te bellen en daarbij een nerveuze blik had geworpen op de adverteerder met zijn grote pistool.

Via het achteruitkijkspiegeltje keek ze naar Archie en weer moest ze denken aan Jack, die had gesuggereerd dat haar baas in een of ander duister zaakje was verwikkeld en daarom zo bang was voor de politie. Haar volgende gedachte: wat als ze verzeild was geraakt in een situatie die ze alleen maar kende uit films? Zo een waarin onschuldige mensen per ongeluk dingen zagen die ze niet hadden mogen zien, en dat met de dood moesten bekopen?

Was dat de reden waarom de adverteerder met alle geweld had gewild dat zij reed?

Gedurende enkele surrealistische ogenblikken overwoog ze het portier te openen en uit de auto te springen. Ze reden inmiddels door een bos. Misschien had ze een kans om ongezien weg te komen...

Maar precies op het moment dat ze langzamer wilde gaan rijden om erachter te komen of ze zo'n dodensprong überhaupt zou aandurven, liet Archie haar vanaf de achterbank weten dat ze er bijna waren.

Een ogenblik later zag ze in de verte, tussen de bomen, een huis opdoemen; een smeedijzeren hek, dat openstond, met erachter een lange oprit.

En toen zag ze Jack. Hij stond zo'n twintig meter voorbij het hek langs de kant van de weg, met zijn rug tegen een boom geleund. Nu stapte hij de weg op...

47

Farrell zwaaide naar de Jaguar. Hij hoopte dat Archie zou begrijpen dat hij een paar meter door moest rijden als hij niet vanuit het huis gezien wilde worden. Ja, blijkbaar had de oude man dat in de gaten, want de Jaguar passeerde de oprit zonder vaart te minderen.

Maar wacht eens even: het was niet Archie Venice, die achter het stuur zat. Het was – Farrell was stomverbaasd – Dana.

Was zij de 'iemand anders' over wie Archie het aan de telefoon had gehad?

De Jaguar minderde vaart. Was nog zo'n tien meter bij hem vandaan.

En stopte.

Het achterportier ging open en Archie stapte uit. Hij had een nerveuze uitdrukking op zijn gezicht en keek schichtig over zijn schouder. Even later begreep Farrell waarom, want degene die als tweede uitstapte, was niet Dana, maar de man met het kale hoofd en het blauwe zijden pak. De man die door Larry en zijn metgezel was beroofd en die vervolgens de Subaru onder vuur had genomen.

Farrell keek naar de ogen van de man.

Hij kon er weinig vriendelijks in ontdekken.

Dana stapte als laatste uit de Jaguar.

Ze was nog steeds bang, maar voelde zich een stuk beter nu Jack in de buurt was. Ze sloeg het portier achter zich dicht en keek toe terwijl Archie en de adverteerder op Jack af liepen. Archie wilde de twee mannen aan elkaar voorstellen, maar de adverteerder onderbrak haar baas en vroeg aan Jack of Larry en de man met het zwarte haar en de littekens beiden in het huis waren.

'Ja,' zei Jack. 'Tenzij ze via de achterkant het bos in zijn gegaan. Maar dat betwijfel ik. Ze hebben niet gezien dat ze zijn gevolgd.'

De adverteerder keek hem met samengeknepen oogleden aan. 'Laten we hopen dat je gelijk hebt en ze inderdaad binnen zijn.'

Dana zag dat Jack vluchtig haar kant op keek, alsof hij zich ervan wilde vergewissen dat alles in orde met haar was. Toen wendde hij zich weer tot de adverteerder en zei op neutrale toon: 'Ja, laten we het hopen.'

Nu zei de adverteerder: 'Jullie autosleutels, alsjeblieft.' Ondanks de beleefde toevoeging klonk het niet als een vraag.

Dana gaf de kale man haar autosleutel. Ze zag hoe Jack een fractie van een seconde aarzelde en toen ook de zijne overhandigde.

De adverteerder liet de sleutels in zijn broekzak verdwijnen. Vervolgens veegde hij een denkbeeldig stofje van zijn pak, keek Jack aan en zei: 'Oké. Archie gaat met mij mee. Jij en de receptioniste blijven bij de auto. Zorg dat je niet zichtbaar bent vanuit het huis. En waag het niet om er zonder mijn toestemming vandoor te gaan. Begrepen?'

Het verwijderen van Larry's bloed en hersens uit de Subaru viel Bud dermate tegen dat hij al na een kwartier schrobben besloot een pauze in te lassen. Het enige positieve aan de vijftien minuten die hij zwetend van de hitte met een emmer sop in de auto had doorgebracht, was dat hij vagelijk had bedacht hoe hij de ontstane situatie zou uitleggen aan zijn vriendin en haar door het noodlot geteisterde moeder.

Hij waste zijn handen in de keuken, liep met zijn mobiele telefoon naar de woonkamer en belde Nora.

Zoals hij had verwacht, klonk zijn vriendin niet blij. 'Bud? Ben jij dat? Nou, neem me niet kwalijk, maar dat werd tijd.'

'Sorry, lieverd. Je hebt helemaal gelijk. Maar als je hoort wat er is gebeurd, weet ik zeker dat je het begrijpt. Hoe is het met je moeder?'

'Ze maakt het goed. Haar arm is gezet en ze mag naar huis.' Ze zweeg even. 'Als er tenminste iemand is die ons wil ophalen.'

'Toe, schat. Wees nou niet beledigd. Ik kom jullie over een uurtje of twee halen. Echt. Zodra de auto is gerepareerd, ben ik onderweg.'

'Heeft de auto het begeven?'

'Nee,' zei Bud. 'Lieverd... je moet hier niet van schrikken, want het valt allemaal reuze mee, maar ik ben vanmiddag aangereden door een vrachtauto.'

Aan de andere kant van de lijn slaakte Nora een gil. 'Een vrachtwagen? O, Bud. Ik geloof dat ik ga flauwvallen... ben je ongedeerd?'

'Ik wel,' zei Bud. 'Maar de auto niet. Er zit nauwelijks een krasje op de lak, voor zover die nog niet was weggeroest, maar de achterruit is door de klap totaal verbrijzeld.'

'De achterruit is verbrijzeld en verder is er geen schade? Hoe kan dat nou? Als die vrachtauto je heeft geraakt moet er toch minstens ergens een deuk zitten?'

'Raar hè? Ik dacht precies hetzelfde toen ik uitstapte. Maar ik zweer het: er zit nergens een deuk. Die kapotte achterruit is de enige schade.'

'En nu?'

'Nu ben ik bij de garage.'

'Zetten ze er een nieuwe ruit in?'

'Nee, want anders duurt het nog langer voordat ik jullie kan komen halen.'

'O. Maar waarom kun je dan pas over twee uur hier zijn?'

'Omdat ik bezig ben de passagiersstoel schoon te maken, lieverd. Toen ik net was geraakt door die vrachtauto en tot stilstand kwam op het trottoir, dacht ik aan jou en je moeder. Ik besefte dat ik er bijna niet meer was geweest en vroeg me af wat jullie zonder mij hadden gemoeten. Nou, toen ik daaraan dacht, werd ik meteen hartstikke beroerd. Ik kotste de hele passagiersstoel onder, je weet wel, de Bolognese van gisteravond. Ik wil het je moeder niet aandoen in die smerige braaksellucht te moeten terugrijden naar Carmel.'

'Dat maakt niet uit. Ze zit toch onder de medicijnen en merkt er waarschijnlijk niets van.'

'Nee, misschien niet. Maar zelf vind ik het ook een behoorlijk onaangenaam luchtje. Hoe dan ook, helemaal weg krijg ik het niet, dus schrik niet wanneer je straks de auto ziet, maar als het een beetje meezit dan –'

Bud hield abrupt zijn mond. Hoorde hij daar de deurbel?

'Bud?' zei Nora. 'Wat was dat?'

'Hè?'

'Ik hoorde een geluid. Het klonk precies als onze deurbel.'

Shit.

'Wat? Onze deurbel? O, dát geluid. Ja, lieverd, wat een toeval, hè? Die garage waar ik ben heeft exact dezelfde bel als wij...' Terwijl hij doorpraatte, liep Bud naar het raam. Hij gluurde door een kier in de gesloten gordijnen en zag – jezus christus – Archie Venice en die klootzak van een adverteerder op de veranda staan.

Voor één keer was hij blij met het feit dat Ruby-Beth Quattlander wilde dat haar gordijnen de hele dag gesloten bleven.

Nora zei: 'Bud?'

Bud stapte bij het raam vandaan. 'Wat? O, sorry, lieverd. Ik geloof dat een van die monteurs een afspraak wil maken om de achterruit te vervangen. Ik bel je zo terug. Oké?'

Zonder op Nora's reactie te wachten, verbrak hij de verbinding en haastte zich via de bijkeuken naar de garage, waar zijn Beretta lag.

Farrell vertelde Dana in vogelvlucht wat er zich ruim een uur geleden in 22nd Street had afgespeeld.

Dana zei: 'Godallemachtig. Maar als die Marco geen gewone adverteerder is, wie is hij dan wel?'

'Geen idee,' zei Farrell. 'En dat wil ik graag zo houden.' Hij stapte het struikgewas in, duwde een paar takken opzij en speurde naar een pad dat hem dichter bij het huis zou brengen zonder dat hij al te veel kans liep te worden opgemerkt.

'Wat ga je nou doen?' zei Dana. 'We moesten hier blijven.'

'Dat weet ik,' zei Farrell. 'Maar mocht er straks onverhoopt iets heel erg misgaan, dan wil ik liever een beetje overzicht hebben. Ga je mee?'

Archie trok voor de derde keer aan de ouderwetse deurbel, keek naar de Jezus Redt-sticker in het midden van de voordeur en smeekte in gedachten dat Larry zou opendoen. Vanuit zijn ooghoek zag hij dat Moretti nerveus van het ene been op het andere wipte.

Nu keek de kale man hem aan, schudde zijn hoofd en zei: 'De gordijnen op de begane grond zijn allemaal dicht. Op klaarlichte dag. Dat kan maar één ding betekenen: ze hebben zich verschanst in dat huis en zijn niet van plan naar buiten te komen.'

Archie zette zijn handen als een toeter aan zijn mond. 'Larry? Hoor je me? Als je me hoort, zeg dan alsjeblieft iets terug. Marco hier is niet blij met wat er is gebeurd, maar hij is echt de kwaadste niet. Als jullie nu meteen naar buiten komen, is hij bereid een en ander door de vingers te zien...'

Geen reactie.

'Larry? Hoor je me, jongen?'

Archie zag de hand van de Italiaan onder het blauwe jasje verdwijnen en weer tevoorschijn komen met het pistool erin dat ruim een uur geleden op hém gericht was geweest.

Hij huiverde. 'Marco, wacht nou even, misschien kan ik –'

'Nee, ouwe, er is genoeg gepraat. Die twee prutsers daarbinnen hebben hun kans gehad. Vanaf nu gaan de dingen op mijn manier. Het spijt me oprecht dat een van de twee je zoon is, maar ik moet je toch echt verzoeken terug te gaan naar de auto en daar op me te wachten.'

Vanaf zijn plek achter de garagedeur, die op een kiertje stond, kon Bud Archie en de klootzak met het blauwe pak woordelijk verstaan.

Hij gluurde naar buiten, de Beretta stevig in zijn rechterhand geklemd en vroeg zich af hoe ze hem in hemelsnaam op het spoor waren gekomen.

Moest je die kerel nou toch horen praten.

Vanaf nu gaan de dingen op mijn manier. Alsof hij God zelve was.

Nou, dan maakte hij de fout buiten Bud Raven te rekenen.

Dit was zijn terrein en dus bepaalde híj wat er gebeurde.

Die klote-adverteerder met zijn grote bek stond op nog geen zeven meter bij hem vandaan op de veranda. Archie stond zo'n twee meter verderop, iets dichter bij de voordeur. Bud deed een schietgebedje, stak de loop van de Beretta door de smalle kier en legde aan.

48

'Wacht,' zei Archie. 'Als je van plan bent de voordeur in te trappen, kunnen we net zo goed eerst achterom lopen. Misschien staat daar een deur of een raam open.'

Moretti schudde zijn hoofd en wierp hem een geërgerde blik toe. 'Ik had je gevraagd terug te gaan naar de auto, Arch. Wat doe je hier nog?'

'Niets,' zei Archie. 'Ik probeer alleen maar te –' Hij hield abrupt zijn mond toen hij een luide knal hoorde – een schot – ergens achter hem. Op hetzelfde ogenblik zag hij het hoofd van de Italiaan een onnatuurlijke draai naar rechts maken. Moretti maakte een merkwaardig gorgelend geluid en liet zijn pistool vallen. Bloed gutste uit een gapend gat ter hoogte van zijn slaap. Heel even keek hij met een ongelovige blik naar Archie. Het volgende moment zakte hij door zijn knieën en viel voorover op de veranda.

Archie was versteend van angst. Hij was zo bang voor wat de gevolgen zouden zijn als Salvatore Neri dit te horen kreeg, dat hij zich pas begon af te vragen waar het schot vandaan was gekomen toen hij achter zich een geluid hoorde.

Hij draaide zich om en zag het door dikke, roze littekens gedomineerde gezicht van Bud Raven naar hem grijnzen. De acteur richtte een pistool op zijn borstkas en zei: 'Hé, Arch. Lang niet gezien. Wat kom je doen? Je centjes terughalen?'

Het duurde even voordat het tot Archie doordrong dat het werkelijk Bud Raven was die een pistool op hem richtte, de man die hij jaren geleden de kans had geboden om pornogeschiedenis te schrijven. Waarom konden mensen nooit eens een beetje dankbaarheid tonen wanneer je iets voor ze deed?

'Bud? Denk alsjeblieft na en doe dat pistool weg. Ik weet dat je een paar vervelende dingen hebt meegemaakt na dat ongeluk, maar je hebt net een grote fout gemaakt. De man die daar ligt, heet Marco Moretti. Hij is lid van een van de machtigste New Yorkse maffiafamilies.'

'Ja, en nu is hij dood. Het kan snel gaan in het leven. Geloof me, ik weet er alles van, Arch.'

Archie keek naar het pistool, dat nog altijd op zijn borstkas was gericht. 'Waar is Larry?'

'In de achtertuin. Hij doet een dutje.'

'Een dutje? Dan zal hij inmiddels wel wakker zijn. Je hebt net iemand doodgeschoten.'

'Ik denk het niet, Arch. Larry heeft de laatste tijd last van oververmoeidheid. Wat wil je ook? Hij werkt al weken aan een film over een stel kerels zonder penis. Bepaald geen makkelijk onderwerp. Kun je je daar iets bij voorstellen? Een pornofilm zonder penissen? Larry wel. Ik begrijp niet dat je hem laat wegkwijnen als locatiescout, Archie. Zoveel talent...'

Archie zuchtte. 'Bud... ik zie aan je dat je nog steeds boos bent, maar hoe graag ik het ook zou willen, het verleden kan ik niet terugdraaien. Laten we een deal maken. Oké?'

Bud zei niets.

Archie zei: 'Wat denk je hiervan: jij haalt veertigduizend dollar uit die koffer. Dat bedrag plus de tien die je al hebt gekregen, maakt samen de vijftig die je wilde hebben. De rest geef je terug aan mij. Dan vergeten we wat er hier daarnet is gebeurd.'

Bud fronste zijn wenkbrauwen. 'Wacht even: nu ik hier voor je sta met een pistool in mijn hand ben ik die vijftigduizend ineens wél waard?'

'Het is nooit te laat om verstandig te worden, Bud. En laten we eerlijk zijn: jij bent degene die stomdronken achter het stuur is gaan zitten. Niet ik.'

Buds ogen lichtten op van woede. De acteur kwam op hem af lopen, het pistool als een boze vinger wijzend op zijn bovenlichaam, en Archie wist dat hij een fout had gemaakt.

Hij probeerde uit alle macht iets te bedenken om te zeggen, iets om zijn laatste opmerking een beetje af te zwakken. Kon niets verzinnen en dacht plotseling: Larry ligt niet ergens een dutje te doen.

Met zijn handen in een afwerend gebaar voor zijn lichaam zei hij: 'Niet doen, Bud. Ik ben hier niet alleen. Er wachten mensen op me aan het eind van de oprit. Als ik niet terugkom, schakelen ze de politie in.'

'Ja. Die film heb ik ook gezien.'

Het is echt waar, wilde Archie zeggen, maar hij kreeg de kans niet, want daar was het schot, en vrijwel op hetzelfde moment als waarop de doffe knal had geklonken, voelde hij een vlammende pijn in zijn borst. De tweede kogel trof hem in zijn hals. Hij greep naar zijn keel, probeerde uit alle macht overeind te blijven, maar voelde de kracht in zijn benen afnemen. Uiteindelijk zeeg hij naast de morsdode Marco Moretti ineen op de veranda.

Heel even kon hij niet geloven wat er gebeurde. En toen – liggend op het ruwe hout, met zijn neus vlak naast een half uitstekende spijker – dacht hij aan het moment na Werners zelfmoord, het moment waarop hij zich had afgevraagd of zijn geluk misschien bijna op was. Het moment waarop hij had overwogen er met Rhonda en Leslie vandoor te gaan. Weg uit New York, voor altijd, met al zijn cash in één grote koffer...

Hij had het niet gedaan.

Hij was gebleven en nu lag hij hier, bloedend als een rund, op weg naar een heel ander soort vakantie. Smeken zou niet helpen, zoveel was zeker. En dus bleef hij doodstil liggen, zijn blik gericht op het blauwe, met bloed besmeurde pak van Moretti. Hij zou de struisvogeltactiek toepassen: zijn ogen sluiten, het beetje adem dat hij nog over had inhouden en hopen dat Bud zou denken dat hij al dood was.

Maar wacht eens even, wat zag hij daar glimmen? Daar half onder het lichaam van Moretti? Hij kon het natuurlijk mis hebben, maar... Nee, hij zag het goed. Wist het nu zeker. Daar, binnen handbereik, lag het pistool van de Italiaan.

De stem van Bud, vlak achter hem, zei: 'Ik moet het je nageven,

Arch: je bent nog behoorlijk taai op je ouwe dag. Ik had gedacht dat twee kogels meer dan genoeg zou zijn.'

Archie kuchte. 'Dank je.'

Hij zoog zoveel lucht naar binnen als zijn haperende longen hem toestonden. Vervolgens greep hij het pistool van Moretti, rolde zich op zijn zij en vuurde blind op de plek waar hij vermoedde dat zijn belager zich bevond.

Bud keek naar de oude man met zijn pistool, begon te lachen en zei: 'Wat krijgen we nou? Eerst laat je me stomdronken achter op dat feest en nu wil je me *doodschieten*?'

Toen verdween de lach van zijn gezicht, omdat hij plotseling het gevoel had dat iemand van binnenuit zijn darmen probeerde fijn te knijpen. Hij keek naar beneden en kon niet geloven wat hij zag: die ouwe had niet alleen op hem geschoten, hij had hem geráákt.

Gelukkig viel het mee. Een kogel in de maag. Meer niet. Er kwam bloed uit de wond, maar hij stond nog, en daar ging het om. Zolang hij kon staan, kon hij ook lopen, en als hij kon lopen, kon hij de koffer met geld uit het huis halen en –

Vanuit zijn ooghoek zag hij dat Archie opnieuw het pistool omhoog probeerde te brengen. Razendsnel richtte Bud de Beretta. Hij haalde de trekker over en bleef dat doen, net zo lang totdat zijn voormalig werkgever ophield met bewegen.

Met zijn vrije hand tegen zijn bloedende maag gedrukt, stapte hij de veranda op en boog zich over de oude man heen. Voelde de frustratie en woede van vlak na het ongeluk weer in volle hevigheid oplaaien en schrok toen hij besefte dat hij plotseling niet meer stond, maar naast het levenloze lichaam van Archie Venice op de veranda zat.

Shit.

Misschien was die wond in zijn maag toch ernstiger dan hij had gedacht.

'Waar Larry ook is,' zei Farrell, 'ik hoop dat hij zo verstandig is nog even weg te blijven. Het wordt druk op de oprit.'

Dana, die met een hand voor haar mond toekeek, zei: 'Kijk, die kerel met de littekens staat weer op.'

Farrell zag dat ze gelijk had. 'Maar het gaat niet van harte.'

Ze stonden achter een door struiken omringde eikenboom, op zo'n veertig meter van de veranda. Nadat het eerste schot was gelost, had Dana zich hardop afgevraagd of ze niet beter konden maken dat ze wegkwamen. Het bos in vluchten, zo ver mogelijk hiervandaan.

Farrell was het roerend met haar eens geweest, maar vervolgens had de actie zich in zo'n hoog tempo voltrokken dat ze beiden als aan de grond genageld waren blijven staan, niet in staat rechtsomkeert te maken en ervandoor te gaan.

En nu was alles ineens rustig.

De vogels begonnen weer te fluiten, terwijl verderop de man met de littekens in de richting van de garage strompelde. Farrell zag hoe hij zich met één hand vastklampte aan de openstaande houten deur. Zijn andere hand hield hij tegen zijn maag gedrukt.

Gedurende enkele seconden leek het erop dat de man net als even daarvoor door de knieën zou zakken. Toen deed hij een volgende, wankele stap en verdween naar binnen.

49

Denkend aan de onbezorgde toekomst die dankzij de vierhonderd-duizend dollar in de koffer voor hem in het verschiet lag, was Bud erin geslaagd overeind te krabbelen en naar de auto te strompelen. Maar nu, eenmaal achter het stuur van de Subaru, was de pijn in zijn maag zo erg dat hij even zijn ogen moest sluiten om op adem te komen. Kom op, zei hij tegen zichzelf, dit is niet het moment om je te gaan aanstellen. Het enige wat je hoeft te doen is naar het St. Vincent's rijden, Nora en Ruby-Beth ophalen en meteen even naar dat gat in je maag laten kijken. Waarschijnlijk kun je binnen een paar uur weer naar huis.

Tijdens de rit naar Manhattan zou hij meer dan genoeg tijd hebben om een verhaal te verzinnen dat Nora en haar moeder geloofwaardig in de oren zou klinken. Hij was geraakt door een verdwaalde kogel na een straatroof. Of misschien kon hij er een meer heroïsch tintje aan geven. Iemand had geprobeerd hém te beroven, was pissig geworden toen bleek dat hij slechts tien dollar op zak had en had hem in een vlaag van woede in zijn maag geschoten.

Zoiets.

Maar wacht even, hoe moest het dan wanneer ze vanavond laat hier terug zouden komen en Nora en Ruby-Beth de lijken op de oprit en in de achtertuin zouden zien? Die vielen een stuk lastiger te verklaren.

Hij opende zijn ogen. Verdomme, dat ging moeilijk. Zijn oogleden voelden zwaar aan. En waarom was het zo warm in de auto? Die verdomde hitte benam hem bijna de adem. Nee, zo kon hij niet nadenken. Als hij het probleem van de lijken wilde oplossen, had hij frisse lucht nodig. Zuurstof die naar zijn hersenen ging en goede ideeën meebracht.

Hij wilde uit de auto stappen, maar merkte dat zijn benen niet gehoorzaamden. Het moest de hitte zijn. Zodra hij buiten was, zou alles beter gaan. Hij probeerde zijn bovenlichaam te bewegen.

Dat lukte wel.

Hij wilde zich vooroverbuigen om zich, met zijn bovenlichaam eerst, uit de auto te laten glijden. Aarzelde en dacht: de koffer met geld. Die moest hij meenemen. Zodat hij hem dicht bij zich had en niemand hem van hem af kon pakken in het geval dat hij onderweg even in slaap viel en later pas energie zou hebben om naar het ziekenhuis te gaan.

In een uiterste krachtsinspanning wist hij de koffer van de achterbank te tillen. Hij slingerde het ding door de openstaande garagedeur naar buiten, liet zich uit de auto glijden en begon te kruipen, dwars over het spoor van bloed dat hij bij het binnengaan van de garage had achtergelaten.

Het ademen viel hem steeds zwaarder, maar hij was er bijna, want daar was de garagedeur. Achter de garagedeur zou het minder warm zijn. Achter de garagedeur was zuurstof. Zolang hij maar buiten was voordat zijn zuurstof op was, zou alles goed komen.

Hij kroop verder, bereikte de deur en zag de koffer met geld, die op de smalle strook gras naast de garage lag en door de klap was opengevallen.

Bud kroop naar de koffer toe. Grind prikte in zijn handen en ellebogen. Zijn maag brandde. Waarom had hij nog steeds moeite met ademhalen nu hij buiten was?

Hij bereikte de strook gras, zag dat er hier en daar stapeltjes bankbiljetten lagen en besloot dat het zo goed was. Hier in het gras, vlak bij zijn geld, kon hij nadenken. Hij rolde op zijn rug. Staarde naar het groen van de bomen boven zijn hoofd. Wilde even zijn ogen sluiten en schrok toen omdat hij in de verte kinderen hoorde lachen. *Flits.* Het gelach werd harder en klonk hem bekend in de oren, het was alsof hij het eerder had gehoord, ergens in een ander leven. Ja, dat had hij, want daar was zijn oude klaslokaal. Het gluiperige hoofd van Johnny McKenzie, die zoals altijd hard boven de andere kinderen uit gilde. 'Bud heeft een stijve! Bud heeft een stijve!' Nog meer gelach. Pijn. De riem van zijn vader. Zijn moeder, die niets deed. *Flits.* Shirley Mourning, zuigend aan Bud junior. Een studio. Felle lampen. Borsten in alle soorten en maten, heen en weer wiebelend boven zijn hoofd. *Flits.* Het grijnzende gezicht van Archie Venice: 'Jongen, ik meen het serieus. Als je exclusief bij mij tekent...'

Ja, dat was een goed idee. Maar eerst moest hij naar het ziekenhuis. Nora en Ruby-Beth ophalen. *Flits.* Een auto. Dat kwam goed uit. Een bordeauxrode Mercedes met een achterruit en zonder hersens op de passagiersstoel. Bud stapte in. Snoof de geur van de witlederen bekleding op. Lekker. Nora en haar moeder zouden trots op hem zijn.

Hij startte en draaide de weg op. Keek in het achteruitkijkspiegeltje, grijnsde naar zichzelf en schrok zich vervolgens kapot omdat – dit kon niet waar zijn – zijn littekens waren verdwenen. Het leek wel alsof hij een jongere versie van zichzelf zag.

Nu pas realiseerde hij zich dat hij niet langer in Carmel was. Hij was ergens anders.

Een bordeauxrode Mercedes...

Godallemachtig. Hij was dáár, terug op de plek waar het allemaal was misgegaan.

O nee, niet nog een keer.

Hij wilde remmen. De auto langs de kant zetten en uitstappen, zodat het niet weer zou gebeuren. Maar als hij wilde remmen, waarom bleef de auto dan almaar harder gaan? Hij zag nu alleen nog maar de bordeauxrode motorkap, glimmend in de duisternis. Witte strepen, oplichtend in het schijnsel van de koplampen. Een waarschuwingsbord. *De bocht. Pas op voor de bocht.*

Te laat. Daar waren de bomen al...

'Misschien is mijn werk toch gevaarlijker dan ik dacht,' zei Farrell. 'Jezus, wat een zootje. Gaat het een beetje?'

Ze stonden op de smalle strook gras bij de garage, vlak naast het levenloze lichaam van de man met het zwarte haar en de opengevallen koffer met geld.

Dana zei: 'Ik geloof dat ik over de eerste schrik heen ben. Maar ik vind het wel triest voor Larry en Archie. Ondanks al hun gebreken waren ze...'

Farrell knikte. 'Ik begrijp wat je bedoelt.'

Vijf minuten geleden, toen Farrell had besloten dat het niet anders kon of de man met het zwarte haar was net zo dood als de twee mannen op de veranda, hadden ze zich door het struikgewas een weg gebaand naar de plek des onheils. Niet veel later hadden ze Larry gevonden, zittend in een tuinstoel aan de andere kant van het huis.

'Ik hoop maar dat Archies doodskist op tijd klaar is,' zei Dana. 'Hij vroeg me gisterochtend een nieuwe voor hem te bestellen en dat heb ik gedaan, maar ik heb sindsdien niets meer van dat bedrijf gehoord.'

'Duurt zoiets lang?'

'Geen idee. De vorige keer duurde het vier weken. Maar misschien kan het sneller als ik zeg dat er haast bij is.'

'Vast wel.'

'Wat denk je? Zou ik morgen nog een baan hebben?'

Farrell haalde zijn schouders op. 'Venice Pictures is een groot bedrijf. Het zal wel door iemand worden overgenomen.'

'Ja...'

Ze zwegen. Vanuit zijn ooghoek zag Farrell iets bewegen. Een eekhoorn, die achter hen langs over de oprit schoot, heel even bleef staan om met zijn kop een beetje scheef naar een stapeltje bankbiljetten in het gras te staren, en vervolgens razendsnel in het struikgewas verdween.

Farrell zei: 'En nu?'

'Geen idee. Archie is er niet meer, dus hij kan je ook niet langer verbieden om de politie te bellen.'

'Nee, daar heb je gelijk in...'

Hij keek haar aan.

'Waar denk je aan, Jack?'

Hij schudde zijn hoofd. 'Ik dacht aan wat je net zei, over je werk en of je morgen nog een baan hebt.'

'Ja?'

'Je zei dat je, als je ooit zou besluiten een restaurant te beginnen, een rustige plek in het zuiden zou kiezen. Toch?'

'Ja, een rustige plek lijkt me wel zo prettig.'

'Stel nou – en dit is puur hypothetisch – stel nou dat je door onvoorziene omstandigheden de kans zou krijgen om het ook werkelijk te doen, naar welke stad zou dan je voorkeur uitgaan?'

Dana keek hem aan. Glimlachte en kneep zachtjes in zijn hand. 'Je bedoelt als ik genoeg geld zou hebben? Ik weet het niet, Jack. Ik denk dat ik eerst op zoek zou gaan naar een goede barman en hem om zijn mening zou vragen...'

50

Pensacola, Florida – een jaar en tien maanden later

Oswald Miggs keek naar de donkere lucht boven zijn hoofd en vloekte inwendig. De laatste dag van de vakantie en nu ging het ook nog regenen. Zijn vrouw Tammy, die een paar meter voor hem liep en niet meer tegen hem had gesproken sinds ze een halfuur geleden het National Naval Aviation Museum hadden verlaten, leek niet in de gaten te hebben dat ze op het punt stonden kletsnat te worden en Oswald was niet van plan haar te waarschuwen.

Ze passeerden McGuire's, een Ierse pub waar ze eerder die week – starend naar de indrukwekkende collectie buitenlandse valuta boven de bar – een prima steak hadden gegeten. Ze passeerden Landry's Seafood House, The Melting Pot...

Oswald zei: 'Lieverd? Het is zeven uur. Je zei daarnet toch dat je honger had? Misschien is het een goed idee om ergens naar binnen te gaan en een hapje te eten...'

Tammy negeerde hem en bleef doorlopen. Nog steeds boos omdat hij vlak voor het verlaten van het museum had besloten nog heel even terug te gaan naar de zuidelijke vleugel om een vluchtje te maken in de drukbezochte *Top Gun* Air Combat Simulator die hij enkele uren daarvoor had overgeslagen vanwege de lange rij.

Oké, de simulatie had – inclusief de briefing vooraf – veertig minuten geduurd en het was een feit dat zijn vrouw al vanaf vier uur had geklaagd over zware benen en een knorrende maag, maar dan nog: hoe vaak in zijn leven zou Oswald Miggs, medewerker van een vleesfabriek in Hayward, Wisconsin, nog de kans krijgen om vanuit de cockpit van een F-14 Tomcat deel te nemen aan een heus luchtgevecht? Of, minstens zo spectaculair: een virtuele landing te maken op een vliegdekschip?

En bovendien: hij had twee dagen geleden toch ook niet gezeurd toen hun uurtje zwemmen erbij ingeschoten was omdat zij maar geen genoeg kreeg van die stomvervelende botanische tuin?

Inmiddels begon Oswald zelf ook honger te krijgen. Toen hij vijf minuten later de eerste dikke druppels voelde, zocht hij beschutting onder de luifel van het eerste restaurant dat hij tegenkwam. Hij knikte naar een vriendelijk uitziende dame met groene ogen, die bezig was met geel krijt een of ander dagmenu op een bord te schrijven.

Vervolgens smeekte hij zijn vrouw op te houden met haar koppige gedrag en iets tegen hem te zeggen.

Tammy liep door.

Vertwijfeld keek Oswald toe hoe het in een legging van roze stretchstof gehulde achterwerk van zijn vrouw steeds verder bij hem vandaan waggelde. Toen dacht hij: oké, mij best. Als je het zo wilt spelen...

Hij bracht zijn handen naar zijn mond en schreeuwde: 'Tam? Ik ga naar McDonald's. Als je nog honger hebt, dan weet je me te vinden. Oké?'

Geen reactie.

Oswald schudde zijn hoofd en stapte onder de luifel vandaan, tevreden met zichzelf omdat hij zo-even net op tijd het woordje 'kutwijf' had weten in te slikken en daarmee had voorkomen dat ze tegen hem zou gaan gillen, zoals twee maanden geleden in het winkelcentrum van Hayward was gebeurd.

Hij stak de straat over en begon in tegenovergestelde richting weg te lopen, zonder zich druk te maken over de regen, die inmiddels met bakken uit de hemel kwam. Nee, Oswald Miggs was vastbesloten deze laatste vakantiedag niet te laten verpesten door het weer of het slechte humeur van zijn vrouw.

In plaats daarvan zou hij het naar zijn zin hebben. Hij zou naar McDonald's gaan, een Big Mac-menu bestellen en zoveel milkshakes drinken als hij maar kon. Vervolgens zou hij naar de boulevard lopen om een paar biertjes te drinken in een van de kleurige strandtentjes die hij daar eerder deze week had gezien.

En daarna…

Ja.

Daarna zou hij teruggaan naar de hotelkamer, net zo lang wachten tot dat dikke varken lag te snurken, en dan op de betaalzender de pornofilm bestellen die hij diep vanbinnen al de hele week had willen zien. Wat was de titel ook alweer? O ja, *The Cock Robbers*. Volgens het programmaboekje van het hotel was het een 'combinatie van seks, spanning en sensatie', drie dingen die hij node miste in zijn huwelijk met Tammy. Als hij het zich goed herinnerde, was de film zelfs aangeduid als 'de *Deep Throat* van het nieuwe millennium' en kreeg hij in het programmaboekje de maximale vijf sterren.

Met in zijn groene bermuda het begin van een stijve en op zijn gezicht een brede grijns, stapte Oswald even later het McDonald's-filiaal in Cervantes Street binnen en ging in de rij staan.

De *Deep Throat* van het nieuwe millennium.

Dat beloofde wat.

Dank aan: Emrys Huntington, Isabel, Gwendolyn, Jacques, Lies, Carlijn en Dik Post. Niek & Tineke Smith, Xander Smit, Frank Klein, Ruud Bal, Harmen Lustig, Uta Matten, Wanda Gloude, Febe van der Wardt, Sabine Mutsaers, Anne van den Bergh, Ruth Bergmans, Lidewey van Noord, Fieke Janse en alle anderen bij Ambo|Anthos die een bijdrage hebben geleverd aan de totstandkoming van dit boek. Mijn speciale dank gaat uit naar Louis Theroux, Bobbi Eden, J.J. Michaels, Kim Holland en Cain Canon, die me alles over de Nederlandse en Amerikaanse porno-industrie vertelden wat ik wilde weten, en soms meer dan dat.